# KRONIKI NICKA

# niezwyciężony

SHERRILYN KENYON

# KRONIKI NICKA

# niezwyciężony

PRZEŁOŻYŁA ANNA BŁASIAK

Tytuł oryginału: *Chronicles of Nick. Invincible.*

Redakcja: Paweł Gabryś- Kurowski
Korekta: Kinga Szafruga
Skład i łamanie: EKART
Projekt okładki: Magdalena Zawadzka/Aureusart
Zdjęcie na okładce: © Oleg Gekman | Dreamstime.com



**ISBN 978-83-7686-372-6**

Wydanie pierwsze, Wydawnictwo Jaguar, Warszawa 2016

Adres do korespondencji:
Wydawnictwo Jaguar Sp. Jawna
ul. Kazimierzowska 52 lok. 104
02-546 Warszawa

www.wydawnictwo-jaguar.pl
youtube.com/wydawnictwojaguar
instagram.com/wydawnictwojaguar
facebook.com/wydawnictwojaguar
snapchat: jaguar_ksiazki

Druk i oprawa: GRAFARTI

Dla moich Synów – marzących o książce, którą mogliby podzielić się z kolegami.

Dla mojego Męża, który od zawsze jest jak wiatr wiejący w moje żagle.

I, jak zawsze, dla Ciebie, Czytelniku, za to, że wraz ze mną wyruszasz w te wspaniałe podróże.

Wszystkim moim Znajomym i Przyjaciołom, którzy zajmują się badaniem zjawisk paranormalnych, dziękuję za wspólną zabawę i wspomnienia. A szczególne podziękowania kieruję do Ciebie, Mamo Liso, oraz do Ciebie, Tish, dwóch najlepszych egzorcystek i mediów, jakie znam. Pozostańcie po stronie światła, siostry. Pozostańcie po stronie światła.

# ROZDZIAŁ 1

*Ludzie mówią, że tuż przed śmiercią przelatuje człowiekowi przed oczami całe życie. To kłamstwo.*

Nickowi Gautierowi przed oczami mignęły jedynie kły Kyriana Huntera, naprawdę godne wampira. Widok ten był tak przerażający, że chłopak zamarł bez ruchu na eleganckich mahoniowych schodach w przedniej części obszernej posiadłości Kyriana, pamiętającej czasy sprzed wojny secesyjnej.

*Czeka mnie śmierć...*

*Znowu.*

No tak, odkąd jakieś dwadzieścia dwie godziny temu wybrał się do szkoły, gdzie okazało się, że dyrektora zjadło zombie, siedziały mu na ogonie chyba wszystkie monstra pod słońcem.

A teraz się na dodatek okazało, że jego cholerny szef jest wampirem.

Ha, i to by było na tyle w kwestii wypłaty. Nick nagle nabrał pewności, że nie zobaczy ani grosza. No, chyba że czek będzie można zrealizować w banku w samym piekle.

Czy ten dzień się kiedyś wreszcie skończy?

*Stary, to ty się zaraz skończysz.* Ta myśl w końcu go otrzeźwiła i wyrwała z pełnego przerażenia stuporu.

*Uciekaj, stary! Nogi za pas!*

Nie mógł jednak zbiec na dół, bo tam właśnie stał Kyrian. Jedyna wolna droga prowadziła na górę, do matki, która poszła już do sypialni przydzielonej im na tę noc. Zupełnie nie zdawała sobie sprawy z tego, że grozi im śmiertelne niebezpieczeństwo i że zaraz popłynie ich krew. Odwrócił się, żeby ją ostrzec.

– Nick! Poczekaj!

*Poczekaj? Akurat!* Temu wampirowi brakuje chyba kilku litrów krwi, jeśli mu się zdaje, że Nick nie będzie próbował dać nogi.

*Jestem za młody, zbyt inteligentny i zbyt przystojny, by umrzeć.* Ha, ha, ha, dobre sobie. Przecież świat potrzebuje go do ulepszenia genotypu. Nie wspominając o tym, że jako czternastolatek nie zaliczył jeszcze pierwszej randki. A debiutanckiego pocałunku doczekał się całkiem niedawno, bo ubiegłej nocy. Powinien był się domyślić, że to zapowiedź apokalipsy i nieuniknionej śmierci.

Gdy Nick dobiegał do szczytu schodów, Kyrian wybił się z podłogi sześć metrów poniżej niego, przeskoczył przez lśniącą barierkę i wylądował z wdziękiem akurat przed chłopakiem, odcinając mu drogę ucieczki. Czarne oczy Huntera błysnęły w ciemnościach. Odziany w czerń od stóp do głów, wysoki na ponad metr osiemdziesiąt, emanował groźną mocą. Nie zmieniały tego nawet jego chłopięce jasne loki.

Nick nie miał jak go wyminąć.

Dupa blada...

Stanął jak wryty. Co powinien teraz zrobić? Matka była w sypialni kilka kroków za plecami Kyriana. Miał ochotę do niej krzyknąć, ale bał się, że i ona wtedy zginie. Może, jeśli będzie siedział cicho, Kyrian wypije tylko jego krew?

– To nie to, co myślisz, Nick.

Akurat.

– Myślę, że jesteś żądnym krwi, demonicznym wampirem, który mnie zabije. Tak właśnie myślę.

Zanim Nick zdążył choćby mrugnąć, Kyrian wyciągnął rękę i złapał go za szyję, stosując coś w rodzaju wolkańskiego ucisku na nerwy. Chłopak chciał mu się przeciwstawić, ale był bezradny jak szczeniak, którego ktoś trzyma za kark. Z nieludzką siłą, której można się było spodziewać po nieumarłym, Kyrian przeciągnął Nicka obok tymczasowej sypialni jego matki, prosto do swojego gabinetu.

Podobnie jak w całym domu, sięgające od sufitu do podłogi zasłony były szczelnie zaciągnięte, by do środka nie wdarł się ani jeden promień wschodzącego słońca. Już na tej podstawie, zaraz po przekroczeniu progów tego domostwa, Nick powinien był się domyślić, że Kyrian jest ghulem. Ciemne drewno biurka zlewało się z ciemnozielonymi ścianami. Nie zwalniając kroku, Kyrian rzucił Nicka na fotel obity skórą w kolorze głębokiego bordo.

Chłopak zerwał się do ucieczki, ale Kyrian popchnął go z powrotem na fotel.

– Siedź przez chwilę spokojnie. Wiem, że oczekuję od ciebie niemożliwego, ale choć raz w życiu zamknij się i słuchaj.

– Przecież nic nie mówię.

Kyrian wydał z siebie charkot.

– Tylko mi się tu nie wymądrzaj.

– Mam być głupi?

– Nick...

Chłopak podniósł ręce do góry, jakby się poddawał.

– Niech ci będzie, tylko nie pożryj mojej mamy, dobrze? Miała ciężkie życie, jeszcze jej tego potrzeba, by została narzeczoną Drakuli.

– Ja nie piję krwi.

Uniósł brew w odpowiedzi.

– Akurat.

– Owszem. Nie piję. Nie jestem wampirem.

I to mówi gość wyposażony w kły?

– No to o co chodzi z tym twoim stomatologicznym problemem, co? Tylko mi nie próbuj wcisnąć, że zęby są fałszywe. Nosisz garnitury od Armaniego, jeździsz super-brykami. Podróby to nie twój styl. Zresztą masz dość kasy, by rozwiązać kwestię zębów, gdybyś chciał. No i jeszcze ten drobiazg, że nie wychodzisz na światło dzienne. I jakim niby sposobem wykonałeś właśnie ten skok ninjy, jeśli nie jesteś nieumarłym?

– Jestem uzdolniony.

– A ja jestem trupem.

Nick próbował mu się wymknąć, ale Kyrian znowu popchnął go mocno na fotel.

– O Acheronie wiesz i zaakceptowałeś go. A mnie czemu nie chcesz zaufać?

Acheron Partenopajos był wielkim, nieśmiertelnym… czymś. W stosunku do Nicka i jego matki zachowywał się jednak w przemiły sposób. A co najważniejsze…

– On nie ma kłów.

– Owszem, ma. Tylko lepiej je ukrywa niż ja. To mój szef.

Nick miał ochotę powiedzieć, że to stek bzdur, ale to wytłumaczenie właściwie nie było pozbawione sensu. Ash liczył sobie ponad jedenaście tysięcy lat. Wydawał się dziwnym kolegą dla Kyriana. Ale skoro był jego szefem… Nieśmiertelny olbrzym…

Wszystko nabierało sensu.

Nick nie był głupcem i tak łatwo nie łykał byle bujd. Może Kyrian zwyczajnie próbuje uśpić jego czujność?

– A czym wy się właściwie zajmujecie?

– Opieką nad ludźmi.

– Na przykład ratowaniem gówniarzy przed śmiertelnym pobiciem z rąk tych, którzy rzekomo są ich przyjaciółmi?

*Czyli ratowaniem mnie przed postrzeleniem przez Alana i wdeptaniem w ziemię przez Tyree i Mike'a kilka tygodni temu.* To właśnie w ten sposób się poznali. Potem Nick zaczął pracować dla Kyriana po szkole.

Hunter kiwnął głową.

– Właśnie.

Nick nieco się rozluźnił, przypomniawszy sobie, ile zawdzięcza Kyrianowi. Gdyby nie on, już by nie żył.

– Czyli nie masz zamiaru zaatakować mojej matki ani wypić mojej krwi?

– Za nic w świecie. Nie mam ochoty nabawić się niestrawności. Już dość miałem przez ciebie kłopotów, jak na jedną noc. Wystarczy mi.

Nick siedział w fotelu, wpatrując się w swojego rozmówcę. Gdyby Kyrian chciał go zabić, mógł to zrobić wiele razy. Zamiast tego ochraniał i Nicka, i jego matkę. I pozwolił im zostać u siebie na noc.

– Jeśli chcesz wiedzieć, kim tak naprawdę jestem, to właściwe określenie brzmi „Mroczny Łowca".

Nick wolno trawił te słowa.

– A co to dokładnie znaczy? Tropisz ciemności?

– Tak, Nick. Tym właśnie się zajmuję. Żeby mi się nie nudziło.

Sarkazm w jego głosie był tak wyraźny, wręcz gęsty, że można by go kroić nożem.

Nicka jakoś to jednak nie rozbawiło.

– Wytłumaczysz mi to czy nie?

– Jesteśmy nieśmiertelnymi wojownikami, którzy zaprzedali swoje dusze bogini Artemidzie. Dla niej walczymy i chronimy ludzkość przed tym, co na nią czyha nocą i co próbuje na niej żerować. W większości przypadków oznacza to, że tropimy i zabijamy Daimony.

– Które są?

– Ujmując to w słowa, które będzie ci łatwo zrozumieć, są wampirami, żywiącymi się ludzkimi duszami. Zamiast krwi pochłaniają twoją duszę, a gdy już ją pochłoną, zaczyna się ona kurczyć i obumiera. Daimona trzeba zabić, zanim dusza się kompletnie zużyje.

– Nie rozumiem. Czemu dusze?

Kyrian wzruszył ramionami.

– Karmią się nimi. Muszą mieć w sobie żywą duszę, w przeciwnym wypadku umierają.

Niezła jazda. Zwłaszcza dla osoby, którą zabijają, by zdobyć jej duszę.

– A jak one pożerają te dusze? – zapytał Nick.

– Nie mam pojęcia. Zapytałem o to kiedyś Acherona, ale nie chciał mi powiedzieć. A zna się na tym.

– A, to od niego się tego nauczyłeś, co?

Kyrian się uśmiechnął, nie z zaciśniętymi wargami, jak wcześniej, lecz szeroko, pokazując kły.

– W rzeczy samej.

– A więc masz ode mnie piątkę z plusem.

Kyrian przechylił głowę i przyglądał się Nickowi, jakby się spodziewał, że chłopak znowu zerwie się do ucieczki.

– No, to sprawa między nami wyjaśniona?

Nick zastanowił się nad tym. Pewnie powinien być przerażony, powinien brać nogi za pas, ale dziś w nocy Kyrian mu pomógł. Walczył z zombie i ochraniał jego przyjaciół. Otworzył drzwi swojego domu przed matką Nicka.

Chyba jest w porządku…

*Możesz mu ufać*. Po raz pierwszy Nick wiedział, do kogo należy ten głęboki głos, rozlegający się w jego głowie.

Do Ambrose'a, jego szurniętego wujka, który zarzekał się, że chce mu pomóc. Dziwne, jak oni wszyscy to w kółko deklarują. Ale…

– Nick?

Obaj aż podskoczyli na dźwięk głosu matki Nicka. Dochodził z korytarza.

Kyrian podszedł do drzwi i otworzył je.

– Tutaj jesteśmy, pani Gautier.

Weszła do pokoju, rozejrzała się podejrzliwie dookoła, jakby spodziewała się znaleźć tu coś nielegalnego, niemoralnego lub nienaturalnego. Niska, drobna i piękna, o jasnoniebieskich oczach. Matka zawsze kojarzyła się Nickowi z aniołem, zwłaszcza gdy nie była umalowana, bo makijażu u niej nie znosił. Jej jasne włosy były teraz potargane. Miała na sobie czarny T-shirt, który sięgał jej aż do kolan. Pewnie pożyczyła go od Kyriana, żeby mieć w czym spać. Miała dwadzieścia osiem lat, była bardzo młoda jak na matkę dzieciaka w wieku Nicka. Ale to się nigdy nie liczyło. W obliczu wrogiego świata zawsze mieli tylko siebie nawzajem.

– Nick? Wszystko w porządku?

– Wszystko dobrze, mamo.

Posłała pytające spojrzenie w stronę Kyriana. Było jasne, że nie uwierzyła w słowa syna.

– Na pewno, Misiu?

– Na pewno. Pan Hunter mówił mi właśnie, że jutro mam wolne, bo dziś pracowałem do późna. Prawda, panie Hunter?

W oczach Kyriana błysnęło rozbawienie, gdy do niego dotarło, jak zręcznie jego podopieczny wykorzystał sytuację.

– Tak, zgadza się. – Kyrian zacisnął wargi. Starał się nie uśmiechnąć i nie odsłonić zębów. – Nick tu przyszedł, żeby się zalogować do Internetu i trochę pograć. Właśnie mu mówiłem, że powinien iść spać.

A niech to...

Zagrał kartą cenzury rodzicielskiej? Jak mógł! Gdyby nie to, że to on padł ofiarą jego zagrania, Nick pochwaliłby go za refleks. Ale nie chciał dać matce jeszcze jednego powodu, by dała mu szlaban.

Wbiła w niego rozgniewane spojrzenie.

– Nicky...

Nick podniósł ręce do góry, jakby się poddawał.

– Mamo...

– Ty mi tu nie „mamuj", młody człowieku. W głowie mi się nie mieści, że coś takiego zrobiłeś. Marsz do łóżka. I to natychmiast. No, już!

Nick podniósł się z fotela i burknął coś pod nosem. Posłał zabójcze spojrzenie Kyrianowi. Jeszcze mu się za to odpłaci...

Kiedyś.

Kyrian zaśmiał się złośliwie, nie otwierając przy tym ust.

– Odprowadzę cię do pokoju.

To z kolei nie spodobało się jego matce. Zatarasowała drzwi.

– Może spać w moim pokoju. Ze mną.

Kyrian westchnął ze zmęczeniem.

– A ja się zastanawiałem, po kim Nick odziedziczył podejrzliwość. Nieźle go pani wyszkoliła.

Jego mama odgarnęła sobie kosmyk jasnych włosów z twarzy i wsunęła go za lewe ucho.

– No, tak. Wystarczająco często widziałam, jak okropni potrafią być ludzie. Bez urazy, panie Hunter.

– Zapewniam panią, że widziałem na własne oczy gorsze okropieństwa niż pani. I to nie raz. I proszę mi mówić Kyrian.

Chyba ją to zawstydziło. Wyciągnęła rękę do Nicka.

– No, chodź, skarbie. Słońce już wzeszło. Musisz się trochę przespać. Przecież nie doszedłeś jeszcze do siebie po postrzale.

Nie wiedziała, że już zupełnie wyzdrowiał. Stało się to dzięki mocom, których istnienie wolał przed nią zataić. Bo gdyby się dowiedziała, znając jego szczęście, pewnie by to komuś zgłosiła i skończyłby w jakimś laboratorium, golusieńki, w charakterze królika doświadczalnego.

– Muszę iść do szkoły?

– Nie, bo zaczyna się za niecałe dwie godziny.

– Zresztą dziś szkoła będzie zamknięta – oświadczył Kyrian, znów ściągając na siebie ich uwagę. – Policja nadal prowadzi tam śledztwo.

Matka Nicka zmarszczyła brwi.

– Skąd pan to wie?

– Rozmawiałem z jednym z nauczycieli Nicka.

– Z którym?

Nick chciał wiedzieć, kogo z grona nauczycielskiego powinien unikać, by nie narazić się na donos złożony jego pracodawcy wyposażonemu w kły.

– Z panią Pantall.

Super. Po prostu super. Nigdy go nie lubiła. Była jednym z nauczycieli, którzy domagali się wyrzucenia Nicka ze szkoły. No, ale w tej sprawie nic się dzisiaj nie dało zrobić.

Nick ziewnął. Zmęczenie w końcu go dopadło.

Jego matka aż cmoknęła z dezaprobatą.

– Widzisz, jaki jesteś zmęczony?

Nie znosił, gdy zadawała głupie pytania. Wiele go kosztowało, by nie odgryźć się z sarkazmem. Ubiegłej nocy omal nie dostał szlabanu, nie chciał teraz pogorszyć sytuacji.

Ugryzł się więc w język i poszedł za nią do sypialni. Podobnie jak gabinet Kyriana, pomieszczenie było ogromne, większe niż całe ich mikroskopijne mieszkanko, którego nie znosił. Łoże miało gigantyczne rozmiary. Przynajmniej matka nie będzie go kopać, bo zwykle rzucała się przez sen niczym kurczak na rożnie. To dlatego nie znosił, gdy musieli spać w jednym łóżku.

Tak wielkie łoże z baldachimem pomieściłoby jednak chyba całą dziesięcioosobową rodzinę. A najbardziej podobało mu się to, że niebiesko-złota narzuta była dobrana do tapet, włącznie ze złoconą folią, która wyglądała na ścianach naprawdę wspaniale. Coś takiego widział tylko w telewizji... i w horrorach.

Matka odwróciła się do niego.

– Jak ramię? Musisz wziąć jakieś leki?

Nick siłą woli nie zareagował na jej pytanie. Znowu o tym zapomniał. A niech to. Jeśli nie będzie uważał, wszyscy zaczną się dziwić, że tak szybko doszedł do siebie.

– Nie, w porządku.

– To dobrze. No, kładź się.

Nick obszedł łóżko i wślizgnął się pod kołdrę. Gdy tylko się ułożył, przyciągnęła go do siebie i zaczęła się bawić jego krótkimi, ciemnymi włosami. Aż się wzdrygnął i zaczął się wiercić, żeby się jej wyrwać. Niestety, była niczym ruchome piaski. Jeśli ktoś lekkomyślnie znalazł się zbyt blisko, nie miał już szans na ratunek.

– Mamo! Co ty wyprawiasz?

– Nie mogę cię już przytulić?

Skrzywił się z odrazą.

– Nie wiem, czemu martwisz się panem Hunterem, skoro to ty mnie zawsze molestujesz seksualnie. Rany, nie mogę się nawet położyć spać, żebyś mnie nie zaczęła obściskiwać?

Dała mu klapsa w tyłek. Nie tak, żeby zabolało, lecz by zwrócić jego uwagę.

– Przestań to powtarzać. Okazanie swojemu synkowi uczuć uściskiem to nie molestowanie. Wiesz, na świecie jest wiele mam, które w ogóle nie mają instynktu macierzyńskiego. – Takie matki wyrzucają dzieci z domu na ulicę za jedną pomyłkę, na przykład za to, że nie pozbyły się ciąży.

Matka Nicka o tym nie mówiła, ale wiedział, że gdy wygłaszała kazanie na ten temat, myślała tak naprawdę o swoich rodzicach, którzy wyrzucili ją z domu, gdy była w jego wieku.

– Ciesz się, że masz matkę, która cię kocha. – dodała.

Cieszył się. Nawet bardzo. Ostatecznie poza nią nie kochał go nikt inny pod słońcem. Teraz jednak, gdy był od niej o głowę wyższy, dziwnie się czuł, gdy próbowała go utulić, jakby był nadal małym dzieckiem. Pewnie usiłowałaby go sobie posadzić na kolanach, nawet gdyby jak Acheron miał dwa metry wzrostu.

– Przepraszam, mamo. Jestem po prostu zmęczony.

– Wiem, skarbie. – Odgarnęła mu włosy z twarzy i cmoknęła go w policzek. – Dobranoc. Słodkich snów.

– Tobie też.

Odwróciła się bez słowa, po czym przesunęła się, by wtulić w niego swoje lodowate stopy. Miał ochotę zaprotestować, ale nie chciał znowu urazić jej uczuć.

*Już się nie mogę doczekać, aż będę dorosły, i będę miał swój własny dom...*

*Nick, wiem, że tego teraz nie znosisz, ale ciesz się tym. Mówię ci, nadejdą czasy, gdy będziesz marzył o tym, by znowu się z nią zobaczyć.*

Nick zmarszczył czoło w odpowiedzi na natarczywy głos Ambrose'a, który rozległ się w jego głowie. *Jak to możliwe, że cię słyszę?*

*Pewnego dnia nauczę cię tej sztuczki. Będziesz w stanie przekazywać swoje myśli innym, tak jak ja teraz.*

*I będę też umiał czytać w czyichś myślach?*

*Owszem.*

Super. Chciałby wiedzieć, co myślą inni ludzie. To przydatna umiejętność, na przykład gdy się chce zaprosić dziewczynę na randkę. Lepiej z góry wiedzieć, że ma cię za totalnego lamusa.

*Kiedy mnie tego nauczysz?*

Ambrose roześmiał mu się w głowie. *Cierpliwości, chłopcze. Jeszcze nie nauczyłeś się tego, co powinieneś wiedzieć o kontrolowaniu zmarłych. A to ci będzie potrzebne. Naukę opanowania tej mocy musieliśmy przyspieszyć przez twojego kolegę. I chociaż przeżyłeś, nie nauczyłeś się zbyt wiele poza tym, jak uciekać przed istotami, które chcą cię zabić. Myślę, że nie powinniśmy ryzykować i że trzeba trochę zwolnić tempo. Najpierw nauczysz się pełzać, a dopiero potem latać. Dosłownie.*

Oczy Nicka zrobiły się wielkie jak spodki. *Nauczę się latać? Poważnie?*

*Mały, nie masz pojęcia, jakie moce w tobie drzemią. Ani o tym, czego cię jeszcze nauczę. Ale ostrzegam cię, będziesz miał wielu wrogów. Jednym z nich będzie Partenopajos.*

Nick znowu się zafrasował. *Ash?*

*Tak. Nie jest tym, za kogo go bierzesz. Jeśli masz choć trochę oleju w głowie – a wiem, że masz – będziesz się od niego trzymać z daleka.*

*Zanim będzie za późno.*

Ale on naprawdę polubił Acherona. Przecież ktoś tak fajny, odnoszący się z takim szacunkiem do jego matki, nie mógł być zły. Każdy ma jakieś problemy. Jego i jego matkę ludzie nieraz niesprawiedliwie oceniali. Nick nie chciał tak postępować. Wierzył w sens okazywania ludziom sympatii, nawet jeśli nie do końca im ufał. No, chyba że ktoś dawał mu konkretne powody, by zmienić do niego stosunek.

*Na przykład gdy ktoś do mnie strzela, bo postanowiłem nie zejść na ścieżkę zbrodni.*

Jego wujek westchnął z irytacją. *Idź spać, mały. Jutro zacznie się twoje nowe życie. Nawet go sobie nie wyobrażasz.*

*I ludzie będą próbowali mnie zabić?*

*Owszem. Między innymi.*

# ROZDZIAŁ 2

Nick obudził się, czując, że matka go dusi. Miała na sobie czarny T-shirt, w którym spała, oraz dżinsy. Klęczała obok niego i ściskała go za szyję.

– Mamo! Co ty wyprawiasz?

Zacisnęła mocniej ręce.

– Zabijam cię! Rozumiesz? Jesteś martwy. Martwy. Martwy!

Zakaszlał. po czym spróbował jej się wyrwać.

– Co takiego zrobiłem?

Zawarczała, puściła go i cofnęła się, po czym wymierzyła mu klapsa w siedzenie.

– Przez numer, który wykręciłeś wczoraj razem ze swoim kolegami idiotami, straciłam pracę! Mam nadzieję, że jesteś zadowolony! I tak ledwo mi wystarczało na dach nad głową dla nas i coś do jedzenia! Jak dam radę bez pracy?! Nie skończyłam szkoły średniej, nie mam żadnego doświadczenia poza tańcem. – Spojrzała na niego, jakby zaraz zamierzała się rozpłakać. – Nie wiesz, jak okropnie traktuje się ludzi w niektórych klubach! Owszem, nie znosiłam tego, ale to była jedyna robota powyżej płacy minimalnej dla kogoś, kto nie ma żadnego wykształcenia ani doświadczenia. Nie mogę nawet pracować przy kasie, nie wspominając o komputerze czy czymkolwiek innym. Peter nie chce słuchać moich przeprosin. Mówi, że nie obchodzi go, co się stało i jak do tego doszło. Już tam nie pracuję i mam nawet nie wracać po ostatni czek. Przyśle mi go pocztą, bo nie chce mnie więcej widzieć na oczy. Boże, co ja pocznę?!

– Pani Gautier, podobno przez Internet można sprzedać dzieci za całkiem przyzwoite pieniądze. Nick jest jeszcze dość młody. Powinna pani dostać tyle, żeby wystarczyło na jakiś czas.

Nickowi aż szczęka opadła na dźwięk głosu Rosy, która właśnie przechodziła koło ich pokoju. Zazwyczaj uwielbiał słuchać jej mocnego akcentu, ale teraz...

– Dzięki, pani Roso. Jestem zobowiązany.

– *De nada, m'ijo**.

Nick odskoczył za łóżko, jak najdalej od matki, żeby nie zaczęła go znowu dusić.

– Kyrian zna kogoś, kto mógłby dać ci pracę.

Spojrzała na niego tak, jakby naprawdę była gotowa go zabić.

---

* Hiszp. – nie ma za co, synku *(przyp. red.)*

– Jeszcze z tobą nie skończyłam, młody człowieku. A jak dostanę nową pracę, to co? Może znowu wpadniecie z Bubbą i mnie ogłuszycie, żebym straciła przez was kolejną posadę? Wiesz, większość pracodawców nie przepada za wizytami synów podwładnych w towarzystwie brutali, którzy przerzucają sobie pracowników przez ramię i wynoszą ich stamtąd w godzinach pracy.

– Ale to było dla twojego dobra.

– Podobnie jak lanie, które zaraz ci sprawię.

Nick wskoczył z powrotem na łóżko, przeturlał się po nim, a potem rzucił się biegiem do drzwi i na korytarz. Miał nadzieję, że tam będzie bezpieczniejszy.

– Jestem za duży na lanie.

– Żaden kłopot. Zamiast lania masz szlaban do czasu, aż twoje wnuki się zestarzeją!

– Trudne do wykonania. Jak mam się dorobić wnuków, skoro mam szlaban?

– I właśnie o to chodzi, ty odnogo od piekła! Ten szlaban nigdy ci się nie skończy! Nigdy, przenigdy!

Drzwi na końcu korytarza otworzyły się i stanął w nich poirytowany Kyrian. Ubrany był tylko w czarne spodnie od piżamy. Patrzył na nich spode łba. Miał potargane włosy i wyraźny cień zarostu na twarzy. Nick dałby się pokroić, by być tak zbudowany jak on. Rany, nikt w szkole by mu nie podskoczył, gdyby miał taką muskulaturę.

Kyrian spojrzał na nich z rozdrażnieniem.

– Ludzie, ja naprawdę muszę się wyspać. Może byście wydzierali się na siebie na dole, co? A jeszcze lepiej na zewnątrz, w ogrodzie?

Jego matka natychmiast się uspokoiła.

– Przepraszam pana, panie Hunter. Nie pomyśleliśmy, że możemy przeszkadzać.

Kyrian przeczesał sobie ręką jasne włosy i mocno je przy tym zmierzwił. Nick by się z tego zaśmiał albo rzucił jakąś kpiącą uwagę, ale ostatecznie Kyrian nie był do niego tak przywiązany jak jego matka. Szef mógłby go rzeczywiście zabić.

– Nie ma sprawy. Przestańcie się kłócić. I niech pani daruje życie Nickowi, przynajmniej do czasu, aż spłaci swój dług wobec mnie. A tymczasem może pani zadzwonić do Sanctuary na Ursulines i poprosić Nicolette Peltier. To właścicielka, już z nią o pani rozmawiałem. Powiedziała, żeby do niej zadzwonić; bardzo chętnie panią zatrudnią.

– Ale...

Podniósł rękę do góry władczym gestem i uciszył matkę Nicka. Rany, to była prawdziwa mentalna sztuczka Jedi. Gdyby Nick coś takiego zrobił, mama by mu spuściła lanie. I to porządne.

– Żadnych „ale". Niech pani do niej zadzwoni. Zapewniam panią, że praca dla nich spodoba się pani.

I wrócił do swojego totalnie zaciemnionego pokoju, zamykając za sobą drzwi.

Nick odetchnął z ulgą. Może nawet uda mu się przeżyć ten poranek.

– Och, nawet nie zaczynaj... – Matka zwróciła znowu do niego swoją wredną twarz Gorgony. – Nie myśl, że ci się upiekło. Ubieraj się. Masz pięć minut.

– Czemu?

– Nie odszczekuj mi się. I nie kłóć się ze mną. Chyba że nie chcesz dożyć południa. Pod prysznic, i to biegiem. Ale już!

*Przynieś. Waruj. Szczekaj, Burek, szczekaj.* Nie znosił, gdy mówiła do niego jak do psa, którego jedynym zadaniem jest posłuszne wykonywanie jej rozkazów.

– Mamo, nie jestem idiotą. Rozumiem, co do mnie mówisz.

– Najwyraźniej nie, skoro zostało ci już tylko cztery i pół minuty, zanim zaczną grać twój marsz pogrzebowy, a ty nadal tu siedzisz.

Walcząc z dziecinnym impulsem, by pokazać jej język, wrócił do pokoju i poszedł prosto do przylegającej do niego łazienki. Jeśli wykona jej polecenia, to może dostanie mniejszy wymiar kary.

Z drugiej strony, wyglądało na to, że matka tylko szuka pretekstu, żeby mu dać szlaban.

Cóż, boi się momentu, gdy Nick wyjdzie z domu, więc kurczowo się go trzyma. Syndrom opuszczonego gniazda. No dobrze, pewnie to nie jest właściwa nazwa dla tego zjawiska, ale on tak to określał.

Westchnął, rozebrał się i puścił wodę pod prysznicem.

Oczywiście, zanim skończył i się ubrał, minęło więcej niż pięć minut. Gdy otworzył drzwi prowadzące z łazienki do sypialni, matka siedziała na łóżku, wpatrując się w niego z wściekłością.

– No co? Śpieszyłem się.

– Co ty nie powiesz?! – Zsunęła się z łóżka. – Nawet się nie ogoliłeś.

– Kazałaś mi się pośpieszyć, więc darowałem sobie szukanie golarki. Zresztą mam raptem trzy włoski. Poza tobą nikt ich nawet nie dostrzega.

Liczył na to, że jeszcze urosną i rozmnożą się, ale na razie...

Pozbawiały go męskości, a jednocześnie wkurzały. A mama miała tylko kolejny powód do gderania.

Prychnęła z irytacją. Ten dźwięk zawsze mu się kojarzył z czajnikiem, który wypuszcza z siebie parę.

– No, chodźże. Musimy złapać tramwaj.

– Dokąd jedziemy?

– Słyszałeś, co powiedział pan Hunter. Musimy jechać do Sanctuary.

– Powiedział, żeby zadzwonić.

Przewróciła oczami. Gdyby on coś takiego zrobił, dostałby szlaban.

– Tak się nie składa podania o pracę, Nick.

– Ale...

– Ruszaj się!

Nie miał ochoty jechać przez całe miasto z byle powodu. No bo po co miał jechać? Żeby się przyglądać, jak ona prosi o pracę? Już lepiej niech mu oczy wyłupią niżby miał się nudzić jak mops i gapić na migoczące jarzeniówki.

– Nie mogę tu zostać?

– Nie możesz. Nie przyjmujemy datków dobroczynnych, dobrze o tym wiesz. Miło ze strony pana Huntera, że przygarnął nas do siebie na noc, ale trzeba zawsze uważać, by nie zostać z wizytą za długo.

– Ale przecież…

– Nick, rób, co ci każę!

Zagryzł zęby i ruszył w stronę schodów. Chyba powinien pozbyć się słowa „ale" ze swojego słownika, bo wyglądało na to, że działa ono na nią jak płachta na byka.

Gdy tylko zszedł na dół, jego nozdrza podrażnił zapach czegoś przepysznego… Pachniało jak prawdziwy, soczysty, smaczny bekon, od którego ślinka aż cieknie, a tętnice twardnieją. Nie jakieś tam skrawki bekonu, takie jak jego matka dodawała do jajek w proszku, które przygotowywała mu na śniadanie.

Mniam, mniam!

Niewiele myśląc, ruszył prosto do kuchni.

Matka złapała go za rękę.

– A ty dokąd?

– Jedzenie. Podążam za zapachami.

Gna mnie burczący brzuch.

– Nie – szepnęła. – Przecież ci mówiłam, że nie przyjmujemy datków dobroczynnych. Nie słyszałeś?

To co, ma chodzić głodny?

Wiedział jednak, że lepiej się z nią teraz nie kłócić, zwłaszcza gdy ma *taką* minę.

– No dobra.

I ruszył w stronę drzwi.

Zza rogu wychynęła Rosa i spojrzała na nich marszcząc brwi.

– Nick? Pani Gautier? Nie zjecie śniadania przed wyjściem?

Spojrzał na matkę, licząc na to, że zmieni zdanie.

– Bardzo pani dziękuję, Roso, ale jesteśmy umówieni i musimy już iść.

Zmarszczki na czole Rosy zniknęły, a usta ułożyły się w przemiły uśmiech. Była tego samego wzrostu co matka Nicka. Piękna kobieta o czarnych włosach ściągniętych w kok i promiennych, brązowych oczach.

– W takim razie przygotuję wam śniadanie na wynos.

Matka puściła rękę Nicka.

– Nie, dziękujemy. Nie chcemy pani kłopotać.

– To żaden kłopot – uspokoiła ją Rosa. – Jedzenie dla was jest już przygotowane. Ja już zjadłam, a pan Kyrian jeszcze długo nie wstanie. Jeśli nie zjecie, wszystko powędruje do kosza.

Nick spojrzał na matkę błagalnie i wydął wargi. W ten sposób często udawało mu się przeforsować wiele spraw, dopóki nie wiązał się z nimi żaden dylemat moralny.

Dostrzegł w jej oczach wahanie. Naprawdę, ale to naprawdę nie cierpiała od nikogo niczego przyjmować. *Ludzie zawsze oczekują czegoś w zamian. Nick, nic w życiu nie jest za darmo. Nie bierz, to nikt nie będzie oczekiwał od ciebie rewanżu.* Znał tę litanię na pamięć.

Ale dla niego to nie było to samo.

– Mamo, zawsze powtarzasz, że jedzenia nie wolno marnować.

Westchnęła głęboko, po czym poddała się.

– No dobrze. Dziękuję pani, Roso.

– Cała przyjemność po mojej stronie. To mam zapakować…

– Zjemy przy stole. Nie chcemy sprawiać dodatkowego kłopotu.

Nick dotarł do kuchni prawie biegiem. Dwa talerze przygotowane przez Rosę już stały na środku wyspy. Żołądek mu się ścisnął jeszcze bardziej, gdy poczuł zapach ciepłego jedzenia.

– Boże! Naleśniki i bekon?

Pachniało tak smakowicie, że aż mu ślinka ciekła.

Rosa roześmiała się, widząc jego zapał. Nie miała pojęcia, jaką rzadkością był dla niego taki posiłek.

– Nie chcesz syropu klonowego? – zapytała, gdy złapał jeden naleśnik i wgryzł się w niego. Pycha!

Nick przełknął kęs.

– To syrop też jest?

Wskazała na blat za jego plecami, gdzie czekała wielka butla syropu marki Log Cabin. *Ojej, po prostu bosko...*

Złapał ją, otworzył i chlusnął sobie na talerz.

Jego matka była dużo bardziej powściągliwa.

– Nick, nie lej tyle. Zabijesz smak jedzenia.

I o to chodziło.

– Mamo, to naprawę dobry syrop, nie taki rozwodniony.

Ona – gdy w ogóle mogli sobie pozwolić na syrop klonowy – rozcieńczała go, by wystarczył im na dłużej.

Zrobiła się teraz czerwona jak burak.

Rosa poklepała ją po dłoni.

– Niech się pani nie przejmuje, pani Gautier. Doskonale rozumiem, jak to jest, gdy z trudem przychodzi człowiekowi wykarmić syna. Miguel i ja mamy za sobą wiele chudych lat. Jeszcze zanim zaczęłam pracować dla pana Kyriana. Jedzcie, ile chcecie. Pan Kyrian stosuje zasadę, że w tym domu nikt nie może chodzić głodny.

– Dziękuję.

Rosa przechyliła głowę, a potem podsunęła Nickowi talerz naleśników.

– Ale zwolnij trochę i zostaw coś dla mamy. No i jak zjesz ich zbyt dużo, to cię rozboli żołądek.

– No tak, ale te naleśniki są tego warte. Przepyszne są. Bardzo pani dziękuję, że je pani usmażyła.

Uśmiechnęła się i podała mu serwetkę.

– Cieszę się, że ci smakują.

– Smakują to mało powiedziane. Czuję się tak, jakby mi wszystkie kubki smakowe śpiewały i tańczyły. Założę się, że jakby pani dobrze nadstawiła ucha, to by je pani usłyszała.

Sytuacja uległa dalszej poprawie, gdy Rosa podała mu szklankę świeżo wyciśniętego soku z pomarańczy. Och, niebo w gębie!

Matka zjadła swoją porcję, podczas gdy on pochłonął większość naleśników.

Potrząsnęła głową, wzięła go za „zdrową" rękę i odciągnęła od pustego talerza.

– No, chodź, Misiu. Musimy się zbierać.

Zlizał sobie syrop klonowy z palców.

Matka skrzywiła się z odrazą.

– Nick, masz serwetkę. Użyj jej, bardzo cię proszę.

– No tak, ale nie chcę, żeby się zmarnowało. Za dobre jest.

Westchnęła rozdrażniona i spojrzała na Rosę.

– Roso, zapewniam panią, że staram się go wychować lepiej. Ale na razie nie przynosi to efektów. Co nie znaczy, że nie wkładam w to sporo wysiłku.

Rosa się roześmiała.

– Wiem. Niech mi pani wierzy, mój Miguel jest taki sam.

Nick nie przejął się ich uwagami, ugryzł ostatni kęs i poszedł za matką. Po wyjściu z domu ruszyli w kierunku przystanku. Niewiele się odzywali w drodze z eleganckiego, luksusowego Garden District, gdzie mieszkał Kyrian, na drugą stronę Dzielnicy Francuskiej, gdzie, pod numerem 688 przy Ursulines, mieściły się bar i restauracja Sanctuary. Aby się tam dostać, musieli pojechać tramwajem do Jackson Brewery, a potem przejść pieszo parę przecznic w stronę konwentu urszulanek, od którego ulica brała swoją nazwę. Sanctuary było położone o przecznicę od klasztoru, niedaleko szkoły Nicka.

Przechodził obok tego miejsca wiele razy. Kiedyś matka mu powiedziała, że kręci się tam nieciekawa klientela. Bała się, że coś mu się może przydarzyć, więc w zasadzie nie wolno mu było tam chodzić. Zawsze się zastanawiał, skąd ona wie, kogo można tam spotkać, skoro, o ile mu wiadomo, sama ani razu tam nie była. Nigdy jej jednak o to nie zapytał.

Ta sprawa należała do kategorii: „lepiej nie pytaj, bo możesz otrzymać tylko głupią odpowiedź rodzicielską". *Gdyby wszyscy twoi koledzy skoczyli z mostu... Bo tak ci mówię... Tak długo, jak mieszkasz pod moim dachem...* I tak dalej.

Pomijając samo Sanctuary, Nick zawsze lubił kręcić się po Dzielnicy Francuskiej. Uciekał tu z ich bylejakiego mieszkanka oraz dzielnicy, w której żyli. Kryło się tu coś, co działało kojąco na każdą kroplę cajuńskiej krwi płynącej w jego żyłach: historia, piękno, mieszanina kultur, zapachy, jedzenie, no i ludzie. Nie było na świecie drugiego takiego miejsca. Fakt, nie miał wielkiego porównania, bo odwiedził tylko Laurel i Jackson w stanie Mississippi, dokąd ewakuowali się podczas huraganów. A i tam widział parkingi przed centrami handlowymi, gdzie zostawiali swoje przerdzewiałe yugo i rozbijali tymczasowy obóz.

Przerwał, bo właśnie zrównali się z Café Du Monde, położonym na skraju targu francuskiego. W nozdrza uderzył go aromat kawy zbożowej i orleańskich pączków. Po raz pierwszy w życiu ten słodki zapach nie wywołał u niego skurczów żołądka z głodu. Dziś, najedzony do syta, rozkoszował się tylko tym zapachem.

Aż dotarło do niego, że został w tyle.

Choć był wyższy od matki, musiał nieźle wyciągać nogi, żeby za nią nadążyć. Jak na taką niską kobietę potrafiła czasem narzucić niezłe tempo.

Na szczęście była bardzo skupiona na celu swojej wyprawy i nie zauważyła nawet, iż Nick został z tyłu.

Szła Dumaine Street, po czym skręciła w Chartres Street. Gdy dotarli do rogu Chartres i Ursulines, w końcu zwolniła, jakby nagle ogarnęły ją wątpliwości. Wcale jej się nie dziwił. Sanctuary zajmowało prawie całą przecznicę. Było nie tylko ogromne, lecz także owiane legendą. Każdy w Nowym Orleanie znał to miejsce, otwarte od ósmej rano do trzeciej nad ranem. Mówiło się, że tylko w kilku miejscach na świecie podaje się równie dobre jedzenie i że niektórzy klienci to zbiry, jakich mało.

Nad drzwiami wahadłowymi, takimi jak w saloonie, prowadzącymi do trzypiętrowego budynku z czerwonej cegły, wisiał ogromny szyld. Czarna tablica z wizerunkiem motocykla zaparkowanego na wzgórzu, którego kształt odcinał się na tle księżyca w pełni. Słowo SANCTUARY wypisane było białymi literami z fioletowym, mglistym konturem. W prawym dolnym rogu szyldu mniejsze litery tworzyły slogan „Tu mieszkają The Howlers".

Nie z tego jednak powodu Nick się zawahał. O ścianę zaraz przy drzwiach opierał się ogromny jak góra typ. Był wyższy nawet od Kyriana, ramiona miał jak dwa pnie drzewa, a długie, kręcone jasne włosy ściągnął w kucyk. Na jego widok Nickowi przeleciała przez głowę myśl, że ochroniarz przybierze zaraz postać wielkiego rozzłoszczonego niedźwiedzia.

To był jeden ze zmiennokształtnych, o których mówił mu wczoraj Alex Peltier…

Nick nie miał pojęcia, skąd to wie, ale wiedział.

Matka przeciągnęła go na drugą stronę ulicy, gdzie stał niedźwiedziołak.

Jakby wyczuwając, że Nick rozpoznał jego nadprzyrodzoną moc, wbił w nich lodowato niebieskie oczy.

– Zgubiliście się?

Matka Nicka przełknęła głośno ślinę.

– Eee… Kyrian Hunter powiedział mi, że mam się zgłosić do Nicolette Peltier? Ona, zdaje się, jest właścicielką tego przybytku.

Ich rozmówca spojrzał Nickowi prosto w oczy z zaciekawioną miną, po czym wyciągnął krótkofalówkę zza pasa i nacisnął jakiś guzik.

– Aimee? *Maman* u siebie w biurze?

– Tak, a bo co?

– Ludzie przyszli się z nią zobaczyć. Dwoje. Kyrian ich przysłał.

Jego dobór słów rozbawił Nicka. Matka pewnie wzięłaby to tylko za drobną ekstrawagancję, ale on wiedział lepiej. Gość stojący przed nimi ostrzegał resztę rodziny, że do środka wchodzą ludzie. Niezły kod: dosłowny, a jednocześnie na tyle niewinny, by większość osób się nie zorientowała.

– Bądź dla nich miły, Rémi. Nie odgryź im głów. *Mamam* zaraz zejdzie – powiedziała kobieta przez krótkofalówkę.

Rémi otworzył przed nimi drzwi wahadłowe.

– Wejdźcie do środka i poczekajcie…

Matka Nicka się uśmiechnęła.

– Dziękujemy.

Nick zawahał się i zerknął na niedźwiedzia.

– Jest Alex?

Rémi spojrzał na niego uważnie.

– Skąd znasz Alexa?

Jego głos chyba nie mógł kryć w sobie więcej podejrzliwości ani być bardziej wyzywający. – Chodzimy razem do szkoły.

– Aha...

Nie powiedział nic więcej.

No dobrze... Najwyraźniej niedźwiedź nie należał do rannych ptaszków i nie miał zamiaru powiedzieć Nickowi, gdzie może tak wcześnie znaleźć kolegę z klasy. Chłopak uznał, że lepiej będzie nie złościć kogoś, kto nie jest człowiekiem i kto pewnie byłby w stanie złamać mu kręgosłup na pół jak zapałkę. Wszedł do środka i dołączył do matki, która stała przed okrągłym stołem otoczonym czterema krzesłami. Do lunchu zostało jeszcze półtorej godziny, w pomieszczeniu było więc pustawo. Za barem stało dwóch mężczyzn... a właściwie panterołak i jastrzębiołak. Byli zajęci uzupełnianiem zapasów i sprzątaniem. Przy jednym ze stolików siedział ktoś nad laptopem i filiżanką kawy. Dwie kobiety jadły późne śniadanie, a jakiś starszy mężczyzna czytał gazetę i robił notatki.

Mama podała Nickowi dolara.

– Idź zagraj w jakąś grę komputerową, kiedy pójdę porozmawiać z właścicielką.

Nick zdziwił się, ale jednocześnie ogarnęła go wdzięczność, bo rzadko miał pieniądze, które mógł po prostu przepuścić. Poszedł na tyły restauracji, gdzie stały stoły bilardowe i automaty do gry pod ścianami. Zbliżając się do nich, kątem oka dostrzegł chłopaka starszego od siebie o parę lat. Był zajęty wycieraniem stolików. Uwagę Nicka zwróciły nie tyle zmatowiałe, jasne dredy chłopaka, ile niewielka małpka, którą miał na ramieniu. Zajęta jedzeniem banana, wyszczerzyła zęby na Nicka, po czym zawarczała. Chłopak z dredami wyciągnął rękę, żeby uspokoić zwierzaka.

Nick miał ochotę podejść i przyjrzeć się małpce z bliska, ale intuicja podpowiadała mu, że lepiej trzymać się z daleka od jej właściciela.

To nie był zwykły chłopak.

Tygrysołak. Bardzo agresywny i aspołeczny.

*Skąd ja to wiem? Przecież tylko na niego spojrzałem?*

Jeszcze wczoraj był normalny.

A dziś...

Dziwadło, któremu przez głowę przelatywały obrazy ukazujące zmiennokształtnych. Nie wiedział, jak się nazywają, ale wiedział, czym są, nawet jeśli podszywali się pod ludzi.

*Co się dzieje?*

Od nadmiaru bodźców kręciło mu się w głowie. Jednak wraz z tym doznaniem pojawiło się poczucie bezpieczeństwa. Nie czuł zagrożenia ze strony otaczających go zwierząt. Jakby były swego rodzaju strażnikami. Opiekunami, a nie drapieżnikami.

Niesamowite, był w barze prowadzonym przez rodzinę zmiennokształtnych.

*Ambrose*? W milczeniu wezwał swojego wujka. Potrzebował kogoś, kto by mu pomógł zrozumieć sytuację.

*Co się dzieje? Widzę różne przerażające rzeczy. Ludzi, którzy nie są ludźmi...*

*Mały, pamiętaj, co ci mówiłem. Masz moc widzenia. Dostrzegasz to, co ukryte.*

*Czyli nikt nigdy nie będzie mógł mnie już okłamać?*

*Nie. To, co innego. Moc widzenia pozwala ci dostrzec większość istot nadprzyrodzonych, które próbują wtopić się w ludzki świat.*

*Jak to „większość"?*

*Niektóre demony są wystarczająco potężne, by się skutecznie ukryć. Podobnie jak bogowie wyższego rzędu i opętani. Z czasem ich też zaczniesz dostrzegać, ale do tego będziesz potrzebował intensywnego treningu i samodyscypliny.*

Tymczasem zaś... Jego życie zmieniło się w jakąś koszmarną, psychodeliczną halucynację.

*Wyluzuj, Nick. Idź w coś zagrać.*

Wyczuł, że Ambrose znowu go opuścił. Nie miał nic lepszego do roboty, podszedł więc do konsoli Galaga. Rany, całe wieki takiej nie widział. To musi być ulubiona gra jakiegoś weterana. Wyjął dolara, zamienił go na żetony, wrzucił jednego do automatu i usłyszał charakterystyczną muzykę. Zaczął grać, gdy nagle padł na niego jakiś cień.

Podniósł głowę i natychmiast zamarł. *Jasna cholera...*

Ten gość musiał mieć dobrze ponad dwa metry wzrostu. Wyglądał jak starsze wcielenie faceta przy wejściu. Nick w życiu nie widział nikogo z równie bezlitosną miną.

*Już jestem trupem...*

– Kto ci pozwolił grać na moim automacie?

Nick wiedział, że te słowa wypowiedział człowiek, ale oczami wyobraźni zobaczył ogromnego niedźwiedzia z nabiegłymi krwią oczami.

– Eee...

Facet roześmiał się i żartobliwie klepnął go w ramię.

– Wyluzuj, młody. Tylko mi tu nie nasikaj na podłogę. Tak się z tobą droczę.

Serce Nicka waliło tak szybko, jakby był samochodem Richarda Perry'ego podczas Daytony.

Facet pokręcił głową.

– Jestem Papa Niedźwiedź Peltier. A ty masz jakieś imię?

– N-n-nick.

– Miło cię poznać, N-n-nick. – Wyjął żeton z kieszeni i podał go chłopakowi. – Przepraszam, że ci zmarnowałem grę. Ale uwielbiam zszokowane miny ludzi, gdy spotykają mnie po raz pierwszy. Piękna sprawa.

Nick wziął żeton, ale nadal nie był pewien, co o tym wszystkim myśleć.

*On jest w porządku, młody. Podziękuj mu za żeton.*

– Eee... Dzięki.

Papa Niedźwiedź klepnął go w ramię, po czym ruszył w stronę sceny, gdzie razem z innym mężczyzną, który wyglądał jak klon Rémiego, układali kable elektryczne na podłodze.

– Zamknij buzię, skarbie. Papa gryzie tylko tych, którzy pierwsi wyszczerzą zęby.

Odwrócił się na dźwięk cichego głosu z lekkim akcentem. Zobaczył przed sobą najpiękniejszą kobietę, jaką kiedykolwiek oglądały jego oczy. Wysoka blondynka z krągłościami, o jakich marzą mężczyźni. Miała na sobie T-shirt Sanctuary na tyle opięty, że Nick poczuł się nieswojo.

– Jestem Aimee Peltier. A ty musisz być Nick.

Rany, jest lepsza od niego.

– Skąd wiesz, jak się nazywam?

Nachyliła się, żeby mu szepnąć prosto do ucha, jakby dzieliła się z nim jakąś wielką tajemnicą.

– Twoja mama mi powiedziała na zapleczu.

Ach, no tak, oczywiście. Poczuł się jak ostatni idiota.

– No chodź, przedstawię cię członkom ekipy, którzy teraz nie śpią i są na nogach.

Nick nie był przekonany, zawahał się przez chwilę.

– Niby czemu?

Czy ona zamierza wydać go na pożarcie niedźwiedziom, czy coś w tym rodzaju?

– Twoja mama będzie tu pracować, a twoja szkoła jest rzut kamieniem stąd, więc pewnie będziesz tu w przyszłości sporo przesiadywał.

– Aha.

W końcu się rozluźnił. Poszedł za nią w stronę chłopaka z małpką.

– Wren, przywitaj się z Nickiem.

Chłopak nie odpowiedział, tylko spojrzał na Nicka spod szopy gruzłowatych włosów.

Aimee się tym nie przejęła.

– Wren właściwie nie mówi. Ale to miły gość. Mieszka obok, u nas w domu. Będziesz go często widywał, bo on nie ma własnego życia ani żadnych zainteresowań. Pracuje praktycznie non stop. A ten mały kudłacz to Marvin. Marvin, przywitaj się z Nickiem.

Małpka dała susa z ramienia Wrena na ramię Nicka, co go zaskoczyło. Nick ją złapał i przytrzymał. Marvin potargał chłopakowi włosy i wsadził mu pokryty skórzastą skórą mały palec do ucha. *Błe*!

– Marvin lubi się bawić włosami. – Aimee wyciągnęła rękę, a małpka pozwoliła jej wziąć się w ramiona i przytulić. – to mały żebrak. Jeśli będziesz miał dla niego jakieś przekąski pod ręką, zostanie twoim najlepszym przyjacielem.

Trąciła nos małpki, po czym oddała ją Wrenowi.

Gdy Marvin sadowił mu się z powrotem na ramieniu, Wren nie odezwał się ani słowem. Po prostu wrócił do wycierania blatów.

Aimee poprowadziła Nicka dalej.

– Rémiego poznałeś już przy wejściu. Jeśli mogę ci coś poradzić, naucz się szybko, który to z czworaczków.

– Czworaczków?

Wskazała ręką na scenę, gdzie pracowali Papa i klon Rémiego.

– Mam czterech braci, którzy są indentycznymi czworaczkami. Quinn! – zawołała.

Młodszy niedźwiedziołak podniósł głowę.

Uśmiechnęła się, po czym machnęła do niego, by wrócił do pracy.

– To oczywiście Quinn. Tak myślałam, ale czasem, choć rzadko, nie potrafię go odróżnić od Cherifa. Mają identyczne fryzury. Specjalnie się tak czasem obcinają, żeby nam namieszać w głowach. Zwykle Quinn ma trochę krótsze włosy niż Rémi i Dev. Deva da się rozpoznać całkiem łatwo, bo on się zawsze śmieje i rzuca sarkastycznymi dowcipami. Twoja mama powiedziała, że lubisz takie. Ma też na ramieniu tatuaż z podwójnym łukiem i strzałą. To on najczęściej obstawia drzwi. Dziś wziął dzień wolnego, żeby odebrać zamówiony motocykl z Kenner. – Zatrzymała się i spojrzała na niego ponuro. – Jeśli któryś z nich na ciebie warknie albo się do ciebie nie odezwie, to możesz założyć, że to Rémi. On ma wiecznego PMS-a i jest zawsze gotowy wyrwać człowiekowi ramię ze stawu. Wystarczy, że oddychasz, żeby się wkurzył. Zapamiętaj moje słowa.

Postanowił to sobie dobrze zapamiętać.

Podeszli do baru.

– Ten blondyn to Jasyn. Jasyn, przywitaj się z Nickiem.

Jastrzębiołak kiwnął do niego głową.

– A nasz drugi uroczy barman dzisiejszego poranka to Justin.

Był czarnowłosy i wysoki. Bił od niego przekaz: „tak ci skopię tyłek, że będzie ci się odbijać skórą z moich butów". Kolejny osobnik, którego Nick miał zamiar unikać.

Zza drzwi koło baru wyszło starsze wcielenie Aimee. Kobieta zatrzymała się na jego widok.

Czuł się tak, jakby znalazł się pod mikroskopem. Lustrowała go od stóp do głów.

W końcu wyciągnęła do niego rękę.

– Dzień dobry, panie Gautier. Jestem Nicolette. Ale bardzo cię proszę, nazywaj mnie Mama Lo.

– Mama Lo.

Przenikliwe spojrzenie zastąpiła teraz łagodniejsza mina.

– Witaj w naszej rodzinie. Słyszałam, że pracujesz dla Kyriana.

– Owszem. Dopóki mnie nie wyrzuci.

Parsknęła śmiechem.

– Lepiej mu nie daj ku temu powodu. Zresztą on nie wyrzuca ludzi z pracy, on ich zabija.

– *Maman*! – powiedziała Aimee ze śmiechem. – Ten biedak nie wie, że żartujesz.

– Nick? Co ty tu robisz?

Nick odwrócił się w stronę siostry Alexa, Kary, która również chodziła z nim do szkoły. Była jego wzrostu i miała takie same jasne włosy, co Aimee i Mama Lo.

Aimee wyjaśniła jego obecność, zanim sam zdążył to zrobić.

– Jego mama będzie dla nas pracować, Kiki. Możesz zabierzesz go do kuchni, co? Jestem pewna, że ciasteczka Morty'ego są już gotowe.

Ciasteczka? Rany, jak tak dalej pójdzie, to zrobi się wielki jak góra.

Ale warto.

Nick zrobił krok w stronę kuchni, po czym zamarł; wzdłuż kręgosłupa przebiegł mu zimny dreszcz. Coś tu było. Coś złego.

Rozejrzał się po pomieszczeniu, aż znalazł źródło swojego niepokoju. Do restauracji za plecami kobiet wszedł mężczyzna ze srebrną tacą w rękach. Miał na sobie czarny T-shirt i szarą bluzę z kapturem. Na pierwszy rzut oka wyglądał jak przeciętny dwudziestolatek.

Wreszcie ich spojrzenia spotkały się. Nick poczuł, jakby poraził go prąd. Intensywna obecność tej istoty była niezaprzeczalna.

Oto Śmierć przybyła na jasnym koniu...

# ROZDZIAŁ 3

No dobrze, właściwie Śmierć nie przybyła na jasnym koniu, lecz go przyniosła...

Nick miał ochotę rzucić się do ucieczki, ale nogi odmówiły mu posłuszeństwa. Czuł się tak, jakby jakaś niewidzialna siła zablokowała każdy staw w jego ciele.

– Morty! – zawołała podekscytowana Kara. – Pewnie miałeś czkawkę, co? Właśnie zamierzałam cię szukać.

Nowo przybyły nie spuszczał Nicka z oczu.

– Naprawdę? W takim razie nic dziwnego, że się zjawiłem. Musiałem usłyszeć, że nie możecie się doczekać ciasteczek Śmierci.

Nick patrzył na jasnego konia, nie większego od dłoni, który stanął dęba na stercie ciasteczek. W życiu nie widział takiego koloru. Była to przedziwna mieszanina błękitu i bieli, żyjąca własnym życiem. Miniaturowy koń buchnął ogniem z nozdrzy, następnie pogalopował w dół po ręce Morty'ego i zniknął w kieszeni jego bluzy.

*Że co, do jasnej cholery?*

A nie był to jeszcze koniec. Przed oczami Nicka stanął obraz Morty'ego w czarnej zbroi, z mieczem w dłoni. Ciemne włosy trzepotały mu wokół twarzy i ramion, oczy świeciły jaskrawą czerwienią, a skóra lśniła, jakby nie była cielesna, lecz odlana z brązu.

Nick rozejrzał się dookoła, żeby sprawdzić, czy ktokolwiek inny to zauważył. Jeśli tak, to nikt nie dał tego po sobie poznać.

– Masz ochotę na ciasteczko, młody?

Dopiero po chwili dotarło do niego, że Śmierć zwróciła się do niego.

– Co?

– Masz... Ochotę... Na... Ciasteczko?

Jeszcze mu tego było trzeba, żeby Śmierć wzięła go za idiotę.

*Gdy Śmierć oferuje ci ciasteczko lub cokolwiek innego, odmów.*

No tak, zdecydowanie mądra rada.

– Dopiero co jadłem. – Nick pokręcił głową. – I to sporo. Nadal mi się odbija syropem. Dziękuję, ale nie.

Kącik ust Śmierci zadygotał w rozbawieniu.

Kara spojrzała na niego ze zmarszczonym czołem.

– Nick, musisz spróbować tych ciastek. Są przepyszne. Po prostu nie do przebicia.

Pewnie dlatego, że składają się głównie z arszeniku.

Nick poklepał się po brzuchu.

– Muszę uważać na swoją dziewczęcą figurę. Bo jak ja nie będę na nią uważał, to nikt tego za mnie nie zrobi.

Śmierć roześmiała się i podała tacę Karze.

– Chodź, Nick, oprowadzę cię.

– Nie ma sprawy, nie trzeba.

Zupełnie nieświadoma faktu, że ich kucharz znad Styksu, mocno wyprowadził Nicka z równowagi, Aimee złapała ciastko z tacy.

– Dobry pomysł. No to bawcie się dobrze. Ja muszę zająć się wypłatami.

*Mamo...*, Nick jęknął w duchu.

Morty złapał go za rękę i wciągnął przez drzwi wahadłowe do kuchni. Sprzątało tam dwóch groźnie wyglądających facetów. Jeden z nich był wielki jak góra i łysy, a jego bystrym ciemnym oczom nic nie mogło umknąć. Na karku miał wytatuowany wizerunek jakiegoś rozzłoszczonego ptaszyska. Drugi osobnik, który niewiele przewyższał wzrostem Nicka, miał krótko przycięte ciemne włosy.

Śmierć klepnęła wyższego z nich w ramię.

– Nick, poznaj moich dwóch towarzyszy. Oto Ból i Cierpienie. – Ból to ten wyższy, a niższy był Cierpieniem. – Cierpienie będziesz musiał ignorować. Jest niemy.

– Niemy?

– No, wiesz, cierpieć trzeba zawsze w milczeniu.

Nick parsknąłby na to śmiechem, ale bał się, że Ból może mu za to przyłożyć. A skoro to Ból, Nick uznał, że lepiej go nie prowokować.

– Miło mi was poznać... – Rozejrzał się nerwowo dokoła. – Och, zaraz! Mama mnie chyba woła. Lepiej pójdę sprawdzić, czego właściwie ode mnie chce.

Odwrócił się do drzwi, ale zaraz się zorientował, że znowu nie jest w stanie poruszyć nogami.

Śmierć podeszła do niego i stanęła przed nim.

– Nie zgrywaj nieśmiałego, Cajunie. Nie przepadamy za tym.

Aha. A on nie przepadał za przesiadywaniem w kuchni z ghulami. Nie zawsze dostaje się to, co się lubi.

– Czego ode mnie chcesz?

– Zazwyczaj szłoby o twoje życie i duszę. – Śmierć westchnęła ciężko. – Niestety, teraz nie mogę zabrać żadnego z nich. Kiepski dzień, jak na mój gust. – Klepnął Nicka w ramię z taką siłą, że chłopak aż się zatoczył. – Przysłano mnie, żebym cię czegoś nauczył.

– Czego?

Jak umrzeć bolesną śmiercią w jakiejś bocznej alejce?

– Jak odczytywać omeny.

Nick się nachmurzył.

– Ome... co?

– Omeny – powtórzyła Śmierć. – Chodzi o sztukę przepowiadania przyszłości.

To nie miało najmniejszego sensu.

– Ale przecież ty jesteś Śmiercią.

Śmierć spojrzała na niego z rozbawieniem.

– Przecież wiem, młody. Myślisz, że o czymś takim można zapomnieć? Na świecie jest wielu agentów śmierci, jakby jej wysłanników. Jestem tylko jednym z nich. Moim zdaniem najlepszym, ale jest całe mnóstwo innych. Prawda, to głównie pozerzy, ale to wystarcza, by Śmierć mogła czasem odpocząć*.

Puścił do Nicka oko, gdy rzucił aluzję do jednego z ulubionych filmów jego matki.

Rany, Śmierć ma nierówno pod sufitem.

– Chcesz powiedzieć, że śmierć to kiepski biznes i musisz sobie dorabiać jako kucharz?

– Tylko ty byś mógł coś takiego wymyślić.

Śmierć opuściła swoje ciało. Dosłownie.

Tam, gdzie wcześniej była jedna osoba, teraz stały dwie. Jedna z nich miała krótkie, czarne włosy, biały fartuch oraz tatuaże na całej długości obu ramion. Osobnik ten zignorował ich i podszedł do piekarnika.

– Gdzie moje ciastka? – Rozejrzał się dookoła, a potem skrzywił się na widok Nicka. – Kim jesteś i co tutaj robisz? Wstęp do kuchni mają tylko pracownicy. Rémi!

---

* Chodzi tu zapewne o film z 1934 roku „Śmierć odpoczywa" (Death takes a holiday) w reż. Mitchella Lersena z Frederikiem Marchem. W 1998 roku powstał jego remake pt. „Joe Black" z Bradem Pittem w roli tytułowej *(przyp. red.)*

Nick otworzył usta i zamknął je, jakby był rybą. Wskazał na Śmierć.

– On mnie nie widzi, młody. Weźmie cię za wariata, bo celujesz palcem w pustkę.

Super. Tylko tego mu było potrzeba. Kolejna osoba myśli, że się czegoś naćpał.

– Morty?

Kucharz zatrzymał się jak wryty w drodze do drzwi.

– Tak?

– Jestem Nick. Aimee mi powiedziała, żebym tu przyszedł i przedstawił ci się. Moja mama będzie tu pracować.

Morty podniósł rękę do góry w ostrzegawczym geście.

– Zostań tu. Nie ruszaj się z miejsca.

Podszedł do drzwi i otworzył je lekkim pchnięciem. Jego głowa zniknęła za drzwiami. Coś do kogoś powiedział. Do uszu Nicka docierały przytłumione głosy, ale nie rozumiał ani słowa.

Śmierć zaśmiała się diabolicznie.

– Uwielbiam doprowadzać ludzi do stanu, w którym są pewni, że tracą zmysły. Nie ma nic bardziej satysfakcjonującego… No, może przysłuchiwanie się, jak próbują się ze mną targować o swoje życie. Wiesz, kiedyś zaproponowano mi na własność wyspę z haremem dziewic i trzema wielbłądami. Kusiło mnie, ale ostatecznie ghul to ghul i musi robić to, co do niego należy. – Sądząc po minie, rozkoszował się tym wspomnieniem. Następnie uderzył Nicka w „uszkodzone" ramię. – Patrz, patrz...

Morty wrócił do kuchni mocno nachmurzony.

– Jak to możliwe, że moje ciastka tam są, a ja nic o tym nie wiem?

Śmierć parsknęła śmiechem.

– Co za mina. Uwielbiam to.

Nick odchrząknął.

– Metamfetamina to śmierć. Lepiej odstaw crack.

– Co? – Morty popatrzył na niego, jakby zapomniał o jego obecności. – Eee... No, więc Aimee mówi, że jesteś w porządku. Chociaż nadal nie pamiętam, jak się poznaliśmy. Po prostu nie pamiętam.

– Nie ma sprawy. Wszyscy mamy... – Spojrzał na Śmierć, która nadal się śmiała. Zaczął się zastanawiać, czy on też przypadkiem nie ma zwidów. – Wszyscy mamy problemy. Pewnie poznałeś aż nadto nowych ludzi jak na jeden dzień. Idę się przewietrzyć.

*I przebadać sobie głowę, bo niewątpliwie mam halucynacje wywołane przez odkrycie, że mój szef jest wybrykiem natury.*

*W efekcie teraz wszędzie widzę wybryki natury.*

– Dobry pomysł. – Morty podszedł do kuchenki.

Śmierć otoczyła szyję Nicka ramieniem.

– Mów mi Grim albo mistrzu. Wolę mistrza, ale Grim też może być, bo przynajmniej nie zapomnisz, kim i czym jestem i co ci się może przydarzyć, jeśli zaleziesz mi za skórę. *Capisce*?

– Tak jest.

– No to dobrze. A tak à propos, wiesz, że słowo *capisce* wywodzi się od łacińskiego słowa oznaczającego „chwytać"? Jak w *carpe diem* czy też, w przypadku twojego mrocznego szefa, *carpe noctem*. Chwytaj noc.

Nick nie był pewien, co o tym wszystkim myśleć.

– Siedź cicho, młody. Kucharz już i tak myśli, że jesteś szurnięty. Pamiętaj, w tym momencie tylko tobie dany jest przywilej mojego towarzystwa.

– Dobrze.

– Hmm. Poprawna odpowiedź brzmiałaby *capisco*, czyli „rozumiem". A więc ja mówię *capisce*, a ty...

Nick zawahał się, po czym odpowiedział:

– *Capisco*.

Grim poklepał go po policzku.

– Ślicznie. Wychodzi na to, że jednak można cię czegoś nauczyć. Moje zadanie jest tym łatwiejsze, im inteligentniejszego mam ucznia. Zdziwiłbyś się, jakich idiotów spotykam. Świetnie ujął to George Carlin: uprzytomnij sobie, jak głupi jest przeciętny człowiek, a potem zrozum, że połowa z nich jest jeszcze głupsza.

Racja.

– Staram się ograniczać swoją głupotę, bo, jak twierdzi moja mama, w dużych dawkach potrafi być śmiertelna.

– Święte słowa! Uwierz mi, wiem coś o tym. A tak na marginesie, głupota może być śmiertelna nawet w małych dawkach. Przypomnij mi kiedyś, to ci opowiem o kobiecie, która, gdy po nią przyszedłem, odkurzała swojego kota.

– Z kim rozmawiasz?

Gdy Nick usłyszał pytanie Morty'ego, ogarnęła go fala gorąca.

– Ojej, nadal jestem w kuchni? Chyba powinienem sobie iść. O, patrz! Tam są drzwi, z których teraz skorzystam.

I wyszedł pospiesznie.

Grupka, którą wcześniej zostawił w restauracji, już się rozeszła. Byli tam tylko dwaj barmani, którzy wrócili do uzupełniania zapasów za kontuarem.

Nick zatrzymał się koło nich.

– Gdzie moja mama?

Zanim zdążyli odpowiedzieć, jego matka wyszła z łazienki. Miała na sobie czarną koszulkę Sanctuary, taką samą jak wcześniej Aimee. Na szczęście T-shirt mamy był większy i lepiej ją maskował. Matka rozpromieniła się na widok Nicka. Doszła do niego krokiem prawie tanecznym.

– Hej, Misiu!

Już miał zapytać, czy przebaczyła mu, że przez niego wyrzucono ją z pracy, ale uznał, że lepiej nie ryzykować.

– Robisz wrażenie zadowolonej.

– Och, skarbie, bo tak jest. Wszyscy tu są tacy mili. *Wszyscy*. – Zerknęła w stronę drzwi. – No, Rémi trzyma się trochę na dystans, ale i tak jest o niebo lepszy od niektórych ludzi z klubu. Już obiecał, że dostanę nawet dzienną zmianę, żebym mogła być z tobą wieczorami w domu. A najważniejsze, że firma finansuje mi wyżywienie. Tobie też. I to nie jakieś tam żałosne resztki. Jeśli będziemy mieli tylko ochotę, możemy jeść nawet największe, najlepiej wysmażone steki.

– No, mnie wystarczą ciastka.

– Tak myślałam. – Uszczypnęła go w policzek. – Technicznie rzecz biorąc jestem już w pracy. Powinnam była cię zostawić u pana Huntera.

– Próbowałem ci to powiedzieć.

– Tylko się nie wymądrzaj. – Westchnęła. – Tu się zanudzisz. Znaczy, jest co robić... – Zerknęła w stronę automatów do gier. – Ale pewnie lepiej będzie nie przesadzać od razu pierwszego dnia.

– Mogę iść posiedzieć u Bubby. To rzut kamieniem stąd.

Radość natychmiast zniknęła z jej twarzy.

– O nim nie chcę nigdy więcej słyszeć. Przysięgam, ten facet i jego wybryki... To jakiś absurd.

No tak, ale wczoraj w nocy uratował im życie. Gdyby nie Bubba i jego umiejętności na polu walki oraz za kierownicą, już by nie żyli.

Na tę myśl Nick zerknął ponad ramieniem matki w stronę Grima, który przyglądał im się z rozbawioną miną. Postukał znacząco w zegarek.

– Bubba jest w porządku, mamo. Próbował pomóc.

– No cóż, dla jego dobra lepiej trzymaj go ode mnie z daleka. Bo skończysz z obojgiem rodziców w więzieniu. – Gdy tylko to powiedziała, zatkała sobie usta dłonią i rozejrzała się z przerażeniem dookoła. – Lepiej o tym tutaj nie rozmawiajmy, dobrze? – dodała szeptem.

– Ja z nikim nie rozmawiam o tym człowieku i jego pożałowania godnym losie w pudle, gdzie spędzi całą wieczność. Nigdy.

Bez obrazy, ależ nienawidził autora swoich dni. Skoro mowa o ludziach, o których Nick nie miał ochoty rozmawiać, jego ojciec był okrutnym zabójcą, który dał im obojgu niezły wycisk w ciągu tych kilku tygodni, gdy nie był za kratkami. Nick nie chciał go nigdy oglądać na oczy.

– No to idź do Bubby. Zadzwonię do ciebie później.

– Dobrze. Znasz numer mojej nowej komórki?*

Te słowa brzmiały zdecydowanie lepiej w jego głowie niż wypowiedziane głośno. Natychmiast wyobraził sobie, że ma na sobie więzienny, pomarańczowy kombinezon i odsiaduje razem z ojcem wyrok w Angoli.

* nieprzetłumaczalna na język polski gra słów; w oryginale: Do You have my new Call number? Co znaczy też: Czy znasz numer mojej nowej celi? (przyp. red.)

– Nie mam go przy sobie.

Wyciągnęła z kieszeni notes oraz długopis i podała je Nickowi.

– W razie czego dzwoń.

Cmoknęła go w policzek.

– Uważaj na siebie. I nie rozrabiaj.

– Mowa.

Nick odwrócił się i ruszył do drzwi. Na szczęście Grim się nie odzywał, dopóki nie znaleźli się na ulicy, z dala od Rémiego.

– O, Nicky, ależ z ciebie słodziak. Mamusia bardzo cię kocha.

Nick zamarł.

– Nie naśmiewaj się z mojej mamy. O niej wolno ci wyrażać się tylko z najwyższym szacunkiem. Nie obchodzi mnie, że jesteś Śmiercią. Jak będziesz tak gadał, to ci skopię tyłek, jak na prawdziwego Cajuna przystało.

Grim uniósł brew do góry. Jego dwaj towarzysze cofnęli się o krok, jakby chcieli zrobić mu miejsce, żeby mógł stłuc Nicka na kwaśne jabłko.

– W innej sytuacji już bym czekał, żeby zobaczyć, czy się odważysz. Masz szczęście, że muszę spłacić pewien dług, który powstrzymuje mnie przed natychmiastowym odebraniem ci życia. Ale nie igraj ze mną. Chwila twojej śmierci jest z góry zapisana, jednak decyzje podejmowane dobrowolnie mogą to zmienić. Lepiej to sobie zapamiętaj.

Nick zmarszczył brwi.

– Chwila mojej śmierci jest zapisana z góry? Co to znaczy?

– Czy ja się jąkam?

– Nie.

– A wyglądam na słownik?

Nick znowu się nachmurzył.

– Nie.

– Powinieneś więc od razu zrozumieć, co powiedziałem. Przecież nie mówiłem w obcym języku. Każda śmiertelna istota rodzi się z określonym z góry terminem ważności. Niektórzy nieśmiertelni również. To wielki zegarmistrz o tym decyduje. Ale nadmiar głupoty może ten termin skrócić. Wkurzenie mnie to świetny i sposób zejścia z tego świata w ciągu trzech sekund.

Jego lodowaty ton sprawił, że Nick ochłonął i ugryzł się w język, w sumie w sumie wbrew swemu zwyczajowi. Matka często mówiła, że jest jak mały buldog. *Bo jak już zatopisz w czymś zęby, to nie puścisz, chyba że cię trafi piorun.* Niestety, tak właśnie wyglądała prawda.

Teraz jednak instynkt samozachowawczy wziął górę.

– No to co robimy?

Grim posłał mu rozbawione spojrzenie.

– Idziemy do Bubby. Przecież tak powiedziałeś mamie, nie?

– No tak, ale myślałem…

– Pierwsza lekcja: mogę cię szkolić wszędzie. Pamiętaj, nikt nie może mnie zobaczyć. Nikt, poza tobą.

– No to chodźmy do Bubby.

Bubba przynajmniej nie będzie się dziwić, że Nick rozmawia z „urojonym" kolegą. E tam, pewnie wziąłby to za zachętę, by zacząć konwersować ze swoim.

– A kto cię właściwie przysłał, żebyś mnie wyszkolił?

Grim uśmiechnął się od ucha do ucha.

– Tego nie wolno mi powiedzieć.

– To skąd mam wiedzieć, że mogę ci ufać?

– Żyjesz jeszcze, prawda? Odwiedził cię PŚ, zobaczyłeś go i nie wyciągnąłeś kopyt. To chyba oczywiste, że jesteśmy tu dla twojego dobra, a nie po to, żeby odebrać ci życie.

– PŚ?

– Posłaniec Śmierci.

Gdy tylko Grim wypowiedział te słowa, Nick zobaczył go oczami wyobraźni stojącego z rozpiętymi skrzydłami, z oczami błyskającymi czerwienią, żarzącą się fioletem czaszką w miejsce twarzy.

– Lubisz straszyć ludzi, co?

Śmierć się rozpromieniła.

– Niezwykle. Uwielbiam słuchać odgłosów przerażenia. To muzyka dla moich uszu.

Nick uznał, że najlepiej będzie pozostawić ten wątek w spokoju. Wcale nie był pewien, czy może Grimowi ufać, ale...

Nie chciał go rozzłościć. Skręcił w Royal Street i poszedł w stronę „Trzech B", jedynego na świecie sklepu z komputerami i bronią. A w każdym razie jedynego znanego Nickowi. Taki właśnie był Bubba. Logo jego sklepu przedstawiało go stojącego ze strzelbą na ramieniu nad podziurawionym kulami dymiącym komputerem.

Wykręć 1-888-Ca-Bubba
Poradzę sobie z twoimi kłopotami...
Jak nie jednym sposobem, to innym.

Tak, Nick znał przeróżnych ludzi.

– „Trzy B"? – zapytał Grim, gdy stanęli przed szyldem zawieszonym nad drzwiami. – Co to znaczy?

Nick podrapał się w kark.

– Dyskusje na ten temat trwają. Niektórzy myślą, że chodzi o Bombowego Bubbę Burdette'a. Zdaniem innych to skrót: „Bezkonkurencyjna Brawura i Bystrość".

– A sam Bubba co mówi?

– Co innego za każdym razem, gdy go ktoś o to zapyta.

Grim się uśmiechnął.

– Już go lubię.

Nick zwolnił na widok szkód pozostałych po ostatniej nocy. Popękana szyba w głównej witrynie była zaklejona taśmą. Wyrwane z zawiasów drzwi wejściowe przytrzymywał łańcuch. Całe były pokryte sadzą z miotacza ognia.

No tak, wczoraj w nocy miała tu miejsce niezła zabawa. Aż dziw, że nie skończyli wszyscy za kratkami.

Grim przyglądał się tej całej ruinie z rękami skrzyżowanymi na piersiach.

– Przypomina mi to apokalipsę. Aż szkoda, że mnie ominęło to, co się tutaj działo.

– To była inwazja zombie. Ledwie uszliśmy z życiem.

Grim uśmiechnął się drwiąco.

– A ty co? Masz artretyzm? Zombie poruszają się zbyt wolno, by stanowić dla kogokolwiek realne zagrożenie. Z drugiej strony stanowią świetny obiekt do zabawy, gdy człowiekowi się nudzi.

– No, w gruncie rzeczy to nie były nieumarłe zombie… W każdym razie nie wszystkie. Siedziała mi też na karku grupa mortentów. Zdobyli grę komputerową napisaną przez mojego kolegę, która przeprogramowuje ludzkie mózgi i zmienia graczy w bezmyślne maszyny do zabijania. Napuścili na nas drużynę futbolową z mojej szkoły. Uwierz mi, te chłopaki całkiem szybko się ruszają. No, nie chcieliśmy ich pozabijać, bo to nie była ich wina.

Grim skrzywił się, jakby słowa Nicka go zabolały.

– Dam ci dobrą radę, młody. Gdy coś na ciebie poluje, to kładź to trupem i jeszcze popraw. Nigdy, przenigdy się nie wahaj. Lepiej trafić przed sąd niż do trumny.

Miał rację, ale Nick nie był swoim ojcem i nie chciał nikogo zabić. A już szczególnie kolegów z klasy. Już i tak był wyrzutkiem społecznym. Jeszcze tego mu potrzeba w życiorysie.

Grim szarpnął za łańcuch spięty kłódką, który przytrzymywał wyważone drzwi w miejscu.

– Jak dostaniemy się do środka?

Nick wyciągnął telefon i wybrał numer Bubby.

– Halooo? – Typowy dla południowca, przeciągły akcent Bubby sprawiał, że większość osób brała go przy pierwszym spotkaniu za idiotę. Ale Bubba ukończył studia na MIT* z jednym z najlepszych wyników i był bez wątpienia najinteligentniejszym znanym Nickowi człowiekiem.

Może trochę... no dobrze, nieźle szurniętym, ale wybitnie inteligentnym.

– Cześć, Bubba, tu Nick. Mama zaczęła nową pracę w Sanctuary i kazała mi gdzieś przeczekać, aż na dziś skończy. A ponieważ to przez ciebie straciła poprzednią posadę, to pomyślałem, że może mógłbym popracować dziś u ciebie w sklepie?

– No pewnie. Zamelduj się zaraz przy drzwiach od tyłu.

---

* Massachusetts Institute of Technology – amerykańska uczelnia techniczna w Bostonie, założona na początku lat 60. XIX w. w Bostonie z inicjatywy Williama Bartona Rogersa; za cel postawiła sobie osiągnąć najwyższy poziom dydaktyczny i badawczy, ze szczególnym uwzględnieniem praktycznego wykorzystania odkryć. *(przyp. red.)*

– Już idę, jestem na zewnątrz.

Nick podszedł do tylnych drzwi, zwykle zarezerwowanych dla dostaw.

Bubba już w nich stał. Zlustrował Nicka uważnie.

– Co tam?

– Żyję, więc nie narzekam.

– Szkoda, że Mark tak na to nie patrzy. Od rana nic innego nie robi, tylko maże się jak baba.

– Nie maże się, po prostu wszystko mnie boli, ty jaskiniowcu bez serca.

Bubba miał ponad metr dziewięćdziesiąt wzrostu i krótkie, ciemne włosy. Większość osób tak właśnie wyobraża sobie typowego mieszkańca Południa. Ale jeśli Nick czegoś się w swoim krótkim życiu nauczył, to tego, że ludzie rzadko pasują do stereotypowych wyobrażeń, jakie mają na ich temat inni. Z jednej strony Bubba rzeczywiście kochał swoje auto, swoją matkę, pistolety i koszule flanelowe, ale z drugiej strony był też zagorzałym fanem horrorów i zagranicznych babskich romansów. Ulubionym programem Bubby był talkshow *Oprah*, który oglądał każdego dnia. Biada temu, kto stanął pomiędzy Bubbą a jego telewizorem o czwartej po południu. Takiego śmiałka czekała śmierć. Jeśli chodzi o muzykę, to Bubba słuchał punku i rocka alternatywnego. No i nosił martensy.

Podobnie jak Bubba, Mark Fingerman również nie był tym, na kogo wyglądał. Owszem, nosił ciuchy moro, ale przede wszystkim po to, by zombie go nie wypatrzyły.

*Lepiej nie pytaj.*

Mark wierzył w istnienie wszelkich istot paranormalnych. Nawet wróżki zębuszki.

*Powtarzam, lepiej nie pytaj.*

Mark stanowiłby wyzwanie nawet dla cierpliwości Gandhiego.

Pomagier Bubby, kudłaty szatyn z jasnymi oczami, był tylko parę lat starszy od Nicka. Stał teraz na zapleczu z mopem w ręce i wiaderkiem u stóp. Właśnie z całej siły wycisnął mop i kopnął wiaderko, aż woda chlusnęła na podłogę.

Nick zmarszczył brwi.

– Co się dzieje?

Mark podszedł do niego i podał mu mopa, którego najwyraźniej nie znosił.

– Witaj w klubie. Zabieraj się za sprzątanie, koleżko. Cieszę się, że do nas dołączyłeś.

Nick jęknął i wziął od niego mop. Próbowałby się od tego wykręcić, ale Bubba mógłby go zastrzelić. To właśnie spotkało ostatnie cztery komputery, które go zirytowały. Bebechy jednego z nich nadal leżały na biurku Bubby na zapleczu.

– Popatrz. – Mark podsunął Nickowi swoje dłonie pod nos. – Całe pomarszczone i mokre. Moje rączki już nigdy nie odzyskają swojej delikatności.

Nick parsknął śmiechem.

– Masz nie po kolei w głowie, wiesz?

– No weź... Myślisz, że pracowałbym dla Bubby, gdybym miał równo pod sufitem? Zwłaszcza biorąc pod uwagę, jak mało mi płaci? Musiałeś się wczoraj nieźle huknąć w łeb.

Mark wyciągnął rękę, by dotknąć głowy Nicka, ale ten wywinął się zręcznie.

– Stary, odczep się.

Zerknął na Grima, który przewrócił oczami.

– A tego błazna to ja znam – oznajmił złowrogo Grim. – Droczy się ze mną, wiecznie gra ze śmiercią. Któregoś dnia go skoszę, nawet jeśli nie powinienem. No, bo jak tak można? W kółko pukać do moich drzwi, żeby mi je potem zatrzaskiwać przed nosem? To nie w porządku.

– Nick? – zawołał Bubba. – Może posprzątasz sklep, a ja i Mark zajmiemy się zapleczem?

– Dobrze.

Opuścił zaplecze i poszedł do sklepu. Dopiero tam dotarło do niego, ile Bubba z Markiem zdążyli już zrobić. Śmieci były pozbierane, podobnie jak większość stłuczonego szkła. Wyglądało na to, że sprzątali od paru godzin.

Przez całą minutę Nick rozmyślał o zajściach ubiegłej nocy. To był istny koszmar. Jedyna dobra rzecz to fakt, że dzięki przypadkowi udało im się odkryć, jak z powrotem zmienić ludzkich zombie w ludzi.

A jeśli chodzi o te inne zombie...

Były ohydne i trzeba je było zabijać.

Grim przechadzał się po sklepie, przyglądając się półkom pełnym komputerów i laptopów, jak również urządzeniom peryferyjnym i akcesoriom, które stały na środku. Ściany aż po sufit zajmowała największa kolekcja broni na Południowym Wschodzie. Pistolety schowane były w szklanych gablotach, by nie miała do nich dostępna pierwsza lepsza osoba, która wejdzie do sklepu.

Pierwsza zasada Bubby.

*W moim sklepie nikt nie ma dostępu do pistoletów bez nadzoru.*

Wzrok Nicka odruchowo powędrował do portretu matki Bubby wiszącego na ścianie. Dokładnie pomiędzy jej oczami widniała wielka dziura po kuli. Poczuł, że żołądek mu się ściska. Niewiele brakowało...

– No, to czego mnie nauczysz? – zapytał Grima, próbując oderwać się od wspomnień o tym, jak strzelił matce Bubby w głowę. Po czymś takim miał szczęście, że nadal dycha.

– Jak otworzyć umysł i nauczyć się uwagi. Wszechświat cały czas do nas przemawia. Czasem znaki wypisane są wprost na naszych twarzach, kiedy indziej są dużo bardziej subtelne.

– Subtelne?

Grim wskazał wizerunek matki Bubby.

– Niech to nam posłuży za przykład. Gdy ty na to patrzysz, widzisz tylko dziurę w portrecie. Gdy ja na to patrzę, mogę ci powiedzieć, kiedy i w jaki konkretnie sposób umrzesz. I wcale nie chodzi mi o to, że Bubba się na ciebie rzuci, bo zbezcześciłeś wizerunek jego matki. Widzę integralny element twojej przyszłości… i twojego końca.

# ROZDZIAŁ 4

Ze ściśniętym gardłem Nick podszedł do portretu na ścianie. Wisiał jakieś półtora metra nad jego głową. Chłopak wpatrzył się w ślady od prochu i w dziurę. Wyglądało to trochę jak test Rorschacha*, ale trudno było się w tym czegokolwiek dopatrzeć. Przechylił głowę, zmrużył oczy, chcąc zabrać się do tego jak do układanki *Gdzie jest Wally*?

W tym niby kryje się data jego śmierci? Metamfetamina to śmierć? Nic podobnego, to śmierć jest na metamfetaminie. Zdaniem Nicka wyglądało to tylko jak jeden wielki galimatias.

Spojrzał spode łba na Grima.

---

* Test Rorschacha – test stworzony w 1921 roku przez szwajcarskiego psychoanalityka, Hermanna Rorschacha. Teoretycznie na jego podstawie wnioskuje się o podświadomych treściach psychicznych, cechach osobowości i zaburzeniach psychicznych, jednak obecnie jego przydatność diagnostyczną ocenia się jako nikłą (przyp. red.)

– Nabierasz mnie, co?

– Może tak, może nie. Pograsz ze mną trochę, a niewykluczone, że się dowiesz.

Nickowi nieszczególnie spodobał się ten dobór słów.

– Czemu mi się zdaje, że to gra o moje życie?

– Pewnie dlatego, że tak właśnie jest. Ja nigdy nie gram o niższą stawkę.

No, to dopiero rozpaliło mu wnętrzności.

– Super, nie ma co.

– Mówiłeś coś? – Przez kurtynę oddzielającą sklep od pomieszczenia na zapleczu wychynęła głowa Marka.

– Eee... no tak, powiedziałem: „Och, super". Super, że trafił mi się taki bajzel do wysprzątania.

Mark zaśmiał się złośliwie.

– Ja też tak zareagowałem. Dzisiaj rano, jak przyszedłem do pracy, próbowałem nawet się zwolnić, ale Bubba mi nie pozwolił. Powiedział, że jeśli odejdę, to nafaszeruje mi tyłek śrutem. To jedyny znany mi sukinsyn, który jest wystarczająco szurnięty, by coś takiego naprawdę zrobić. Oto więc jestem. Wkurzony, ale żywy. Udany dzień.

Zniknął za zasłoną i dołączył z powrotem do Bubby.

Nick odwrócił się do Grima.

– Nie masz żadnych kolegów, z którymi mógłbyś się pokręcić?

– Mam. Ale problem polega na tym, że kiedy kręcę się z kolegami, zwykle źle się to kończy dla pozostałych spośród was. Zwłaszcza gdy nam się nudzi. Nic nas nie bawi bardziej niż plagi, głód, wojna czy krwawe masakry.

– Też gracie w D&D*? Kto jest waszym Mistrzem Podziemi?

Grim cmoknął z dezaprobatą.

– Jest pewna różnica między moją grupą a twoją grupą... Nasze zabawki są prawdziwe.

Nagle z kieszeni wypadł mu koń, pogalopował w górę ręki i usadowił mu się na ramieniu.

Niezła sztuczka. Przyprawiająca o gęsią skórkę, ale niezła.

– To twoje zwierzątko domowe?

Maleńki koń strzelił płomieniami z nozdrzy i zarżał.

– Spokojnie, mała. – Grim pogłaskał ją po grzywie, żeby się uspokoiła. – Lepiej się do niej odnoś z szacunkiem. Ona cię rozumie. Nie przepada za inwektywami.

– Przepraszam cię, Flicka. Wcale nie chciałem cię obrazić – oświadczył Nick.

– Kluczem do tego, czego mam cię nauczyć, jest fakt, że wszechświat i jego stworzenia nieustannie do ciebie mówią – wyjaśnił Grim. – Rzecz w tym, że, podobnie jak tak książeczka, którą wczoraj dostałeś, rzadko mówią wprost. Sam musisz to rozgryźć, i to zanim będzie

* Dungeons & Dragons, w skrócie D&D lub DnD – najpopularniejsza, uważana za prekursorską w swym gatunku, fabularna gra fantasy zaprojektowana przez Gary'ego Gygaxa i Dave'a Arnesona, po raz pierwszy opublikowana w 1974 roku.

za późno. Przewidywanie przyszłości polega na wsłuchiwaniu się w sygnały ostrzegawcze wysyłane przez wszechświat.

Nick zesztywniał i poczuł zimny dreszcz na plecach.

– Skąd wiesz o moim grymuarze?

Grim strzelił palcami i książka nagle pojawiła się w jego dłoni. Niewielka, w czarnej okładce z oryginalnym czerwonym symbolem, który miał być osobistym emblematem Nicka. Zawierała zagadki, które pomogły mu ubiegłej nocy przeżyć ataki. Wystarczyło, że zadał pytanie i upuścił trzy krople krwi. Krew wirowała wtedy na stronie i układała się w słowa i obrazki, w których kryła się podpowiedź. Nadal wydawało mu się to obrzydliwe...

Rzecz w tym, że grymuar okazał się kapryśnym leniem. Odpowiadał na pytania równie chętnie co Nick. A nawet gdy coś z siebie w końcu wydusił, robił to tak jadowicie, że Nick dostałby za taki ton szlaban do końca życia.

Nie spuszczając oka z książki trzymanej przez Grima, Nick klepnął się po tylnych kieszeniach, żeby sprawdzić, czy nie jest ona duplikatem.

Nie była.

Kieszenie świeciły pustką.

Nie, chwileczkę, to by sugerowało coś innego, co zdecydowanie nie było zgodne z prawdą. Natomiast jego kieszenie były puste. Bez wątpienia była to jego książka, teraz skażona przez Śmierć. Spiorunował Grima wzrokiem. Przecież to kradzież!

W normalnych okolicznościach odebrałby swoją własność, ale wyrywanie jej z rąk Śmierci nie wydawało się rozsądnym posunięciem.

Chyba że chodziło o własne życie.

Grim zdawał się być nieświadomy gniewu Nicka. Obojętnym gestem postukał palcem w grymuar.

– Jak już mówiłem, wszechświat nieustannie do nas przemawia. A ta książka jest jak piesek, który głośno szczeka. – Podał ją z powrotem Nickowi. – Pilnuj jej z narażeniem życia, bo w nieodpowiednich rękach może przesądzić o twoim życiu i twojej śmierci. Upuściłeś w nią krople własnej krwi, a nie ma niczego bardziej osobistego. Potężny czarnoksiężnik czy czarownica, wyższej rangi demon i całe mnóstwo innych istot może to wykorzystać do zdobycia kontroli nad tobą lub zniszczenia cię. Właściwie powinieneś strzec jak oka w głowie każdej rzeczy, która do ciebie należy. Każdego włosa, który spadnie z twojej głowy, każdego płatka skóry i każdej nitki z ciuchów. Nie dopuszczaj nikogo do rzeczy, które do ciebie należały lub będą należeć. Jesteś kimś wyjątkowym, młody. Nawet sobie nie wyobrażasz. Musisz na siebie uważać, jeśli chcesz przeżyć.

To zdecydowanie nie brzmiało dobrze.

– Ależ jesteś wesolutki i pełen optymizmu.

– Nie bez powodu mówią na mnie Grim Reaper, czyli ponury żniwiarz.

Bardzo śmieszne. Nick wepchnął książkę na miejsce, do tylnej kieszeni.

– No, to jak działa to całe przepowiadanie przyszłości?

– Pomyśl o tym jak o zimnym dreszczu, który cię przeszywa za każdym razem, gdy ktoś chodzi po twoim grobie. Albo o tym męczącym poczuciu, które ci każe czegoś zaniechać, a gdy je zignorujesz, potem tego żałujesz.

– Jak wstawanie rano z łóżka?

Grim przewrócił oczami.

– Ej, wy dwaj – warknął do swoich przyczajonych sługusów. – Zabierajcie się za sprzątanie. My z Nickiem mamy coś do zrobienia.

Bez słowa i bez momentu zawahania Ból wziął od Nicka mop, a Cierpienie zabrało się za zbieranie szkła.

– Rany! Gdzieście się podziewali przez całe moje życie?

Ból uniósł brew, nie przerywając mycia podłogi.

– Cały czas przy tobie. Nie zauważyłeś?

Nick zamilkł, bo dotarło do niego, że to prawda. Od chwili urodzin ani na moment nie opuścili go Ból i Cierpienie. Skrajna bieda i nękanie w szkole. Jakby tego było mało, postrzelił go najlepszy kumpel. A właściwie miał zamiar go zabić i zostawić w rynsztoku.

To prawda, rzeczywiście cały czas mu towarzyszyli. Spojrzał na Grima.

– Choć z drugiej strony… Moglibyśmy się ich jednak pozbyć?

Grim robił wrażenie urażonego tą prośbą.

– Nie. To moi najlepsi przyjaciele.

– No tak, ale ja nie chcę czuć bólu i zdecydowanie nie chcę cierpieć.

– No cóż… Uniknąć ich można tylko w jeden sposób. Umierając.

Grim uśmiechnął się do niego z nadzieją.

Nick poczuł się wyraźnie nieswojo.

– No dobrze, to może zmieńmy temat. – Pokazał na ścianę za Grimem. – O, patrz! Tchórzofretka.

Grim sfrustrowany westchnął.

– OK. Zacznijmy od czegoś, czego nawet ty nie jesteś w stanie skopać.

– Wiesz, świetny jesteś w podnoszeniu mojej kiepskiej samooceny. Powinieneś się zgłosić do pracy w infolinii dla samobójców.

– A skąd wiesz, że tam nie pracuję?

Nick aż się skrzywił.

– Stary, to wyjątkowo niestosowne, i to pod wieloma względami.

– *Je suis ce que je suis.*

Nick cofnął się o krok. Minionej nocy nauczył się ostrożnie podchodzić do słów w językach obcych.

– To jakieś zaklęcie?

Grim pokręcił głową.

– To po francusku, Nick. Znaczy, „jestem, czym jestem". Rany, młody. Dokształć się trochę. Jakąś książkę przeczytaj. Zapewniam cię, to nie boli.

– Tu bym się nie zgodził. Widziałeś kiedyś moją listę lektur na lato? Same dziewczyńskie książki o tym, jak im rosną różne części ciała i o babskich sprawach, o których ani myślę gadać w klasie z moją nauczycielką angielskiego. Może w szatni dla chłopaków, no, może z trenerem, ale nie z nauczycielką i przed dziewczynami z klasy, z których żadna i tak nie chce ze mną chodzić. Bywa jeszcze gorzej. Niektóre książki są o tym, że wszyscy faceci śmierdzą i że trzeba nas wystrzelać, bo obrażamy społeczny i naturalny porządek. Wielkie dzięki, panie belfrze. Czemu nie, dajmy dziewczynom jeszcze jeden powód, żeby nas poniżały przy każdej okazji. Jakby nie dość trudno było zebrać się na odwagę, żeby się do którejkolwiek odezwać. To dopiero są niestosowne treści. A potem krytykują moją mangę. Też coś! Nie moglibyśmy mieć chociaż jednej książki na liście, która głosi: „Hej, dziewczyny. Pistolety to świetna zabawa i są spoko. Poważnie. Nie wszyscy jesteśmy szurniętymi mordercami i żądnymi krwi zwierzakami. Właściwie większość z nas jest całkiem w porządku i gdybyście tylko dały nam szansę, to byście się same przekonały, że nie jesteśmy tacy źli".

Grim westchnął ze znużeniem.

– Nagadałeś się już?

– Być może.

Grim klepnął go w plecy z taką siłą, że Nick aż się zatoczył.

– Dojrzewanie to żenująca sprawa. I tak właśnie ma być, więc lepiej się do tego przyzwyczaj. Zresztą myśl pozytywnie. Jeśli uda ci się przeżyć udręki i poniżenia tego okresu, dorosłość okaże się pestką.

*Super, po prostu super.*

Nick uśmiechnął się z ironią.

– A tak dla porządku dodam, że ja czytam książki. Nawet dużo. Stąd wiem, że to bywa bolesne. Bardzo, bardzo bolesne.

Grim roztarł sobie czoło, jakby rozbolała go głowa. Następnie szarpnął za złoty łańcuszek, który miał na szyi i wyciągnął dziwne wahadełko z hematytu ze złotą czaszką. Podał je Nickowi.

Nick zawahał się, po czym je przyjął. Przesunął dłonią po zimnym kamieniu. Zauważył przy tym, że w czaszce osadzone są wykonane z krwistoczerwonych rubinów oczy. Hematyt miał tak ostrą końcówkę, że Nick mógłby pewnie przebić nim Kyriana jak kołkiem, gdyby szef za bardzo sobie wobec niego pozwalał.

Kapitalna rzecz!

Nadawał się też do nakłucia palca, gdy będzie chciał zadać książce jakieś pytanie. Tak, to wahadełko mogło mieć wiele różnych zastosowań.

– To, co trzymasz w ręce, to jeden z kluczy do wszechświata. – Głos Grima obniżył się o oktawę. – Wahadełko odpowie na twoje pytania, pomoże ci znaleźć różne rzeczy i...

– Jakie rzeczy? Zgubione klucze mamy?

– Owszem – odparł Grim przez zaciśnięte zęby. – Może też pomóc ci odszukać ludzi.

No dobra, wahadełko rzeczywiście mogło się okazać przydatne. Nick zakołysał nim na łańcuszku.

– Jak to działa?

Grim złapał kamień i skierował ostrą końcówkę w stronę Nicka.

– Pozwoli ci to nawiązać kontakt z własną wyższą świadomością. Z czasem przestanie ci być potrzebne. Nauczysz się nawiązywać łączność z tą częścią swojego jestestwa, kiedy tylko zechcesz. Ale początkowo będzie ci potrzebne narzędzie, które pomoże ci skanalizować hormonalną nadpobudliwość nastolatka, która tobą miota. – Dotknął czubka nosa Nicka. – A co najważniejsze, ten kamień będzie zmieniał się i dostosowywał do twoich potrzeb.

– Znaczy?

– W przypadku prostych pytań nie jest ważne, jakiego kamienia używasz. To może być jakiegokolwiek rodzaju wahadło zrobione z dowolnej substancji. Na przykład pierścień, patyk, nawet długopis czy ołówek. Ale w przypadku innych, trudniejszych zadań, to, z czego wykonane jest wahadełko, będzie miało coraz większe znaczenie. Teraz mamy do czynienia z hematytem, bo to najsilniejszy kamień ochronny. Ogranicza negatywne promieniowanie i odbija je. A tego właśnie potrzebujesz, młody. Hematyt będzie cię ochraniał. Zło, negatywna energia ciągną do hematytu. Jeśli ktoś przypuści na ciebie silny atak, kamień się roztrzaska i ostrzeże cię, jednocześnie odpierając te moce od ciebie.

Nick sam miał w sobie na ogół negatywną energię. I to bez przykładania się. A gdy się postarał, potrafił się naprawdę nieźle rozjuszyć.

Grim oddał mu wahadełko.

– Wyjmij książkę.

Ponieważ Grim już wcześniej wydostał ją z kieszeni Nicka, nawet jej przy tym nie dotykając, ten uznał, że lepiej będzie z tym nie zwlekać. Wyjął grymuar i podał swojemu rozmówcy.

Grim przerzucił kartki, aż znalazł pustą stronicę.

Chłopak ze zmarszczonym czołem przyglądał się pojawiającym się na stronie literom oraz strzałkom. W przedziwny sposób skojarzyło mu się to z planszą ouija*. Dwie strzałki przecięły się, tworząc krzyżyk ze słowami „tak" oraz „nie".

---

* Ouija – deska albo plansza z nadrukowanymi literami alfabetu oraz innymi znakami, które kolejno wskazywane tworzą wyrazy tworzące odpowiedź na pytania zadawane podczas seansu spirytystycznego. (przyp. red.)

Zaraz, zaraz, one się świecą.

– Co się dzieje? – zapytał Grima.

– To mapa wahadła. Odpowie na każde twoje pytanie, na które można to zrobić, używając słowa „tak" lub „nie". Musisz się tylko skupić na pytaniu i przytrzymać wahadełko nad stroną. Z czasem nauczysz się zadawać bardziej skomplikowane pytania, a wahadełko będzie ci dawać pełne odpowiedzi.

– Niezła jazda. – Nick postąpił zgodnie z poleceniem i przytrzymał wahadełko nad słowami. Uspokoił dłoń i skupił się na najważniejszym pytaniu, na które chciał poznać odpowiedź. – Czy stracę dziewi... Hej!

Grim wyrwał mu hematyt z ręki.

– Przestań się wygłupiać! Podejdź do tego z powagą.

Nick spojrzał na niego spode łba.

– Nic nie mogę zrobić, gdy mi wyrywasz wahadełko z ręki.

Grim niechętnym ruchem zwrócił mu hematyt.

Nick owinął sobie łańcuszek wokół palca wskazującego.

– Zresztą co w tym złego, że o to zapytałem?

– To idiotyczne pytanie.

Bzdura. To pytanie nękało go od roku... To oraz kwestia, czy kiedykolwiek będzie go stać na samochód.

– A ty co? Jesteś aseksualny czy jak?

Ból parsknął śmiechem, po czym szybko zamilkł, gdy Śmierć zerknęła w jego stronę.

– Z moim libido wszystko w porządku, Nick. Ale te sprawy nijak się mają do targającego mną pragnienia zabijania irytujących ludzi.

W innej sytuacji Nick by z takiej uwagi zakpił, ale teraz wolał nie ryzykować.

– No dobrze. – Skupił się znów na wahadełku i zadał drugie z najważniejszych dla siebie pytań. – Czy będę kiedyś bogaty?

Początkowo nic się nie działo. Po kilku sekundach jednak wahadełko zaczęło się kołysać nad słowem „tak". Aż mu od tego krew zaszumiała w żyłach.

– Ale tak naprawdę bogaty?

Wahadełko zaczęło się kołysać jeszcze szybciej.

– Rany, ależ się kręciło.

– Bogaty jak Rockefeller?

Grim znowu mu wyrwał wahadełko.

– Owszem, młody, będziesz miał kasę. Możemy się teraz zająć czymś innym?

– Chyba tak, choć bardzo chciałbym dowiedzieć się czegoś więcej o mojej przyszłej fortunie. To miła myśl. Bardzo.

Grim westchnął ciężko.

– Mógłbym przysiąc, że czuję nadchodzącą migrenę.

– Mojej mamie też one się często zdarzają.

– Wcale się nie dziwię, skoro musi cię znosić.

Nick położył sobie wahadełko na dłoni.

– Do czego jeszcze można je wykorzystać?

– Na razie... do niczego więcej. Naucz się jednej techniki, a wtedy nauczę cię kolejnych. Zanim zajmiesz się geometrią, musisz najpierw zrozumieć, że jeden plus jeden równa się dwa. Poza tym musicie się lepiej poznać.

Nick się skrzywił.

– Słucham? A my co, chodzimy ze sobą?

Grim spojrzał na niego bez wyrazu. Trwało to kilka uderzeń serca.

– A teraz, gdy naraziłeś na szwank moje ciśnienie i moją cierpliwość, zrobię sobie przerwę i zostawię cię samego z tym bałaganem. – Strzelił palcami. – Ból. Cierpienie. Idziemy.

Ból i Cierpienie zniknęły razem z nim niczym dwa wierne psy. Mop osunął się na podłogę z hukiem.

A niech to... Nie mogli przynajmniej najpierw skończyć?

*To kara za to, że nie utrzymałeś tego swojego głupiego, cajuńskiego języka za zębami.* Jego matka zawsze powtarzała, że dziewięćdziesiąt procent inteligencji to ta konieczna do zorientowania się, kiedy trzeba się zamknąć. Któregoś dnia Nick się tego nauczy.

Westchnął, podszedł do mopa i podniósł go z podłogi. Ledwie zabrał się za sprzątanie, gdy ktoś zapukał do drzwi od frontu.

Odwrócił się, żeby poinformować nowo przybyłego, że „Trzy B" jest dziś zamknięte, ale zobaczył, że to Caleb. Jeszcze wczoraj myślał, że Caleb to tylko kolejny rozpuszczony popapraniec z jego szkoły średniej. No, może nie do końca tak – Caleb nigdy nie był w stosunku do niego wredny, więc nie zasługiwał na to miano, ale zupełnie Nicka ignorował.

W chaosie ubiegłej nocy Nick dowiedział się, że Caleb Malphas, kapitan drużyny futbolowej i bardzo lubiany uczeń, był tak naprawdę wysokiej rangi (właściwy termin umknął pamięci Nicka, ale nie było to najważniejsze) demonem, którego przysłano, by chronił Nicka.

Super, co?

Nick podniósł ręce do góry i pokazał Calebowi, że nie ma jak wpuścić go do środka.

Caleb spojrzał w prawo, potem w lewo, po czym zniknął z chodnika przed sklepem. Przemienił się w przejrzysty czerwonawy dym, który przedostał się przez szparę w drzwiach. Przepełznął po ziemi niczym jakaś dziwna mgiełka, a następnie z powrotem stał się w Calebem.

Spojrzał na Nicka spod uniesionej brwi.

– Jak będziesz nadal używał tej ręki, wszyscy się zorientują, że coś jest nie tak.

Nick podał mu mop i wsadził sobie z powrotem rękę w temblak.

– Staram się.

Caleb zawsze nosił markowe ciuchy. Miał ciemne włosy i inteligentne oczy, a za jego ciało Nick dałby się pokroić. Był muskularny i wyglądał jak gwiazdor Hollywoodu. Nie, żeby Nick był brzydalem, ale był nadal patykowaty i niezgrabny jak większość chłopaków w jego wieku. Rósł w takim tempie, że nigdy nie wiedział, gdzie są jego nogi i ręce, więc wiecznie na coś wpadał i rozbijał sobie kolana. A najgorsze było to, że w szkole ciągle deptał dziewczynom po nogach, gdy zajmował miejsce przy stoliku w stołówce.

No tak... Nic dziwnego, że żadna nie chciała z nim chodzić.

– Jak się masz? – zapytał Nick.

– Jakby mi banda psychotycznych demonów skopała tyłek. A ty?

– Odrobinę lepiej. Ale tylko odrobinę. Co cię tu sprowadza?

– Próbowałem się do ciebie dodzwonić, ale nie odbierałeś. Trochę się martwiłem, zwłaszcza po wydarzeniach ubiegłej nocy. Bałem się, że coś cię mogło dopaść i pożreć w ciągu tych kilku godzin, gdy próbowałem się trochę zregenerować. Więc przyszedłem, żeby się upewnić, że nadal dychasz, dzięki czemu sam też jeszcze żyję.

Dziwne. Jego telefon wcale nie dzwonił. Nick wyciągnął komórkę i sprawdził ją. Rzeczywiście, nieodebrane połączenie. Hmm... Grim pewnie zablokował mu telefon. Wredny truposz. Z drugiej strony dało się to zrozumieć. Śmierć nie lubi, gdy się jej przeszkadza.

Caleb wskazał brodą Nicka.

– Co robisz?

– Bubba i Mark kazali mi posprzątać.

Caleb przewrócił oczami.

– Litości...!

Strzelił palcami i nagle wszystko przybrało taki sam wygląd jak przed bitwą.

Nickowi opadła szczęka pod wrażeniem nadprzyrodzonych demonicznych mocy kolegi.

– Chłopie, musisz mnie tego nauczyć! Ośmielę się jednak zauważyć, że ta sztuczka wyda nas szybciej niż moje ramię, które niby jest uszkodzone.

Caleb mruknął coś pod nosem. Drzwi znów nie trzymały się zawiasów, a wokół wciąż widać było dość szkód, by wyglądało to, jakby normalnie sprzątał.

– A propos, miałem dziś rano dziwny telefon.

– Od kogo?

– Od nowego trenera futbolu.

Nick podrapał się w brodę.

– Szybko się uwinęli.

– No, właśnie. Powiedział, że w związku z finałami stanowymi szkoła się z nim skontaktowała i zaproponowała mu tę posadę jeszcze wczoraj po południu.

Nick zagwizdał z wrażenia. Stary trener ledwie trafił za kratki za zabójstwo dyrektora, a już miał następcę. Co za bezduszność.

– Co jeszcze powiedział?

– Zapytał, czy cię znam. Przez ten atak zombie straciliśmy pół drużyny, więc trener szuka nowych graczy. – Caleb wskazał głową na ramię Nicka. – Powiedziałem mu, że byłeś ranny i nie możesz grać. On na to, że na tym etapie chętnie przyjmie paru rezerwowych, żeby tylko wypełnić grafik i... koszulki. Przynajmniej nie stracimy baraży.

– No, na rezerwowego nadaję się świetnie. Mama mówi, że w tym jestem najlepszy.

– Co do...? Jak się tu dostałeś?

Obaj odwrócili się. Zza zasłony wyglądał Bubba.

Caleb pokazał kciukiem na Nicka.

– Nick mnie wpuścił.

– Niby jak?

Bubba podszedł szybko do drzwi, żeby sprawdzić, czy nadal są przytwierdzone łańcuchem.

– Przecisnąłem się przez szparę. Jestem jak myszka. Niewiele trzeba, żebym się przepchnął.

Bubba skrzywił się podejrzliwie.

– Więcej tego nie rób. Mogłeś sobie coś uszkodzić, a wtedy twoi rodzice pozwaliby mnie do sądu.

– Przepraszam.

Bubba powiódł wzrokiem dookoła po niemal wysprzątanym sklepie, po czym odwrócił się do Nicka.

– Niezła robota, smarkaczu. Świetnie się spisałeś.

– Caleb trochę pomógł.

– We dwóch zawsze idzie szybciej. Gdyby tylko udało mi się zmusić Marka do odłożenia telefonu i gdyby przestał sobie w kółko robić przerwy, to może nawet udałoby nam się skończyć przed *Oprah*.

Caleb z Nickiem spojrzeli po sobie z rozbawieniem.

– Bubba, co ty poczniesz, jak ten program się skończy?

– Zamknij się, młody. W tym sklepie takie słowa to świętokradztwo. Mów tak dalej, a wyrzucę cię przez okno jak jakiegoś włóczęgę w westernie.

Caleb cofnął się o krok.

– Biorąc pod uwagę fakt, że wczoraj omal się nie usmażyłem w twoim SUV-ie, przez jakiś czas wolałbym uniknąć dalszych obrażeń, jeśli to możliwe.

Bubba pokazał na niego palcem.

– No to pamiętaj.

Po czym odwrócił się na pięcie i zostawił ich samych.

Caleb pokręcił głową.

– Największy świr pod słońcem.

– Myślisz?

Gdy Caleb podszedł bliżej, wahadełko zrobiło się gorące. I to tak bardzo, że Nick aż syknął z bólu. Wyciągnął je.

Oczy Caleba zamigotały jaskrawym oranżem wężowych oczu demona.

– Skąd to masz?

Nick poczuł zimny ucisk w żołądku. Nijak nie potrafił wytłumaczyć sobie zachowania kolegi.

– Powiedziano mi, że to mnie ochroni przed złem. Tylko dlaczego zareagowało na ciebie, Caleb? Jest coś, czego mi nie mówisz?

Gdy tylko to powiedział, w jego umyśle błysnął strzęp wizji.

Wizji, w której Caleb go zabija.

# ROZDZIAŁ 5

Ambrose, co ty wyprawiasz?

W odpowiedzi Ambrose odsunął się od swojego czarnego, magicznego lustra, w którym obserwował przeszłość rozwijającą się w zupełnie nowym kierunku. Odłożył je na bogato rzeźbione, czarne biurko i przykrył kawałkiem czarnego jedwabiu. Odwrócił się w stronę ostatniej istoty, z którą miał ochotę mieć do czynienia.

Ku Savitarowi.

Savitar urodził się, by być strażnikiem bogów, którym mogłoby przyjść do głowy nadużycie mocy. Należał do garstki istot stojących wyżej od Nicka. Ubrany w białe bojówki i rozpiętą koszulę z jasnoniebieskiej bawełny, Savitar pachniał jak słoneczny dzień na plaży. Nic dziwnego, skoro mieszkał na znikającej wyspie, na której spędzał większość czasu zajęty surfowaniem. W ciemnych włosach lśniły wypłowiałe od słońca pasemka, na twarzy miał przynajmniej trzydniowy zarost, a na dodatek kozią bródkę. Był naprawdę pradawną istotą – urodził się niemal u zarania dziejów – obdarzoną nieograniczoną mocą, przywykł więc, że ludzie moczą się wręcz ze strachu na sam jego widok.

Ambrose nie przypominał owej większości ludzi. Wieki minęły od chwili, gdy Savitar go przestraszył, choćby odrobinę. Teraz odsunął się od biurka i poszedł nalać sobie czegoś do picia.

Nie było to wino ani woda, lecz schłodzona krew demon z gatunku perityle. Święty rocznik, pełen składników odżywczych, których potrzebował do życia.

Jednak tylko głupiec mógłby uznać jego obecną egzystencję za życie.

Ambrose upił łyk. Chwilę rozkoszował się napojem. Nie przynosiło to takiej satysfakcji jak picie krwi, gdy jakiś demon błagał go o darowanie życia, ale i tak była świeża i mocna. Na jego wargach zawitał uśmieszek na wspomnienie, jak zabił tego demona. Nigdy nie potrafił zrozumieć, jak stworzenia, tak okrutne i bezlitosne w stosunku do innych, mogły oczekiwać, że okaże im się współczucie, którego one nigdy nie miały dla swoich ofiar. Co za niepojęta hipokryzja.

– Od kiedy to muszę odpowiadać na twoje pytania?

Mina Savitara przeraziłaby samych bogów. Ale Ambrose był biczem bożym, więc na niego zupełnie to nie podziałało.

– Majstrujesz przy mocach, których nie rozumiesz.

Ambrose surowym wzrokiem zmierzył Savitara od bosych stóp do wysmaganej wiatrem głowy.

– Zabawne usłyszeć coś takiego od ciebie.

– Owszem. Gdy ja się do tego posunąłem, prawie zniszczyłem świat.

Ironia polegała na tym, że Ambrose próbował właśnie ocalić świat. Już wiedział, jak będzie wyglądał jego koniec. Znał dokładną datę, nawet godzinę. Słyszał krzyki ludzi, do których właśnie dotarło, że nadszedł kres wszystkiego, że to, co tak sobie cenili, nagle stało się zupełnie bezużyteczne... Że nie uratują ich błagania o litość ani próby frymarczenia.

Ten czas się zbliżał. Ambrose czuł, jak z każdą mijającą sekundą opuszczają go resztki człowieczeństwa, a gdy to nastąpi...

Dla świata nie będzie już ratunku. Nikt nie będzie w stanie go powstrzymać.

Nawet Savitar.

– Wiem, co robię.

– Nie, Nick, nie wiesz.

*Nick*. Savitar był ostatnią istotą, która zwracała się do niego jego prawdziwym imieniem. Bóstwo chtoniczne* robiło to zawsze, gdy chciało przykuć uwagę Ambrose'a.

* Chtoniczny (gr. chtomos – zrodzony z ziemi, podziemny) o bóstwach: związany ze światem podziemnym, ale również z płodnością ziemi *(przyp. red.)*

Ambrose zerknął za siebie, w stronę zakrytego, czarnego lustra, i przypomniał sobie siebie jako dzieciaka. Gdyby tylko mógł cofnąć czas...

Choć na jeden ułamek sekundy.

Najdrobniejsze decyzje owocują tak głębokimi reperkusjami. Wystarczy dziesięć minut, by uratować życie.

Lub je zakończyć.

Wystarczy skręcić w złą ulicę albo odbyć rozmowę, pozornie niewiele znaczącą, i wszystko się zmienia. To nie w porządku, że każdy żywot definiują, tworzą i kończą, niszczą takie pozornie nieszkodliwe detale. Wydarzeniu zmieniającemu całe życie powinien towarzyszyć znak ostrzegawczy z napisem „Porzućcie wszelką nadzieję" albo „Bezpieczne rozwiązanie". Najokrutniejszym żartem było to, że nikt nie widział groźnych załomów, dopóki nie znalazł się za krawędzią przepaści, spadając w dół.

Ambrose chciał się odsunąć, ale Savitar złapał go za rękę i odciągnął na bok. W jego lawendowych oczach zamigotała głęboka czerwień.

– Budzisz moce i wprowadzasz do swojej przeszłości nowych graczy. Graczy, których posunięć nikt z nas nie zna. Wczoraj zapytałeś mnie o Nekodę... Nie pamiętasz jej, bo nie było jej w twojej oryginalnej przeszłości. Pojawiła się w twoim życiu, gdy byłeś młody, bo ciągle w coś się wtrącasz. I nie tylko ona. Czy ty tego nie rozumiesz? Twój ojciec miał umrzeć, zanim osiągniesz wiek dojrzewania. Taki jest naturalny porządek. Od tego zależał twój rozwój i bezpieczeństwo. Teraz on nadal żyje, chociaż powinien być martwy. A ty zdobywasz moce w wieku, gdy...

– Starszego brata też miałem nie mieć, prawda?

Savitar odwrócił wzrok.

No właśnie...

Wydarzenia odmieniające bieg życia. Nieprzewidziane katastrofy. Drobiazgi, które stały się...

Lepiej nad tym nie rozmyślać.

Ambrose się skrzywił.

– Ty, Acheron, Artemida, mój ojciec... Wszyscy mieliście przede mną swoje małe sekrety. To wasze pomyłki próbuję naprawić.

– A przy okazji popełniasz mnóstwo nowych. Takich, których konsekwencji nie umiemy jeszcze przewidzieć. Których ja nie jestem w stanie przewidzieć. Rozumiesz, co próbuję ci powiedzieć?

Rozumiał. I jedno było dla niego jasne jak słońce.

– W takim razie nie możesz wiedzieć, czy to, co robię, jest błędem.

Savitar zaklął.

– Przeszłości nie da się napisać na nowo. Nikt tego nie potrafi. Chyba że wywołując przerażające konsekwencje.

– Jestem Malachai – Nick uśmiechnął się szyderczo. – Nie przyjmuję rozkazów od ciebie, boże chtoniczny.

Bóstwa chtoniczne miały zadanie strzec naturalnego porządku i chronić ludzi. Dano im zatem moc zabijania innych bogów, gdyby zaszła taka potrzeba.

Ale te moce nie działały na istoty takie jak Nick. Tylko jedna osoba mogła zagrozić komuś z rodu Malachai, narodzonemu w najmroczniejszej części wszechświata.

A tego kogoś tu nie było, więc nie mógł powstrzymać jego przeznaczenia.

Czyli ostatecznej zagłady.

Tik... tak...

Savitar z sykiem wciągnął powietrze do płuc.

– Jak sobie chcesz. Ależ ty masz ego! – Wskazał na lustro Ambrose'a. – Zdobyłeś dostęp do swoich mocy w wieku, gdy wrażliwość jest największa. Przecież z jakiegoś powodu początkowo nie miałeś z nimi łączności. W efekcie urządziłeś istne piekło dzieciakowi, który nie umie sobie z tym poradzić.

Ale Nick się nauczy. Znał samego siebie i swój instynkt samozachowawczy. Nick się nie podda. Nigdy.

– Wysłałem mu opiekuna.

– Zatem, powodzenia. Zapytaj Acherona, co się działo, gdy ludzie majstrowali przy przeznaczeniu innych, nawet jeśli próbowali ich w ten sposób tylko ochronić... Zaraz, zaraz, zapomniałem. Tego już nie możesz zrobić, prawda? – Savitar posłał mu ostre spojrzenie. Kryło się w nim oskarżenie, nad którym Ambrose nie chciał się nawet zastanawiać. – W Nowym Orleanie ktoś teraz tropi pewnego czternastolatka.

– Kto?

– Znasz odpowiedź na to pytanie. Chcą cię dopaść i upuścić ci krew. Wydaje ci się, że już dość się nacierpiałeś? No to poczekaj tylko i zobacz, co sam na siebie ściągnąłeś. I tym razem nie możesz winić nikogo innego. Sam sobie to zawdzięczasz. My wszyscy próbowaliśmy cię powstrzymać. – Savitar pstryknął w talizman, który Ambrose miał na szyi. – Wydaje ci się, że rozumiesz te moce, bo jesteś, kim jesteś, i żyjesz od wieków? Gówno rozumiesz.

Tu się mylił. Ambrose rozumiał wszystko. Co ważniejsze, wiedział, co się wydarzy, jeśli tego nie zmieni.

Czy to by naprawdę była aż taka wielka katastrofa, gdyby umarł w dzieciństwie?

Zastanawiał się, czy to przypadkiem nie jest jedyna metoda, by zatrzymać rozwój wypadków, by powstrzymać nadejście końca.

Najsmutniejsze było to, że za każdym razem, gdy próbował się zabić, coś mu w tym przeszkadzało.

Pomijając jeden raz, ten najważniejszy. Na razie w żaden sposób nie udało mu się tego powstrzymać.

Jeden strzał.

A wszystko przez przekleństwo rzucone przez Acherona.

Musi być jakiś sposób, by je przezwyciężyć.

Potarł swój medalion. To jego ostatnia szansa. Zmarnował całe wieki na pomyłki i błędne oceny. Jeśli tym razem mu się nie powiedzie, nie ma już dla nich ratunku. Miał w nosie, że jego własne życie się skończy. Jego życie i tak skończyło się, gdy miał dwadzieścia cztery lata.

Zapłacą za to jednak i inni. To ich próbował uratować. Tych, których kiedyś kochał. Niewinnych, którzy nie zasłużyli na to, co ma im się przydarzyć.

*Pomóż mi.*

Odpływał. Robiło się ciemno. Zimno. Strasznie. W tym momencie nie potrafił dostrzec innego zakończenia. Nawet gdyby ingerował. Miał wrażenie, że każda droga i tak prowadzi do tego samego miejsca i czasu.

Do tego, co miało nadejść.

Do wojny, której świat nie przetrwa.

Starając się nie myśleć o przyszłości, którą widział tak wyraźnie, Ambrose nalał sobie kolejną porcję napoju.

– Nigdy nie odpowiedziałeś na moje pytanie. Kim i czym jest Nekoda?

Savitar wzruszył stoicko ramionami.

– Chcesz ode mnie prawdy? Nie wiem.

*Nie wiem.* Te słowa odbiły się echem w jego głowie. Jednego nauczył się przez całe wieki obcowania z Savitarem. Gdy chtoniczny bóg mówił coś takiego, oznaczało to tylko jedno.

Nic dobrego.

*Przygotujcie się na najgorsze. Nadchodzi krwawa rzeź.*

# ROZDZIAŁ 6

Caleb westchnął rozdrażniony, próbując uspokoić Nicka, który wpadł w panikę.

– Spokojnie, Nick. Jestem demonem, hematyt nie przepada za moimi genami. To oznacza tylko jedno: że mam naprawdę kiepskie pochodzenie.

– To czemu mam w głowie wizję, jak mnie zabijasz?

– Czegoś ty się nażarł na śniadanie?

Nick zignorował to pytanie.

– Widziałem, jak mnie dusiłeś.

Caleb przewrócił oczami.

– A tam! To wytwór twojej nadpobudliwej, przekarmionej Hollywoodem wyobraźni, i tyle. Przysięgam, nie zabijam ludzi w taki sposób. To za długo trwa. Mnie nie kręcą tortury. Wolę mieć to szybko za sobą i móc się zająć czymś bardziej satysfakcjonującym.

O dziwo, w to akurat Nick uwierzył. Cierpliwość nie należała do mocnych stron Caleba.

– Na pewno?

– Stary, popatrz tylko na mnie. Wydaje ci się, że dałbym się wczoraj w nocy przeczołgać różnym demonom, żebyś mógł im się wyrwać, gdybym miał zamiar cię zabić? Poważnie? Dość się już w życiu nacierpiałem. Nie mam ochoty na więcej. Wyciągnij głowę z piasku i użyj tych paru komórek mózgowych. No pomyśl.

Nick przeczesał włosy dłonią i w końcu się uspokoił. Ubiegłej nocy Caleb rzeczywiście dwoił się i troił. Nick nie miał powodu wątpić w jego lojalność.

– Przepraszam. Sam już nie wiem, co powinienem myśleć. Dziwne rzeczy się dzieją.

– To się nazywa wiek dojrzewania.

– To pomińmy – dodał wesoło. – Szczerze mówiąc, chciałbym, żeby to był mój jedyny problem.

Mogło się wydawać, że nikt w jego otoczeniu nie jest tym, za kogo lub za co się podaje.

– Spoko. Wcale ci się nie dziwię, że mi nie ufasz. Szczerze mówiąc, zdarzyło mi się posunąć do zdrady. Ale ciebie nie zdradzę, bo musiałbym się zmierzyć z potężnym demonem. Więc jesteś bezpieczny, przynajmniej do czasu, aż znajdę sposób, by wyrwać się z jego niewoli.

No cóż, całkiem niezłe podsumowywanie układu między nimi.

– Dzięki za szczerość.

– Powinieneś być mi wdzięczny, bo to mi się rzadko zdarza. – Caleb ziewnął. – Cieszę się, że nie wyzionąłeś ducha.

– Ja też się cieszę.

Zwłaszcza, że ostatnią godzinę przed przybyciem Caleba spędził na zabawianiu Śmierci. Niewiele osób może się czymś takim pochwalić.

Caleb trzepnął go w ramię.

– Nie zapomnij o temblaku.

– Idziesz już?

– Nie jestem ci tu potrzebny. Nic ci nie grozi, a ja jestem wykończony. Pójdę trochę odpocząć. Nie jestem już taki młody, jak kiedyś.

– Ile właściwie masz lat?

Caleb się roześmiał.

– Zmęczyłbyś się liczeniem zer. Jestem na tyle stary, by się nie wygłupiać, ale na tyle młody, by jednak próbować. – Puścił do Nicka oko. – Do zobaczenia później.

Po czym rozpłynął się w powietrzu na oczach Nicka.

– Naprawdę muszę się nauczyć tych sztuczek.

Jakie by to było uczucie, gdyby był w stanie zrobić wszystko, co mu się tylko zamarzy? Gdyby miał tyle pieniędzy, czasu i mocy, ile by chciał? Nie potrafił sobie wyobrazić nic bardziej niesamowitego.

Zamknął oczy i skierował wyobraźnię na swoją dorosłość. Nie zobaczył jednak siebie. Zobaczył Ambrose'a. Nie wyglądał na zadowolonego.

Dziwne. Ambrose stał przed ogromnym, bogato zdobionym kominkiem, w którym mocno buzował ogień. Płomienie migotały w jego oczach w nieludzkim odcieniu zieleni. Ambrose, jedną ręką oparty o kamienny gzyms nad kominkiem, wpatrywał się w palenisko. Robił wrażenie zagubionego i smutnego. Załamanego.

*Nie stań się mną, Nick.*

To nie był głos Ambrose'a. Był niższy, groźniejszy. Nicka aż przeszedł zimny dreszcz.

*Tracę zmysły*. Na pewno, bo inaczej nie da się tego wytłumaczyć.

– Hej, Nick. Pomożesz nam?

Okrzyk Marka sprawił, że Nick zamrugał, odepchnął od siebie swoje myśli i poszedł do kolegów.

Minęły całe godziny, zanim wszystko wróciło na swoje miejsce, a dziury w ścianach załatano. Chwilę po trzeciej Nick wyszedł stamtąd i skierował się do Café Du Monde. Nekoda obiecała mu, że spotka się tam z nim po szkole. Lekcje były odwołane, ale miał nadzieję, że dziewczyna i tak przyjdzie. A gdyby się miała pojawić, nie chciał, by pomyślała, że ją wystawił do wiatru.

Niedługo potem dotarł do zadaszonego pawilonu, w którym aż się roiło od turystów. Dojrzał też kilku miejscowych. Café Du Monde była słynną na cały świat kawiarnią, stałym punktem na mapie Nowego Orleanu od XIX wieku, gdzie każdy musiał kiedyś zajrzeć. Otwarta przez dwadzieścia cztery godziny na dobę siedem dni w tygodniu z wyjątkiem Bożego Narodzeniu i huraganów kawiarnia należała do ulubionych miejsc Nicka. Ceny nie należały do wygórowanych (właściwie było tam tanio, dzięki czemu mógł sobie na coś od wielkiego dzwonu pozwolić), a menu nie imponowało różnorodnością. Serwowano tam wodę, mleko, zimne napoje, sok pomarańczowy i kawę zbożową. Tak naprawdę jednak do Café Du Monde przychodziło się na pączki orleańskie z cukrem pudrem. Takie bez dziurki w środku. Podczas jedzenia nie sposób się nie upaćkać, są za to po prostu przepyszne. Niech się schowają ciastka. Pączki biły wszystko na głowę.

Nick stał na rogu St. Ann i Decatur i czekał na zielone światło. Przed kawiarnią grało trzech muzyków.

– Hej, Nick! – zawołał puzonista, gdy chłopak przeszedł na drugą stronę ulicy i zbliżył się do nich.

Uśmiechnął się do starszego Afroamerykanina, który, odkąd Nick sięgał pamięcią, grał jazz i zydeco na ulicy, a wieczorami występował w miejskich klubach.

– Cześć, Lucas. Co słychać?

– Wszystko dobrze. Mam nadzieję, że u twojej mamy też wszystko w porządku.

– Przecież wiesz, że staram się nią opiekować. A co tam u twojej córki? Przyzwyczaiła się już do nowej szkoły?

Żona Lucasa zmarła cztery lata temu na raka, więc wychowywał Keshę samotnie. Poprzedniej wiosny skończyła szkołę średnią. Teraz brała udział w kursie na uniwersytecie stanu Luizjana. W przyszłości chciała zająć się badaniami nad rakiem.

– Tak jej się podoba, że trudno ją namówić na wizytę u ojca. Niewiarygodne, co? A myślałem, że nigdy nie opuści domu. Teraz się martwię, że nigdy nie wróci.

Nick się roześmiał.

– Na pewno niedługo przyjedzie. Jak by mogła nie przyjechać?

Perkusista Thomas zastukał pałeczką o pałeczkę, by dać im znak, że pora na kolejny utwór. Lucas uniósł puzon, kiwnął głową do Nicka i dołączył do kolegów, którzy zaczęli grać *Iko Iko*.

Nick aż się wzdrygnął. Lubił tę piosenkę, ale zawsze się do niego przyczepiała na dłużej. Pewnie będzie mu chodziła po głowie przez najbliższe trzy dni.

*Hey, now... Hey, now... Iko Iko unday...* O, proszę! Już się zaczyna.

*Rany, niech mnie ktoś zastrzeli.*

Rozejrzał się wokół w poszukiwaniu wolnego stolika. Jego uwagę przyciągnęło coś różowo-kremowego. Skupił wzrok na twarzy dziewczyny i poczuł ucisk w żołądku. Miękkie, ciemne włosy, ogromne oczy – to była najpiękniejsza dziewczyna na świecie.

Nekoda.

Gdy tylko go zauważyła, na jej twarzy pojawił się prześliczny uśmiech, który ją całą rozświetlił, a jego przyprawił o uczucia, których nie rozumiał. Zrobiło mu się zimno i gorąco jednocześnie. Poczuł suchość w gardle, chciał odwrócić się na pięcie i uciekać.

Tak, to by było rozsądne posunięcie.

*Od kiedy to zachowujesz się rozsądnie?*

Zanim się zorientował, co robi, stopy prowadziły go do jej stolika.

– Cześć – powiedziała, posyłając mu taki uśmiech, że aż zrobiły jej się śliczne dołeczki w policzkach.

Jak to możliwe, że pojedyncza sylaba może brzmieć niczym chóry niebieskie? To był najsłodszy dźwięk, jaki kiedykolwiek słyszał. Aż go przeszył dreszcz.

– Cześć.

*Powiedz coś jeszcze. I to szybko.*

Czemu miał zupełną pustkę w głowie? Przecież nieraz już z nią rozmawiał. Rany, a wczoraj nawet go pocałowała.

No tak, nadal pamiętał smak jej warg.

Zrozumiał, że właśnie na tym polega problem. Nie wiedział, jak się zachować po tym pocałunku. Czy zmarnował tę okazję? Czy było jej przyjemnie?

*Rany, jestem żałosny. Nie wiem nawet, jak rozmawiać z laską.*

Jeśli to się nie zmieni, nigdy nie znajdzie dziewczyny.

Nekoda rozejrzała się nerwowo dookoła.

– Usiądziesz?

Powiedziała to, przeciągając zgłoski, jakby czuła się równie niepewnie jak on.

*O, nie. Tylko mi nie mówcie, że ona mi zaraz zaserwuję gadkę typu „Zostańmy przyjaciółmi"*. Nienawidził tego.

– Ach, no tak... – Ręce mu się trzęsły. Odsunął winylowe krzesełko i usiadł. – Przepraszam, jestem dziś trochę roztrzepany. Mama zerwała mnie z łóżka zdecydowanie za wcześnie. Po wczorajszej nocy dotąd nie oprzytomniałem. A potem musiałem pomóc Bubbie sprzątać sklep. Drzemka by mi się przydała. – *Za dużo gadasz. Nie wspominaj o łóżkach, bo jeszcze pomyśli, że to zaproszenie, i się obrazi albo da ci po gębie*. – A ty jak się czujesz?

No tak, to był bezpieczny temat.

Dla nich obojga.

– Cieszę się, że żyję.

Podeszła kelnerka, by przyjąć od nich zamówienie. Nick już miał poprosić o wodę, gdy sobie przypomniał, że choć raz w życiu ma przy sobie kasę. Dostał ją od Kyriana i pana Poitiersa. Dzięki Bogu! Mógł nawet postawić coś Kodzie.

– Poprosimy dwa pączki i mleko czekoladowe. – Spojrzał na Nekodę. – A ty czego się napijesz?

– Mleko brzmi smakowicie. Poproszę to samo.

Kelnerka zniknęła.

– Słyszałaś, co się działo w szkole? – zapytał.

Szkoła to na ogół bezpieczny temat.

– Jeszcze nie. A ty?

– Ani słowa. Dowiedziałem się tylko, że mamy nowego trenera.

To ją zaszokowało nie mniej niż wcześniej jego.

– Poważnie?

– Straszne, co? Mam wrażenie, że znaleźli nowego trenera, zanim jeszcze posprzątali krew z podłogi w korytarzu.

Nick aż się skrzywił na dźwięk własnych słów. *Nie gadaj z dziewczyną o krwi. Zgłupiałeś?*

Na szczęście Nekoda zmieniła za niego temat.

– Jak tam ramię?

– Lepiej. Dziś mnie wcale nie boli.

– To dobrze.

I znowu sytuacja zrobiła się niezręczna. Ale za jedno był wdzięczny – że pozostała dziewczyną. Najzwyczajniejszą pod słońcem. Nie jakimś zmiennokształtnym, pogromcą wampirów czy demonem. Po prostu jeszcze jedna istota ludzka, która wybrała się z nim, by wrzucić coś na ząb. Jak dobrze było znów znaleźć się w towarzystwie normalnych ludzi.

– I jak ci się podoba Nowy Orlean? – zapytał. – Inaczej tu niż tam, gdzie wcześniej mieszkałaś?

– Zupełnie inaczej. Podoba mi się. No, może pomijając temperatury. W głowie mi się nie mieści, że pod koniec października nadal może być taki upał.

– Wiesz, jest takie stare powiedzenie, że jak ci się nie podoba pogoda, to chwilę poczekaj. Skwar potrafi tu przejść w ziąb w tempie szybszym niż wirowanie pralki z turbodoładowaniem.

Nekoda poczuła, że się rozluźnia. Roześmiała się z jego dowcipu. *To tylko jego demoniczny urok. Nie daj się na to nabrać.* Nie było to łatwe, bo Nick Gautier był czarujący i słodki. Po prostu cudowny.

A jaki z niego przystojniak. Oczy ma tak niebieskie, że to powinno być zakazane. Do tego gęste, ciemne włosy, których bardzo chciała dotknąć. Zaledwie czternastolatek, ale już było widać, na jakiego mężczyznę wyrośnie. Rysy jakby rzeźbione i wysoka inteligencja. I choć szczupły, miał idealną muskulaturę.

A najbardziej bawiło ją to, że chłopak nie miał pojęcia, jaki z niego przystojniak.

Był płochliwy i niepewny siebie, a jednak potrafił podłączyć się do najbardziej destrukcyjnych na świecie mocy. Gdy dorośnie, będzie krył w sobie zło w najczystszej, najzimniejszej postaci. Nekoda wiedziała, że nie wolno jej o tym ani na moment zapomnieć.

A jednak jego uśmiech był zaraźliwy, a jego uprzejmość ujmująca.

Chciała zapłacić za swoje jedzenie, ale powstrzymał ją i sam uregulował rachunek. Nie pozwolił jej nawet zostawić napiwku dla kelnerki.

Potem na chwilę ją przeprosił, wziął resztę i wyszedł na zewnątrz, by ją wrzucić do futerału od puzonu ulicznym muzykom. Sobie nie zostawił ani centa.

Gdy wrócił do stolika i zajął miejsce, spojrzała na niego z uniesioną brwią.

– Myślałam, że jesteś bardzo biedny.

Zalał się rumieńcem.

– Jestem, ale mam od niedawna dobrą pracę i nieźle zarabiam. Wierzę, że trzeba dzielić się swoim szczęściem. Lucas pomaga swojej córce opłacić szkołę, więc… Pomyślałem, że jemu to się teraz bardziej przyda niż mnie.

– Miły jesteś.

– Zdarza mi się, ale lepiej nikomu o tym nie mów. Niech to pozostanie naszym sekretem.

Ujęła ją jego szczerość. Był zupełnie inny niż przedstawiciel rodu Malachai, z którym kiedyś walczyła. Jak to możliwe, że ten wspaniałomyślny chłopak jest częścią najgorszych mocy? W głowie jej się to nie chciało pomieścić, gdy tak przed nią siedział…

Troskliwy. Zabawny. Szlachetny.

Gdyby nie miała pewności, założyłaby się, że skupili się na niewłaściwej osobie. A jednak ten właśnie chłopak wyrośnie na demona, który pewnego dnia zniszczy świat.

Na demona, którego będzie musiała zabić.

Gdyby miała choć trochę oleju w głowie, zrobiłaby to teraz, zanim jego moce się rozwiną. Musiała jednak trzymać się protokołu. Wciąż istniała szansa, że uda się go uratować.

Zawarto układ…

Musiała go uszanować, nawet jeśli robiła to wbrew sobie. Podobnie jak on, urodziła się wojownikiem. Jej jedynym obowiązkiem była ochrona naturalnego porządku i pozbycie się zagrażających mu wrogów.

Nie wyłączając uroczych nastolatków.

*Bogactwo duszy mierzy się tym, jak wiele potrafi ona odczuć... Ubodzy duchowo odczuwają mało.*

Teraz, w tym miejscu i czasie, dusza Nicka była bogata i czysta. Jeśli udałoby się to utrzymać, nie byłby stracony. Stałby się narzędziem, które mogliby wykorzystać do swoich celów...

Porażka w ogóle nie wchodziła w grę.

Nick nagle poczuł się tak, jakby Koda poddawała go badaniu laboratoryjnemu, jakby brał udział w jakimś dziwacznym eksperymencie.

– Wyrosła mi druga głowa czy coś w tym rodzaju?

Zamrugała.

– Co?

– Przyglądasz mi się tak, jakbyś próbowała mnie rozgryźć. Pewnie nie powinienem tego mówić, ale nieswojo mi się od tego zrobiło.

– Przepraszam, nie chciałam. Ja tylko... Zresztą nieważne. Niektóre sprawy powinny pozostać tajemnicą kobiety.

– Hej, dobrzy ludzie! Co wy tu robicie za dnia?

Nick rozpromienił się na dźwięk wysokiego, śpiewnego głowu należącego do Simi. Była to kolejna nowa znajomość, którą zawarł ubiegłej nocy. Simi przybyła im na pomoc. I rzeczywiście nieźle się spisała.

– Cześć, Simi. Dosiądziesz się do nas?

Miała czarne jak smoła włosy z czerwonymi pasemkami. Dziś ściągnęła je w dwa kucyki przytrzymywane gumkami ze szpikulcami, dobranymi do kolczastej obroży, którą nosiła na szyi. Miała dobrze ponad metr osiemdziesiąt wzrostu, a jej buty na koturnach dodawały jej kolejne 10 czy 15 centymetrów. Ubrana była w krótką spódniczkę w fioletową kratkę, czarną koszulkę na ramiączkach i fioletowy, siatkowy top.

Usiadła na krzesełku koło Kody i otworzyła swoją torebkę, kształtem przypominającą trumnę. Nick i Koda spojrzeli po sobie ze zmarszczonymi brwiami, podczas gdy Simi wyciągnęła z torebki wielki śliniak i zawiązała go sobie pod szyją. Następnie na stoliku pojawiła się butelka pikantnego sosu.

Do stolika podeszła uśmiechnięta od ucha do ucha kelnerka.

– Dzień dobry, Simi. To, co zwykle?

– Zdecydowanie, Tracy. I donoś kolejne, aż Simi pęknie z przejedzenia.

Kelnerka parsknęła śmiechem.

– Dziewczyno, nie wiem, gdzie ty to wszystko mieścisz. Kości to ty musisz mieć puste w środku.

– Oooo, Simi bardzo by chciała. Wtedy mogłaby zjeść jeszcze więcej. Mniam, mniam!

Roześmiana kelnerka poszła do kuchni.

– Często tu jadasz? – zapytał Nick.

Simi wyciągnęła kilka serwetek ze srebrnego stojaka i rozłożyła je sobie na kolanach.

– Zawsze, jak jesteśmy w mieście i Akri mi pozwoli.

Akri. Minionej nocy też wielokrotnie użyła tego imienia, ale Nick nie miał pojęcia, kto to jest, choć Simi zachowywała się tak, jakby zakładała, że on wie, o kim mówi.

– Kto to jest Akri?

Prychnęła z irytacją.

– No, przecież to tatuś Simi. Głupiutki półczłowieku, zupełnie nic nie wiesz?

Nick otworzył usta, żeby coś powiedzieć, a gdy to zrobił, zobaczył...

Nie był pewien co. Przez głowę przelatywały mu obrazy. On i Simi. Tylko że to nie był on. To było... W innym czasie i w innym miejscu.

Nie, to było tutaj. Nie... Zobaczył ją jako demona ze skrzydłami i rogami. Aż mu się w głowie zakręciło i zaczęło mdlić od tego kalejdoskopu obrazów.

– Nick? – zapytała z troską Koda. – Wszystko w porządku?

Simi odpowiedziała za niego.

– Nic mu nie jest. Po prostu trochę świruje, bo Simi jest demonem, a on o tym wcześniej nie wiedział. Zaraz mu przejdzie. – Podsunęła mu jego szklankę mleka. – To ci pomoże.

Nick zamrugał. Próbował się uspokoić.

– Czy to mi się śni?

Koda wcale nie zareagowała na informacje od Simi. Właściwie zachowywała się tak, jakby w ogóle tego nie usłyszała. Może tak właśnie było. Może Simi była jak Grim, może widzieli i słyszeli ją tylko on oraz Tracy.

Obrazy nadal migały mu przed oczami. Nie mógł się na niczym skupić, z trudem oddychał.

*Muszę się stąd wydostać.*

W głowie mu łomotało. Spojrzał na Kodę.

– Muszę... Muszę już iść. Odezwę się później, dobrze?

– Na pewno nie chcesz, żebym ci pomogła? – zapytała Koda.

– Nie. Znaczy tak, na pewno.

Wstał i oddalił się od nich niepewnym krokiem. Nie wiedział, dokąd iść, więc ruszył do jedynego bezpiecznego miejsca, jakie przychodziło mu do głowy.

Tam, gdzie jego matka.

Koda patrzyła z uniesioną brwią za oddalającym się Nickiem.

– Która z nas go tak przestraszyła?

– Jestem prawie pewna, że to ja – uśmiechnęła się Simi. – Simi tak czasem oddziaływuje na ludzi. Czy też może działa? Oddziaływuje? Działa? Czym te słowa się różnią od siebie? Zresztą czy to ma znaczenie? Niektórzy bardzo się złoszczą, jak się użyje nie tego słowa.

A ja to lubię. Język to powinna być dobra zabawa. Tak długo, jak ludzie wiedzą, o co ci chodzi, co za różnica? No, naprawdę. Naprawdę. No. Naprawdę.

Koda pokręciła z rozbawieniem głową. Simi należała do starożytnej rasy demonów Charonte, które stworzono, by chroniły atlatydzkich bogów. Teraz strzegła jednego z nich.

Acherona Partenopajosa.

Nekoda słyszała o tym starożytnym bogu, ale nigdy go nie spotkała. Z wielu powodów. Przede wszystkim dlatego, że Acheron nie chciał, by ktokolwiek wiedział o jego bóstwie. Był to dobrze strzeżony sekret. Potrafiła to uszanować. Znała jego tożsamość tylko dlatego, że mieli wspólnego znajomego. Kogoś, kto, jak Nick, potrafił dostrzec prawdę bez względu na to, jak bardzo próbowano ją ukryć.

Kelnerka wróciła z dziesięcioma talerzami pączków i dużą szklanką mleka dla Simi.

– Ooo, ulubieńcem Simi jest zawsze ta osoba, która przynosi jedzenie. Dziękuję, Tracy.

– Nie ma za co, Simi.

Simi wyciągnęła garść pieniędzy i podała je kelnerce.

– Reszty nie trzeba. Zabaw się za to.

Sądząc po minie Tracy, Simi dała jej astronomiczny napiwek.

– Na pewno?

– Absolutnie.

Simi polała obficie pączki swoim ostrym sosem.

– Dziękuję.

Tracy poszła obsłużyć inny stolik.

Nekoda aż się wzdrygnęła, gdy Simi ugryzła pączek. A skoro o tym mowa...

– Miło cię znowu spotkać, Simi, ale chyba powinnam już lecieć.

Simi wytarła sobie cukier puder z twarzy.

– No, dobrze, ale Nekoda-Akra musi się najpierw dowiedzieć czegoś ważnego.

– Czego?

– W mieście pojawiło się coś niedobrego i zaczaiło się... Nie, przyczaiło. To tego słowa Simi potrzebuje.

– Coś niedobrego?

Simi oblizała wargi zanim odpowiedziała.

– Akri nie jest pewien. Nie wyczuwasz tego?

Nekoda prychnęła.

– W tym mieście? Tu jest całe mnóstwo różnych duchów i niemało spośród nich jest nieprzyjaznych.

– Prawda. Dlatego Simi lubi się tu zjawiać. Ja zjadam te niedobre. Akri uszczęśliwiony. Żadnego „nie, Simi", jeśli to jest coś, co żeruje na ludziach. Simi może pożreć wszystko, na co ma ochotę.

Simi była naprawdę jedyna w swoim rodzaju.

– Myślisz, że to Nick jest tym niedobrym czymś?

Simi zaprzeczyła ruchem głowy.

– Nie. To niedobre go tropi.

# ROZDZIAŁ 7

Nick zatrzymał się przed grecką knajpką na Decatur Street, żeby złapać oddech. Obrazy przestały mu już przelatywać przez umysł, wróciła jego względna jasność.

Wprawdzie nie doszedł jeszcze w pełni do siebie, ale czuł się trochę lepiej niż wcześniej, tuż po wyjściu z Café Du Monde. Przynajmniej ludzie wokół wyglądali normalnie.

Rany, jak hipisi w latach sześćdziesiątych znosili narkotykowe odjazdy? Co za idiota by sobie coś takiego dobrowolnie zafundował? Kiepsko, jak się taka jazda człowiekowi przydarza nawet przez przypadek, a co dopiero na własne życzenie.

Nick potarł oczy i wziął głęboki, uspokajający oddech.

Nagle usłyszał dzwonek. Drzwi restauracji otworzyły się i na zewnątrz wyszła istota jak z marzeń.

Przez moment myślał, że ma halucynacje. Stała przed nim Casey Woods, jedna z cheerleaderek z jego szkoły. Przed pojawieniem się Nekody Casey była jedyną kobietą, o której śnił po nocach. Długie, ciemne włosy miała zawsze wyszczotkowane i lśniące, jej krągłości prezentowały się doskonale nawet w codziennych ciuchach, nie wspominając o mundurku cheerleaderki, o którym krążyły legendy. Wiele dni spędził na wyobrażaniu sobie, jak wyglądałoby jego życie, gdyby z nią chodził. W odróżnieniu od neandertalczyków, z którymi zwykle się spotykała, on by ją dobrze traktował. Po prostu by ją ubóstwiał.

Niestety, ona nie zdawała sobie nawet sprawy z jego istnienia. Można powiedzieć: niezły wyczyn, bo ostatecznie w ciągu paru lat nauki w tej samej szkole na kilku przedmiotach zdarzyło mu się siedzieć tuż obok lub przed nią. No, ale Casey to Casey. Dziewczyna tak popularna nie mogła sobie przecież zawracać głowy biednym i niezdarnym stypendystą, który jakimś sposobem dostał się do jej szkoły. Zresztą, skoro o tym mowa, praktycznie wszyscy w szkole tylko docinali mu i dręczyli go. Już się do tego przyzwyczaił.

Casey miała na sobie niebieski koronkowy top oraz dżinsy. Uśmiechnęła się do niego.

– Hej, Nick. Wszystko dobrze?

Że co? Chyba zapadł w śpiączkę i śni na jawie. Ostatnim razem, gdy był w pobliżu Casey, wmawiała swojej najlepszej przyjaciółce, że nie ma pojęcia, kim Nick jest.

– Eee... No, tak, dobrze.

Zmarszczyła brwi.

– Trochę kiepsko wyglądasz. Jesteś jakiś zielony. Pojedziesz do Rygi?

– Mam nadzieję, że nie.

Tylko tego mu jeszcze dzisiaj potrzeba. Żeby zarzygał najbardziej lubianą dziewczynę w szkole. Do matury nie pozbyłby się etykietki lamusa.

Ku jego kompletnemu zaskoczeniu Casey wyciągnęła rękę i dotknęła mu czoła.

– Nie masz gorączki. – Podsunęła mu swoją butelkę wody. – Masz, napij się. To ci pomoże.

Osłupiał. Wyprostował się.

– A tobie nic nie jest?

– Oczywiście, że nie. Czemu pytasz?

Bo ona nigdy nie była dla niego miła. Nigdy, przenigdy. Poważnie, to było dość przerażające. Czyżby to był początek apokalipsy?

A może to Śmierć w przebraniu miesza mu w głowie? To całkiem możliwe. Przecież taka zadzierająca nosa laska nie rozmawiałaby z nim jak z kimś ważnym, gdyby nie kierowało nią coś straszliwego, coś naprawdę okropnego.

– Wiesz, ty i ja normalnie nie spędzamy czasu razem.

Uśmiechnęła się.

– No, wiem. To moja wina. Ale teraz już możemy, bo zakolegowałeś się z Tadem.

Aha, więc o to chodzi. Tad Addams należał do lubianych, zamożnych dzieciaków. Był starszym bratem koleżanki Nicka, Brynny. Podwiózł raz Nicka i Casey do szkoły.

Rany, ależ ona płytka. Większość osób za nic by się sama do czegoś takiego nie przyznała. Choć z drugiej strony przynajmniej była szczera.

Podziękował za wodę.

– Nic mi nie jest. – Pokazał swoją rękę na temblaku. – Ból mi trochę dokuczał, ale już mi lepiej.

– Aha, no to dobrze. – Zabrała wodę i przytuliła butelkę do piersi. Ach, jaka szkoda, że jej jednak nie przyjął. – À propos, słyszałeś najświeższe plotki?

– O nowym trenerze?

Zamrugała i spojrzała na niego tępo.

– Mamy nowego trenera?

Najwyraźniej te plotki do niej nie dotarły.

– No, mamy. Dowiedziałem się od Caleba.

– Och, nic o tym nie wiem. To dobrze. Stone i Rick się martwili, czy dostaniemy się w tym roku do zawodów stanowych, z tak przetrzebioną drużyną i trenerem za kratkami.

Stone...

Nick musiał użyć całej swojej siły woli, by się nie skrzywić na wspomnienie tej świni. Nie tego kundla.

Poprzedniej nocy dowiedział się, że Stone jest zmiennokształtnym wilkołakiem, który w obu wcieleniach zachowujc się jak ostatnie bydlę.

Nick nie miał ochoty myśleć o Stonie i jego bandzie idiotów, postanowił więc skierować uwagę Casey na poprzedni wątek rozmowy.

– A ty co słyszałaś?

– Och, że w szkole doszło do licznych kradzieży. Tanya poszła tam dziś rano, żeby odebrać swoje zadania domowe z sekretariatu i podsłuchała, jak sekretarki o tym rozmawiały. Włamano się do kilku szafek, zginęły też jakieś rzeczy z klas.

– Poważnie?

– Podobno kiepsko to wygląda. Mam nadzieję, że nie trzymałeś w swojej szafce nic cennego.

Parsknął śmiechem. Akurat. Nie posiadał nic cennego.

– Tylko książki. Chętnie je oddam osobnikowi, który ma na nie ochotę.

– Racja. Aha, podobno mamy też nowego dyrektora, który się przeniósł z Baton Rouge. A wiesz, jak się nazywa? Nie zgadniesz... Nazywa się Richard Head!

Parsknęła śmiechem.

Nick aż się skrzywił na myśl o czekających ich licznych przypadkach przymusowego pozostania w szkole po lekcjach za karę. Dick Head*. Rany, jak można tak

* Dick – zdrobniała forma imienia Richard. Dickhead – frajer, kretyn. (przyp. tłum.)

się nazywać? I jak można z takim nazwiskiem zostać nauczycielem w szkole średniej? Jazda bez trzymanki.

– Założę się, że go to zupełnie nie śmieszy.

– No pewnie. Z drugiej strony można będzie mówić na niego Dick Head, ile się człowiekowi podoba, a on i tak się nie będzie mógł przyczepić, bo tak się przecież nazywa.

– Prawda. Rany, rodzicie musieli go szczerze nienawidzić.

– Nie do pomyślenia, co?

W rzeczy samej.

– No dobra, muszę już lecieć. Chcę zajrzeć do mamy do pracy sprawdzić, czy u niej wszystko w porządku.

Casey zmarszczyła czoło.

– Nie możesz do niej zadzwonić?

– To jej pierwszy dzień w pracy. Nie chcę, żeby przeze mnie miała kłopoty.

Gdyby straciła przez niego kolejną posadę w ciągu doby od utraty poprzedniej, na pewno by tego nie przeżył. Uznał, że lepiej będzie zajrzeć do Sanctuary i sprawdzić, co u niej słychać, zanim pójdzie do Kyriana do pracy.

– To na razie.

Ruszył w stronę Ursulines.

– Mogę pójść kawałek z tobą?

Oczy Nicka zrobiły się wielkie jak spodki. Kompletnie oniemiał. Czyżby znalazł się nagle w Strefie mroku?

– Chcesz iść ze mną?

Uśmiechnęła się tak, że zrobiło mu się od tego ciepło.

– Masz coś przeciwko temu?

– Aaa... nie.

– No to fajnie. – Po czym zrobiła coś jeszcze dziwniejszego i bardziej niesamowitego: podeszła do niego i wzięła go pod zdrową rękę. – Słyszałam od Brynny, że masz pracę. Nie jesteś na to za młody?

*Czy ja się nagle znalazłem w świecie równoległym?* Czyżby jakiś jego szatański sobowtór miał za chwilę wyskoczyć z bocznej alejki i rzucić się na niego, niczym bohater gry komputerowej?

*No dobra, Grim. Co się dzieje?*

Grim nie odpowiedział. Nikt nie odpowiedział.

Casey patrzyła na niego wyczekująco. Te słodkie oczy wprawiały go w wewnętrzne drżenie.

*No, dalej, Nick. Odpowiedz jej na pytanie.*

– Pracuję, odkąd skończyłem dwanaście lat.

– Poważnie? – Jej oczy pojaśniały. – Jestem pod wrażeniem.

Po raz pierwszy w życiu poczuł, że ogarnia go duma.

– No cóż, jestem głową rodziny i muszę opiekować się mamą. Lubię kupować jej ładne rzeczy i nie chciałbym, żeby wydawała na nie własne pieniądze. To by było nie w porządku.

– Wiesz, rzadko spotyka się chłopaka, który myśli w taki sposób. W zeszłym roku dostałam od Stone'a pod choinkę kolczyki jego siostry, które dała jej ich mama, bo jej się nie podobały. Jak się o tym dowiedziałam, strasznie się rozzłościłam. Nie odzywałam się do niego przez całe dwie godziny.

– Rany, całe dwie godziny. No, to mu pokazałaś.

Skrzywiła się.

– Naśmiewasz się ze mnie?

– W życiu nie odważyłbym się kpić z najbardziej lubianej dziewczyny w szkole, a już zwłaszcza gdy trzyma mnie pod rękę. A tak przy okazji, czemu mnie tak złapałaś?

Przejechała mu dłonią po bicepsach, i to w taki sposób, że zrobiło mu się gorąco.

– Podobają mi się twoje ramiona. Są bardzo męskie.

Akurat. Miał ramiona jak Latający Potwór Spaghetti*. Nie było w nich nic męskiego. Były chude i patykowate.

Casey zaczęła głaskać jego ramię. Nick od niej odskoczył.

– Eee, Casey. Ja tak jakby z kimś chodzę.

Może ściśle rzecz biorąc nie chodził z Nekodą, ale czuł coś do niej i nic chciał, by pomyślała, że ją zdradza, nawet jeśli oficjalnie nie byli parą. No dobrze, to nie miało najmniejszego sensu.

---

* Latający Potwór Spaghetti: (ang. *Flying Spaghetti Monster*) – bóstwo, którego istnienie głoszą wyznawcy tzw. pastafarianizmu, opisane 2005 przez fizyka Bobby'ego Hendersona; pastafarianizm zalicza się do religii parodystycznych, choć pastafarianie twierdzą, że żadnej religii nie parodiują; z drugiej strony deklarowanie wiary w LPS można zaobserwować niemal wyłącznie wśród ateistów i agnostyków (*przyp. red.*)

Mimo to...

Casey wzięła się pod boki.

– A od kiedy to masz dziewczynę?

– A ty nie masz chłopaka?

– Aktualnie nie.

W jej głosie wyraźnie brzmiało zaproszenie. Nie dało się tego nie zauważyć.

To była bardzo kusząca propozycja... Wiedział jednak o niej i o Stonie, że ciągle ze sobą zrywali i znowu się schodzili. Jeszcze mu tego potrzeba, żeby Stone miał kolejny powód do znęcania się nad nim.

– Słuchaj, naprawdę muszę lecieć.

Zanim zdążył jej się wyrwać, Casey wyciągnęła mu telefon z kieszeni ruchem, który można było uznać za obmacywanie. To, a także jej ponętna mina, sprawiło, że przeszedł go dreszcz. Dziewczyna wpisała mu swój numer do komórki, a potem dodała go do szybkiego wybierania.

– Zadzwoń do mnie kiedyś. – Wsunęła telefon do jego kieszeni. Tym razem nie miał najmniejszych wątpliwości, że go przy tym obmacała. Stanęła na palcach i uszczypnęła go w podbródek zębami i językiem. – Ale nie czekaj za długo, Nick.

Poczuł jej oddech w swoim uchu i aż mu od tego zapłonęło całe ciało.

Oszołomiony, przerażony i zaintrygowany, stał bez ruchu i patrzył za nią, jak odpływa ulicą. Zerknęła jeszcze na niego przez ramię i zagryzła wargę w najbardziej prowokacyjny sposób pod słońcem.

No, naprawdę, świat się kończy. Gdzieś już pewnie rozpoczęło się odliczanie do apokalipsy. Bo przecież takie rzeczy nie przydarzają się Nickowi Gautierowi. Prędzej mu się w głowie pomieści, że koledzy z klasy zamienili się w zombie, niż że Casey Woods ma na niego chrapkę.

Czemu?

Jeszcze wczoraj był dla niej zupełnie niewidzialny. A dziś czuł się tak, jakby ktoś zdjął z niego czapkę niewidkę i rzucił w sam środek terytorium wroga.

Nie bardzo wiedział, co o tym wszystkim myśleć. Ruszył w stronę Sanctuary, domu najdziwniejszych spośród dziwolągów.

– Czy pozostało jeszcze coś normalnego?

*Wyluzuj, młody.*

Nick odetchnął z ulgą na dźwięk znajomego głosu w głowie.

– Ambrose, stary, gdzieś ty się podziewał?

*Byłem zajęty. A co? Stęskniłeś się za mną?*

Niespecjalnie.

– Właśnie teraz podrywała mnie najładniejsza laska w szkole.

*Casey Woods?*

– Tak. Skąd wiesz?

*Luz. Pójdziesz z nią na połowinki.*

Nick uniósł brew. Kompletnie go zatkało, gdy usłyszał wiadomość, którą właśnie podzielił się z nim Ambrose.

– Skąd to wiesz? – powtórzył pytanie.

*Nick, wiem o tobie mnóstwo rzeczy. Znam twoją przeszłość, teraźniejszość i przyszłość. Casey nie musisz się obawiać. To będzie dobry związek już w szkole średniej, a później jeszcze lepszy.*

To również sprawiło, że opadła mu szczęka.

– Będziemy ze sobą chodzić?

Ambrose roześmiał mu się w głowie. *Zdobywanie kobiet nigdy nie będzie dla ciebie problemem. Co innego zatrzymywanie ich przy sobie. Cokolwiek zrobisz, nigdy przenigdy nie wolno ci dotknąć Simi. Nie wolno ci nawet wziąć jej za rękę. O niej i Tabicie Devereaux myśl jak o siostrach.*

– Dlaczego?

*Rób, co ci mówię!* Tym razem wyraźnie usłyszał w głosie Ambrose'a demoniczne echo. Ten gardłowy warkot sprawił, że Nick aż podskoczył. Po chwili usłyszał westchnienie Ambrose'a. *Przepraszam cię, Nick. W pewnych kwestiach po prostu musisz mi zaufać. Nie mogę ci ich wyjaśnić. Uwierz mi, gdy ci mówię, że naprawdę jestem jedyną osobą w twoim życiu – pomijając twoją matkę i Kyriana – na której możesz polegać. Nadejdzie dzień, gdy wszyscy zwrócą się przeciwko tobie i będą cię próbowali unicestwić. Ja cię nigdy nie zdradzę. Musisz w to uwierzyć.*

– Gdzie w takim razie podziewałeś się przez całe moje życie?

*Zawsze byłem przy tobie, od momentu twoich narodzin. Nie było w twoim życiu ani chwili, gdy nie stałem u twojego boku. Tak jak teraz. Widzę wszystko, co ty. Słyszę to, co słyszysz i czuję to, co czujesz.*

– W jaki sposób?

*W odpowiednim momencie cię tego nauczę. A na razie musisz mi zaufać. Pewnego dnia zrozumiesz, dlaczego ukrywałem się przed tobą przez te wszystkie lata i dlaczego musiałem czekać, aż wydarzą się pewne rzeczy, nim ci się ujawniłem.*

Jego matka zawsze powtarzała, że na zaufanie trzeba sobie zapracować. Czymś takim łatwo się nie szafuje, bo zbyt często się zdarza, że właśnie dzięki temu dopadają cię wrogowie. *Skarbie, nie ufaj nikomu. Tak długo, jak tylko masz jakiś wybór. Świat jest okropny i bezlitosny. Zdarzają się dobrzy, przyzwoici ludzie, ale większość troszczy się tylko o siebie i bez namysłu skrzywdzi, kogo się tylko da.*

Najsmutniejsze było to, że jego matka nie mówiła takich rzeczy bez zastanowienia. Dobrze to wiedział. Wcale nie była z natury krytyczna i nie miała negatywnego nastawienia do ludzi, więc jeśli już tak się zachowywała, to jej słuchał.

*Nick, pożyj trochę*, powiedział Ambrose, wdzierając się w jego myśli. *Ciesz się dzisiejszym dniem i przestań się wszystkim zamartwiać. Zajrzyj do mamy i idź do pracy.*

Chłopak poczuł, że wujek go opuścił.

Podniósł wzrok w górę, na czysty błękit nieba. Co za piękny dzień!

– Naprawdę mi odbiło. Moi koledzy są demonami, wszędzie widzę zmiennokształtnych, a w głowie słyszę głosy szurniętych wujków.

Jak to możliwe, że mu się coś takiego przydarzyło?

Westchnął i skręcił za róg, po czym przeszedł na drugą stronę ulicy i ruszył w stronę Sanctuary. Tym razem już z daleka się zorientował, że zmienił się ochroniarz. Wyglądał zupełnie jak Rémi, ale miał włosy do ramion i szeroki uśmiech na twarzy, przyjazny i onieśmielający jednocześnie. Tak, jak powiedziała mu wcześniej Aimee, na jego ramieniu widział wytatuowany podwójny łuk.

– Ty chyba jesteś Dev.

Facet uśmiechnął się szerzej.

– A ty chyba jesteś wrzód na tyłku.

– Że co?

Zalała go fala strachu i niepokoju.

– Spokojnie, nie posikaj się z nerwów. Tak tylko gadam. Chłopie, twoja mama cały dzień o tobie opowiada. Jesteś jej ulubionym tematem.

– Lepsze to, niżbym miał być jej ulubionym hemoroidem.

Dev parsknął śmiechem.

– Mówiła, że masz cięty język i jesteś zabawny. Widzę, że ma rację. Wchodź do środka i rozgość się.

Przyjazne podejście Peltierów było naprawdę niesamowite. Przede wszystkim dlatego, że jak zdawało się Nickowi, nie każdego tak witają. Jak to możliwe? I jak udaje im się utrzymać swój sekret w tajemnicy?

Wszedł do środka. Panował tu teraz dużo większy ruch. Stoliki nadal wycierał Wren, ale barmani się zmienili. Za barem stało teraz dwóch klonów Deva, z których jeden musiał być Cherifem, a drugi Quinnem. Na scenie trwała próba zespołu.

Nick zafascynowany podszedł do nich bliżej. A więc to byli The Howlers. Nigdy wcześniej nie widział ich koncertu. Niezła zabawa.

– Hej, Colt, twój mikrofon jest wyłączony – powiedział wokalista do gitarzysty.

– Specjalnie, Angel. Zresztą lepiej, żebym nie śpiewał chórków. Chyba nie chcemy, żeby wszyscy się stąd wynieśli.

Perkusista się roześmiał i dokręcił motylek na werblu.

Co za supergoście! Sami zmiennokształtni, na dodatek odziani w ciuchy, które jego matka by wyrzuciła na śmietnik. Podarte dżinsy i postrzępione koszule. A ich muzyka to była istna magia.

Nick miał wielką chrapkę na grę w zespole.

– Hej, skarbie.

Odwrócił się na głos matki.

– Cześć, mamo. Jak leci?

Uśmiechała się od ucha do ucha i była cała zarumieniona.

– Super dzień. A u ciebie?

– Przeciętny.

Nie było to do końca zgodne z prawdą, ale po co miała wiedzieć o wszystkich dziwactwach. Jeszcze dałaby mu szlaban do ukończenia dziewięćdziesiątego roku życia.

Potargała mu włosy.

– Do końca pracy mam jeszcze z godzinę.

– Aha, dobra. Zresztą ja muszę iść do Kyriana. Pojadę tramwajem.

– Podrzucę cię.

Nick podskoczył na dźwięk głębokiego, mrożącego krew w żyłach głosu Acherona, który rozległ się tuż za jego plecami. Acheron górował nad nim, miał aż dwa metry wzrostu. Odziany w gocką czerń od czubków butów z wysoką cholewką do długowłosej głowy, roztaczał aurę, która zdawała się mówić: „zabiję cię za samo oddychanie". Budził większą grozę niż Grim.

– Stary! Może byś sobie kupił jakiś dzwonek, co? Nie możesz się tak skradać i straszyć ludzi.

– Przepraszam. Nie widziałem, że tak łatwo cię przestraszyć. Jak jakąś małą dziewczynkę.

Nick się oburzył.

– Tu nie ma żadnej małej dziewczynki, ważniaku. No chyba, że mówisz o sobie. Bo na pewno nie o mnie.

Ash pokręcił głową i się zaśmiał.

Matka Nicka przyglądała im się sceptycznie.

– Ash, niech pan uważa na mojego skarbeczka. Tylko jego mam, więc proszę prowadzić, jakby pan wiózł jajka.

– Tak jest, proszę pani. – Ash wskazał głową drzwi. – Idziesz?

– Zależy. Zamierzasz jechać z prędkością warp* 1 czy 10?

Gdy poprzednio Nick siedział w porsche należącym do Asha, pradawny nieśmiertelny zmusił auto do robienia rzeczy absolutnie niesamowitych.

– Postaram się nie przekraczać 150 kilometrów na godzinę.

– No, to ja się postaram nie wbijać się paznokciami w tapicerkę.

Nick pomachał matce, po czym wyszedł za Ashem na parking znajdujący się na tyłach budynku. Jego czarne porsche prezentowało się doskonale.

Nickowi zamarzyło się, by któregoś dnia zostać właścicielem takiego auta. Oczywiście najpierw musiał zdobyć prawo jazdy. A na razie postanowił zadowolić się przejażdżką czterema kółkami Asha.

* Prędkość wrap – termin z serialu *Star Trek*; wrap 1 to prędkość światła, wrap 10 – prędkość nieskończona; dowcip opiera się na tym, że wrap 9,9999 jest maksymalną prędkością podprzestrzennej – po dopaleniu (*przyp. red.*)

– Czyżbym musiał znowu otworzyć przed tobą drzwi? – zapytał Ash, naciskając guzik odblokowujący centralny zamek.

Nick spojrzał na niego z rozbawieniem.

– Nie, dam sobie chyba radę.

Poprzednim razem bał się, że zbruka taką brykę. Teraz robiła już na nim nieco mniejsze wrażenie.

Wskoczył do środka, zapiął pas i spojrzał na Acherona.

– Kyrian mi powiedział, że masz kły. To prawda?

Ash pochylił głowę do przodu, ale ponieważ miał na sobie nieodłączne, czarne okulary słoneczne, Nick nie widział jego oczu.

– A to ważne?

– Może.

Ash otworzył usta. Rzeczywiście miał kły.

– Rany! Nieźle je ukrywasz.

– Nawet nie masz pojęcia.

Wyjechał z parkingu i docisnął gaz.

– Piłeś kiedyś krew?

Ash wrzucił niższy bieg, by wyprzedzić taksówkę.

– O czym wyście rozmawiali?

– Kyrian powiedział, że nie pije krwi. Zacząłem się zastanawiać, czy ty pijesz.

Ash zignorował pytanie Nicka i zwolnił. Chłopak rozejrzał się, by sprawdzić, co takiego przykuło uwagę atlantydzkiego nieśmiertelnego. W bocznej alejce z prawej strony kręciła się grupka policjantów. Część ulicy była zamknięta. Niestety, takie widoki nie stanowiły w Nowym Orleanie rzadkości.

– Wygląda na włamanie.

– Nie, Nick. Tu doszło do morderstwa.

– Skąd wiesz?

– Przypominam ci, że posiadam nadprzyrodzone moce.

No tak. Jak mógł zapomnieć?

Acheron podjechał do rogu i zaparkował.

– Zostań tu. Chcę to sprawdzić.

Jak na nieśmiertelną istotę żyjącą od jedenastu tysięcy lat, Acheron potrafił być niebywale głupi. Naprawdę myślał, że Nick będzie siedział w aucie, gdy tam dzieje się coś ciekawego?

Odczekał, aż Ash zniknie z pola widzenia, po czym otworzył drzwi samochodu, wysiadł i ruszył w stronę miejsca zajścia. Kręciło się tam paru turystów i miejscowych, jak również garstka dziennikarzy i fotoreporterów. Nick przesuwał się dyskretnie wokół grupki gapiów, aż zobaczył zarys ciała leżącego na ziemi, nakrytego czarną derką. Widok krwi na ulicy wyprowadził go z równowagi. Rany, ktoś był naprawdę brutalny. Ciekawe, co się tak naprawdę wydarzyło?

– Który to? – zapytał jeden funkcjonariusz drugiego.

– Drugi w ciągu doby.

– Powiadomiono już rodziców?

– Jeszcze nie. Nikt się nie wyrywa, żeby zapukać do ich drzwi i powiedzieć, że ich czternastoletni syn nie wróci na kolację. Cholera! Nie znoszę, jak ofiarą jest dzieciak. Co za absurd. Mam syna w tym wieku. Najchętniej poleciałbym teraz do domu i uściskał, a potem zamknął go w pokoju na klucz i trzymał tam, aż dorośnie.

Te słowa wstrząsnęły Nickiem. Ofiara była w jego wieku.

Gdy tylko ta myśl przeleciała mu przez głowę, poczuł, że wahadełko robi się gorące i zaczyna parzyć.

Podobnie jak książka.

Syknął z bólu, wyrwał książkę z kieszeni i otworzył ją.

– No, co tam, Lassie? Ostrzeżesz Timmy'ego, żeby nie wpadł do studni?*

Na stronicy, gdzie upuścił wczoraj kroplę krwi, pojawiły się słowa:

*Rozejrzyj się, a dostrzeżesz*
*To, w co nie chcesz uwierzyć.*
*Gdy tropią rówieśnika twego*
*lepiej bierz nogi za pas, kolego!*

* Aluzja do zdania „Timmy wpadł do studni", najczęściej przytaczanego cytatu dotyczącego serialu o Lessie, owczarku collie (*przyp. red.*)

# ROZDZIAŁ 8

No i to by było na tyle w kwestii rymowania, ale w tym momencie Nick nie miał zamiaru spierać się z książką. Skoro każe mu uciekać, to tak właśnie postąpi. Ruszył w stronę samochodu, ale zaraz się zatrzymał.

Najbezpieczniejszy będzie przy Acheronie. Ash, który potrafił serwować niesamowite sztuczki umysłu Jedi, byłby w stanie pokonać wszystko, co tylko mogłoby przypuścić atak na Nicka. Na jego szczęście Ash był przy tym taki wysoki, że Nick bez trudu wypatrzył go w tłumie.

Chłopak ruszył w jego stronę najszybciej, jak potrafił, starając się jednak przy tym nie zwracać na siebie uwagi policjantów. Z doświadczenia wiedział, że nawet będąc niewinnym, lepiej nie rzucać im się w oczy. Zwłaszcza, gdy jest się krewniakiem osoby siedzącej w celi śmierci za liczne zabójstwa, a w pobliżu na ziemi leży trup.

Kiepska sytuacja.

Ash zdziwił się na jego widok.

– Miałbym ochotę zapytać, co ty tutaj robisz, ale... ostatecznie jesteś nastolatkiem. Nie trzeba było cię zostawiać samego w aucie. Następnym razem cię w nim zamknę... A może nawet zamuruję. Szczelnie.

Nick zignorował jego oschły ton.

– Nie ma sprawy. Ale najpierw się upewnij, że do środka nie dostanie się nic, co by mogło mnie zabić

– O czym ty gadasz? – Ash zmarszczył brwi.

– Ten dzieciak na ziemi. To czternastolatek, Ash. Czternastolatek! Ja też mam czternaście lat.

– No i...

– Ash, mam czternaście lat.

– Rozumiem. Masz czternaście lat. Dumą napawa mnie fakt, że potrafisz liczyć aż do czternastu. Jesteś chodzącym przykładem na doskonałej kondycji współczesnego systemu edukacyjnego w Ameryce. Być może powinienem ci jednak zwrócić uwagę na fakt, że nie jesteś jedyny. Rzekomo chodzisz do szkoły z całą bandą... Uwaga, uwaga! Czternastolatków

Nick przewrócił oczami w odpowiedzi na sarkazm Asha. Nic dziwnego, że jego matka zawsze miała ochotę go zdzielić, gdy się tak zachowywał. W końcu zrozumiał, o co jej chodzi.

– No tak, ale oni nie są martwi. Ktoś wybija czternastoletnich chłopaków. Ja jestem jednym z nich. Policja tak mówi. To już drugi zamordowany w ciągu jednego dnia.

– No. I wcale się nie dziwię, biorąc pod uwagę, jakie pyskate są dziś nastolatki.

– To nie jest śmieszne.

– Uspokój się. Gdy jesteś ze mną, możesz zginąć z ręki tylko jednej osoby. Z mojej ręki. I to tego powinieneś się obawiać.

Na te słowa przeszył go dreszcz, bo zabrzmiało to jak przepowiednia. Czy właśnie o tego rodzaju prekognicyjnych sygnałach ostrzegawczych mówił wcześniej Grim?

No i jeszcze to ostrzeżenie Ambrose'a, które nadal brzmiało mu echem w głowie.

*Trzymaj się od Asha z daleka... Nie jest tym, za kogo go bierzesz.*

Ash położył mu ręce na ramionach.

– Nick, weź głęboki oddech i rozejrzyj się dookoła. Nic ci tu nie grozi. Aż się roi od policji. Wszystko w porządku.

Ale nie według książki. Już miał podzielić się tym z Ashem, gdy coś w środku kazało mu siedzieć cicho.

I choć raz postanowił posłuchać instynktu.

– Czemu ktoś zabija nastoletnich chłopaków?

Ash pokazał ręką krwawe graffiti pozostawione na ulicy przez zabójcę lub zabójców. Był to otaczający ciało okrąg z dziwnymi symbolami, jakich Nick nigdy wcześniej nie widział.

– Ci, co zabili tego dzieciaka, tropili demona. Założę się, że myśleli, że ten chłopak jest opętany, choć nie rozumiem, dlaczego go zabili.

– Kim oni są?

– Nie jestem pewien. Właśnie próbowałem się tego dowiedzieć, gdy tu przyleciałeś i się zdekoncentrowałem. Rzadko mi się zdarza, bym był ślepy na takie rzeczy. Muszę jednak przyznać, że tego rodzaju demony nie są moją specjalnością.

Nick był zdezorientowany.

– Znaczy?

– Nick, ja jestem Mrocznym Łowcą, a nie demonologiem. W różnych systemach wierzeń istnieją tysiące gatunków demonów. Może i mówię we wszystkich językach świata i znam wszelkie zwyczaje, jednak niektóre demony są mi obce, bo rzadko się ujawniają. Nie ma ich wiele, ale kilka jest. Niektóre są tak przerażające, że nawet ich wyznawcy o nich nie mówią lub o nich zapomnieli. No i efekt jest taki, że nie mam o nich pojęcia. Teraz żałuję, że bardziej się nie przyłożyłem.

To miało sens. Nick zerknął na dziwne malunki na ulicy.

– Co to za symbole? Co one oznaczają?

– To w języku, który był martwy, zanim jeszcze przyszedłem na świat.

Rany. Ash to wręcz geriatryk, więc jeśli coś jest starsze od niego, to... Aż strach się bać.

– Jak to możliwe?

– Nick, wbrew temu, co się wielu osobom zdaje, nie urodziłem się w erze dinozaurów. Jestem może stary, ale znam wiele istot, przy których mogę grać niemal oseska. Ktokolwiek to zrobił, może być jedną z nich. A jeśli nie, to jest to ktoś lub coś, co było z nimi niedawno w kontakcie. – Spojrzał znowu na symbole. – Poważnie, nie widziałem tego języka od czasu, odkąd ostatni raz oglądałem ruiny Atlantydy, gdy byłem w twoim wieku.

– Aż tak daleko sięgasz pamięcią?

Szczęka Asha zaczęła drgać w nerwowym tiku.

– Widzę wszystko z jasnością, której bardzo chętnie bym się pozbył.

W głosie Asha zabrzmiał skrywany ból. Kyrian powiedział Nickowi, że Ash nie lubi mówić o swojej przeszłości. Na podstawie tonu głosu Nick domyślił się, że dzieciństwo Asha nie należało do najszczęśliwszych.

No, ale musiało być koszmarne, skoro Ash zginął bolesną śmiercią, gdy miał 21 lat, po czym zaprzedał swoją duszę bogini Artemidzie, by móc się zemścić.

– No to co robimy? – zapytał Nick.

– Daj mi kilka minut, a potem zawiozę cię do Kyriana.

– Ash!

Nick zobaczył młodego Afroamerykanina, który się do nich zbliżał szybkim krokiem.

Ash odwrócił się w stronę nowego przybysza.

– Hej, Tate. Badasz sprawę?

Tate kiwnął głową.

– Byłem z tatą, gdy po nas zadzwonili.

Wskazał medyka sądowego, który rozmawiał właśnie z policją. Następnie zerknął na Nicka.

– To jest Nick Gautier. Pracuje dla Kyriana i wie o naszej mroczniejszej stronie.

– Aha... – Uśmiechnął się do Nicka. – Jestem Tate Bennett. Miło cię poznać.

Robił sympatyczne wrażenie.

Nick uścisnął mu dłoń.

– Mnie również.

Tate nachylił się i szeptem zapytał Asha:

– Mieszał tu jakiś demon, co?

– Owszem. Ale nie wydaje mi się, by to demon go zabił. Jestem prawie pewien, że zabójca był człowiekiem, tak samo jak ten dzieciak.

Tate był zdezorientowany.

– Jak to?

Ash wskazał na okrąg.

– To zaklęcie powstrzymania i zniszczenia. Jego celem jest złapanie i osłabienie demona, by można go było łatwo zabić.

Oczy Tate'a się rozszerzyły.

– Ten dzieciak był opętany?

– Myślę, że nie. Wyczuwam coś dziwnego. Nie jestem pewien, co tutaj zaszło. Ale coś mi się nie zgadza.

Tate zafrasował się jeszcze bardziej.

– Jak to możliwe, że nie wiesz, co się wydarzyło?

Ash ściszył jeszcze bardziej głos.

– Właśnie to usiłuję ci powiedzieć. Człowiek, który to zrobił, zablokował mnie. No i jeszcze te symbole... Sam nie wiem. Myślę jednak, że ten dzieciak znalazł się w nieodpowiednim miejscu o nieodpowiedniej porze. Owszem, zginął, ale nie wydaje mi się, by to on był na celowniku. Mam wrażenie, że zabójca miał inne zamiary. A ty? Dowiedziałeś się czegoś?

– Mam tylko opis ofiary. Rasa biała, płci męskiej, czternaście lat. Zmarł chyba około ósmej rano. Nie miał przy sobie dokumentu tożsamości, ale miał...

– Hej, znam te buty.

Tate z Ashem odwrócili się do Nicka, który wskazywał ciało. Właśnie podnoszono je z ziemi. Derka zsunęła się przy tym ze stóp ofiary.

– Co? – zapytał Ash.

Nick kiwnął głową w stronę jaskrawozielonych conversów, które właśnie znikały w worku na zwłoki. Buty były przyozdobione za pomocą pisaków.

– To Barry Thornton. Siedział za mną w świetlicy.

Tate przysunął się bliżej.

– Jesteś pewien?

– Jestem. Tych butów nie da się z niczym pomylić. Nikt inny w szkole średniej nie rysuje Pokemonów na ciuchach.

Nie wspominając o tym, że był to wściekły odcień zieleni, a większość uczniów szkoły średniej wolała raczej bardziej stonowane kolory.

Tate zastanowił się nad czymś przez chwilę, po czym zapytał:

– Czy on się może zajął okultyzmem?

Nick posłał Tate'owi poirytowane spojrzenie.

– Wróćmy może do Pokemonów na jego butach, co? To ci nic nie mówi? On nie grał nawet w D&D, bo uważał, że to dzieło Szatana. Nie wierzył w nic paranormalnego. – Ironia losu, biorąc pod uwagę fakt ile nadprzyrodzonych istot uczęszczało do ich szkoły. – Był kapitanem klubu szachowego i piątkowym uczniem.

Tate spojrzał na Asha.

– Jak ktoś mógł go wziąć za demona?

Ash wzruszył ramionami.

– Świat jest szalony. Chcesz, żebym myślał jak jakiś psychopata? Nie jestem profilerem.

– Ale przecież jesteś wszechwiedzący – przypomniał mu Tate.

– Moja wiedza, podobnie jak moja nieśmiertelność, ma swoje ograniczenia. Niestety, nie wszystko jestem w stanie zobaczyć. – Ash westchnął. – Nick mówi, że to już drugi zamordowany chłopak.

– Zgadza się. Wczoraj w nocy znaleziono niejakiego Alistaira Sloana.

Obaj spojrzeli na Nicka.

– Co się tak na mnie gapicie? Nie znam go.

Ash parsknął śmiechem.

– A robisz wrażenie kogoś, kto zna wszystkich w mieście.

– Cóż, kręcę się tu i tam – rozpromienił się Nick.

Ash pokiwał głową i popatrzył znowu na Tate'a.

– To wszystko nie ma sensu.

Tate zgodził się z nim.

– Może to jakiś fanatyk żądny krwi. Bywa, że to ludzie robią takie dziwaczne rzeczy. Wiem, że to się nieczęsto w tym mieście zdarza, ale… czasem ludziom odbija.

Ash nie wyglądał na przekonanego.

– No, może.

Tate pokazał scenę rozgrywającą się za jego plecami.

– Lepiej już pójdę. Daj mi znać, jeśli coś jeszcze uda wam się ustalić.

– I nawzajem.

Gdy Tate sobie poszedł, Ash odwrócił się do Nicka.

– Zrób coś dla mnie.

– Mam nie lizać pasów w twoim aucie?

Mina Asha wyrażała kompletną dezorientację.

– Że co? Skąd ci w ogóle takie rzeczy przychodzą do głowy?

– Jak byłem mały, kiedyś tak zrobiłem w nowym aucie cioci Mennie. I teraz zawsze, jak wsiadam do jej samochodu, to mnie prosi, żebym coś dla niej zrobił, a ja na to odpowiadam tak, jak odpowiedziałem tobie. Przepraszam, wyrwało mi się z przyzwyczajenia.

– No dobra. A jeśli skończyłeś już z tymi swoimi dziwacznymi wycieczkami w przeszłość, to może byś mnie jednak przez chwilę posłuchał, co?

Nick się wyprostował.

– Jak najbardziej.

– Dobrze. Miej oczy otwarte i nie chodź nigdzie sam, aż rozgryziemy, co się dzieje i dlaczego ktoś zabija czternastoletnich chłopaków.

– Nie ma sprawy.

Ash zrobił krok w stronę ciała, po czym się zawahał.

– Odwiozę cię do Kyriana.

– Dobrze.

Całkiem mu się podobała ta perspektywa, bo oznaczała bezpieczeństwo.

Ash pomachał Tate'owi, żeby mu dać znać, że już idą, po czym zaprowadził Nicka z powrotem do lśniącego czarnego porsche. Chłopak wsiadł do środka, zapiął pasy, a Ash odpalił silnik.

Przez całą drogę do Garden District w ogóle się nie odzywali. Mijali kolejne szeregi posiadłości sprzed wojny secesyjnej zamieszkane przez najbogatszych ludzi w Nowym Orleanie.

Rozmiar domu Kyriana robił na Nicku wrażenie za każdym razem, gdy się tu zjawiał. Rany, cóż to za posiadłość! W klasycznym stylu, z werandami ze wszystkich stron, bogato zdobiona, biała – kojarzyła się Nickowi z tortem weselnym. Ash otworzył bramę, wjechał do środka i zaparkował przed marmurowymi schodami prowadzącymi do drzwi wejściowych.

Nick wysiadł i ruszył ku nim. Zadzwonił do drzwi i w tym samym momencie Ash zmaterializował się koło niego i otworzył drzwi pchnięciem.

Chłopak spojrzał na niego z ukosa.

– A ty co, wychowałeś się w stodole? Nie wchodzi się tak po prostu do czyjegoś do domu.

Ash się roześmiał.

– Jestem tu zawsze mile widziany.

– No tak, ale co, jeśli on jest nago czy coś w tym rodzaju?

Ash zaprowadził go do holu.

– Znam Kyriana od ponad dwóch tysięcy lat. Z całą stanowczością mogę stwierdzić, że jeszcze nigdy nie przyłapałem go nago w salonie. – Drzwi zamknęły się za nimi bez udziału Asha czy Nicka, co zawsze zbijało Nicka z tropu. – Zresztą nadal jest tu Rosa. Jestem pewien, że Kyrian nie paraduje z gołym tyłkiem, gdy ona się tu kręci.

– Aha.

No tak.

Rosa pojawiła się w holu od strony kuchni, zupełnie jakby ich usłyszała.

– Ach, Acheron, jak miło cię znowu widzieć.

– *Hola*, Rosa. Kyrian jest nadal na górze?

– *Si*.

Ash ruszył po schodach, a Nick podszedł do Rosy i spojrzał na nią z nadzieją.

– Czy mi się wydaje czy czuję zapach czegoś... słodkiego?

Parsknęła śmiechem.

– *Mi'jo,* ty żyjesz, by jeść. No idź, idź, ciastka na ciebie czekają.

Nick wykonał rzymski salut.

– Roso, jestem pani wiecznym sługą. Tak długo, jak będzie mnie pani karmić ciastkami, może pani rozkazywać, a ja będę wykonywał wszelkie pani rozkazy bez mrugnięcia okiem.

– To dobrze, bo na blacie leży cała lista zadań do wykonania.

O, cholera... Nick zdławił jęk. Ostatecznie tu pracuje, więc nie powinien się skarżyć. A już na pewno nie Rosie, która karmi go pysznym jedzeniem.

Kyrian to co innego. Jemu nie zamierzał szczędzić huśtawki nastrojów, ani narzekań typowych dla nastolatka.

Nick poszedł do kuchni, wziął sobie ciastko i zerknął na listę. Czytając, podrapał się po brodzie.

1. Wymień żarówkę w łazience na górze.
2. Poszukaj w Internecie butów Ferragamo i wyślij e-mail do Kella, żeby sprawdzić, czy może dorobić do tych butów ostrza.
3. Zamów nowy płaszcz zamiast podartego (sprawdź w szafie). Ustal, czy nowy jest dokładnie taki sam jak stary.
4. Umyj samochody.
5. Wynieś śmieci.
6. Co najważniejsze, nie pyskuj.

Hmm...

– Pani Roso?

Weszła do kuchni i spojrzała na niego z uniesioną brwią.

– *Si*?

– Ile samochodów ma Kyrian?

Zastanowiła się przez chwilę, zanim odpowiedziała.

– Wydaje mi się, że sześć, ale nie jestem pewna. Nie zaglądam do garażu.

Sześć. Kyrian chce, by umył wszystkie sześć samochodów? Zwariował? Nie ma mowy. To zbyt wiele. To by mu zajęło całą noc.

Zaklął pod nosem i ruszył w stronę garażu, żeby sprawdzić, jak duże są te auta. Wbrew temu, co się może wydaje Kyrianowi, nie był niewolnikiem. Miał...

Otworzył drzwi i oniemiał.

– Jesteś pewien, że to nie były ataki Daimonów? – zapytał Kyrian Acherona, zarzuciwszy płaszcz.

– Jestem, jestem. Najbardziej mi się nie podoba fakt, że jeden z tych dzieciaków zginął podczas naszej warty. Nie chcę, by to się powtórzyło. Więc rozglądaj się dziś nie tylko za Daimonami.

– Oczywiście. A skoro o demonicznym pomiocie mowa... Gdzie Nick?

Ash wzruszył ramionami.

– Przywiozłem go tutaj, ale potem zniknął mi z oczu.

– Spodziewałem się, że oprotestuje listę zadań, które mu przydzieliłem. – Kyrian przerwał i nadstawił swoje wewnętrzne, nadprzyrodzone ucho. Zmarszczył brwi, bo nic nie usłyszał. – Jest za cicho. Lepiej pójdę sprawdzić, czy nie nęka Rosy. Znając moje szczęście, pewnie go już trochę poddusiła i będę się musiał tłumaczyć z siniaków tej jego nadopiekuńczej, paranoicznej matce.

Acheron się roześmiał.

– Nic się nie martw, generale. Przyjdę ci na ratunek, zanim nadejdzie świt.

– Dzięki.

Kyrian zostawił Acherona w pokoju i poszedł prosto na dół, by poszukać tego irytującego chłopaka.

Ani śladu po nim.

Nie było go też w biurze. Gdzież on się podział?

Kyrian skrzywił się i wszedł do kuchni.

– Gdzie jest Nick? – zapytał Rosę, która właśnie odkładała naczynia do szafki.

Wytarła ręce w białą ścierkę, po czym odpowiedziała:

– Poszedł do garażu. Potem go już nie widziałam.

Dziwne. Nie było słychać szumu wody ani odgłosów krzątania.

Kyrian poczuł falę paniki. Czyżby jakiś zabójca o nadprzyrodzonych zdolnościach dopadł chłopaka? Czy Nick leży tam martwy?

Podbiegł do drzwi i otworzył je szarpnięciem, po czym zamarł. Czegoś takiego się nie spodziewał.

Nick siedział na schodach w kompletnym bezruchu. Gapił się w przestrzeń przed sobą z osłupiałą miną.

– Nick? Nic ci nie jest?

Brak odpowiedzi.

Kyrian obszedł go dookoła i stanął przed nim. Strzelił Nickowi palcami przed nosem.

– Młody?

Nick zamrugał i spojrzał na Kyriana.

– Nie zasłużyłem na to – wykrztusił.

Kyrian osłupiał.

– Co?

Nick wskazał auta.

– Stary, tam stoi ferrari, lamborghini, bugatti, alfa romeo, aston martin i bentley. I nie są to tanie modele, tylko najlepsze z najlepszych, najbardziej wypasione. Mógłbym się założyć, że bugatti ma listwy z prawdziwego złota. To całe żelastwo jest warte więcej, niż jestem w stanie objąć rozumem. O, Boże! Nie powinienem nawet oddychać tym samym powietrzem.

Kyrian się roześmiał, słysząc pełen podziwu ton głosu Nicka.

– Nick, spokojnie. Chcę tylko, żebyś je umył.

– Chyba zwariowałeś! A jeśli je porysuję?

– Nie porysujesz.

– A co, jak porysuję? To nie są samochody, Kyrian. To dzieła sztuki. Mówimy o poważnych środkach transportu.

– No wiem, w kółko nimi jeżdżę.

– Nie, nie, nie, nie i nie. Nie mogę grzebać przy czymś tak wspaniałym. Po prostu nie mogę.

Kyrian trzepnął go w ramię.

– Owszem, możesz. Przecież żaden z tych samochodów cię nie ugryzie. Trzeba je tylko umyć.

Nick westchnął z zachwytem.

– To ja ci powinienem za to płacić.

Kyrian parsknął śmiechem.

– No to wstrzymam ci wypłatę. – Wyciągnął rękę do Nicka, żeby pomóc mu wstać. – No, chodź.

Chłopak dał się postawić do pionu, ale nadal był onieśmielony autami w garażu. Nie spodziewał się, że kiedykolwiek zobaczy takie samochody z bliska, nie wspominając o dotykaniu. Co za rozkosz!

– Ile ty zarabiasz?

– To chyba jasne, że sporo.

– Stary, zrób ze mnie Mrocznego Łowcę.

W oczach Kyriana zamigotało coś zimnego.

– Nie żartuj na ten temat, Nick. Nie chcesz się stać tym, czym ja jestem. Może to i fajnie wygląda z boku, ale dwa tysiące lat to nie jest łatwa sprawa. Cała moja rodzina już dawno nie żyje. Owszem, mam innych Mrocznych Łowców oraz Acherona, ale to nie to samo. Wszystko bym oddał za to, by móc jeszcze raz zobaczyć się z rodzicami i przeprosić tatę za to, co mu powiedziałem. Nigdy, przenigdy nie opuszczaj matki po kłótni. Cokolwiek zrobisz, nie pozwól, by twoje ostatnie słowa skierowane do niej zraniły ją.

– Pokłóciłeś się ze swoim ojcem?

Pokiwał głową.

– Acheron często powtarza pewne powiedzenie, zresztą słusznie. Są rzeczy, których „przepraszam" nie załatwi. Życie składa się z chwil, których się potem żałuje. Nie dopuść do tego, byś w ten sposób zranił kogoś, kto cię naprawdę kocha. A przynajmniej staraj się ograniczyć liczbę takich sytuacji do minimum. Ciężko jest dźwigać taki bagaż przez całe życie, nawet takie o normalnej długości. A gdy trzeba to ze sobą nieść przez tysiące żyć, staje się to prawdziwym koszmarem.

Nick nigdy w ten sposób o tym nie myślał. Mimo to dałby się pokroić za wieczny żywot w takim bogactwie. Rany, zgodziłby się nawet na 10 minut.

– Nie martw się myciem wszystkim samochodów. Skup się na lamborghini, a resztę zostaw na jutro. Tylko załatw pozostałe sprawy z listy.

– Tak jest.

Kyrian kiwnął do niego głową, po czym poszedł z powrotem do domu.

Nick zszedł z trzech schodków i podszedł obejrzeć bugatti z bliska. Rany... co za bryka.

– Uściskałbym cię, ale nie chcę ci zostawić odcisków palców na lakierze.

Nick spojrzał w przyciemnianą szybę auta, ale nie zobaczył wcale jego wnętrza. Zobaczył coś, co wyglądało jak film odbity w szybie. Zafascynowany, podszedł bliżej, żeby mieć lepszy widok.

Patrzył na bitwę rozgrywającą się w domu Kyriana. Zobaczył swojego szefa oraz kobietę, która wyglądała jak starsze wcielenie Tabithy Devereaux, lecz z ciemnymi, kasztanowymi włosami. Miała na sobie podomkę. Jasnowłose, wyposażone w kły Daimony przypuszczały na nich atak na schodach. Kyrian starał się trzymać je z dala od kobiety, która stała za nim na podeście schodów z mieczem w dłoni.

Był tam jeszcze jeden Mroczny Łowca. Nick nie potrafił go rozpoznać. Nie był nawet pewien, skąd wiedział, że to Mroczny Łowca, ale skądś to jednak wiedział...

Daimony ścięły nieznajomemu głowę.

Nick aż się wzdrygnął z przerażenia i zamknął oczy. Gdy je znowu otworzył, scena wyglądała zupełnie inaczej.

Tym razem patrzył na coś dużo gorszego...

Na samego siebie leżącego bez życia na ulicy. Zakapturzony mężczyzna wysysał z niego energię, która wylewała się z jego piersi niczym promienie laserowe. Najbardziej przeraziły go jego własne oczy. Były zupełnie czarne, jak coś rodem z filmowego horroru. Na jego otwartej dłoni leżał brylantowy naszyjnik, który zawsze nosiła Nekoda...

*Twoje przeznaczenie jest kształtowane przez twoje wybory, a nie przez przypadki. Ostrożnie podejmuj decyzje, nawet najbłahsze, bo przyniosą ci one ocalenie...*

*Albo śmierć.*

# ROZDZIAŁ 9

Przez kilka dni Nick się nie wychylał. Prześladowały go wizje. Z pomocą Grima próbował szlifować swoje umiejętności. Chciał widzieć więcej i wyraźniej, ale nie było to łatwe. Podobnie jak dar przewidywania, zdolność ta przychodziła i znikała, kiedy chciała, a nie wtedy, gdy on sobie tego życzył.

Cholerne, nieliczące się z ludźmi moce.

Grim nieustannie obiecywał mu, że odrobina praktyki pozwoli mu je kontrolować.

Miał w sobie zdecydowanie więcej optymizmu niż Nick. Tyle że to nie jego męczyły halucynacje i odloty.

To była kolejna irytująca rzecz w życiu, które już i tak nie było słodkie. A przecież samo dojrzewanie to średnia przyjemność. Jego ciało wyczyniało rzeczy, na które nie miał ochoty, i to w najmniej odpowiednich momentach. A teraz podobne numery wykręcał mu też umysł. Niby wszystko jest dobrze, a zaraz potem widzi, jak ktoś „normalny" zmienia się w coś, co bynajmniej takie nie jest. Zdarzały mu się też psychodeliczne wizje wydarzeń, które miały nastąpić w przyszłości.

Sytuacja wyglądała tak nieciekawie, że jego matka znowu zaczęła dopytywać się o narkotyki. Jeśli tak dalej pójdzie, niedługo zacznie za nim biegać z pojemnikiem na mocz do analizy.

Jedyna dobra wiadomość była taka, że nie znaleziono kolejnych dzieciaków zamordowanych przez to, co zabiło pierwszych dwóch.

No, i Nick wciąż żył. Na razie.

To jednak mogło się niebawem zmienić, bo właśnie wszedł na teren szkoły i natknął się na czekającego na niego Stone'a i bandę jego zauszników.

Super! Tylko tego mu teraz potrzeba. Kolejne zawieszenie w prawach ucznia. Za każdym razem, gdy Stone się do niego zbliżał, Nick trafiał do gabinetu dyrektora, a to nigdy nie kończyło się dla niego dobrze. To był po prostu pewnik, jak złocisty strumień płynący po podniesieniu nogi przez psa.

I rzeczywiście, gdy tylko zbliżył się do pierwszego stopnia schodów prowadzących do budynku z czerwonej cegły, Stone, mięśniak wielki jak z epoki kamienia łupanego, zagrodził mu drogę.

Stone skrzyżował swoje potężne ramiona na piersi i spojrzał z góry na Nicka. Nieźle go tym zirytował.

– Nie jestem w nastroju.

*Dupku.* Nick powstrzymał się przed rzuceniem wyzwiska, które miał na końcu języka, i spróbował przecisnąć się koło kolegi. Bójki najlepiej unikać.

Za późno. Reszta kretada (stada kretynów) otoczyła Nicka. Poczuł, jak jeszcze bardziej skacze mu ciśnienie, gdy wykonali manewr z kategorii „wdzieramy się w twoją przestrzeń osobistą, bo jesteśmy niezłymi tumanami". Zgrzytnął zębami, starając się zapanować nad swoim temperamentem.

Nie było to łatwe, zwłaszcza gdy Stone go szturchnął.

– Ktoś nam kradnie rzeczy z szafek, Gautier. Do głowy przychodzi mi tylko jeden osobnik, który jest wystarczająco zdesperowany.

Spojrzał drwiąco na tandetną, niebieską koszulę hawajską Nicka, którą wcisnęła mu matka, i na jego wypłowiałe dżinsy. Oba ciuchy pochodziły ze sklepu akcji charytatywnej i kosztowały astronomiczną sumę jednego dolara za sztukę.

Nick odpowiedział na zniewagę Stone'a prychnięciem.

– No, nie wiem. Po szatni dziewczyn krąży plotka, że jesteście wszyscy na tyle zdesperowani, by szukać sobie partnerki na bal maturalny w klubie seniora.

Stone ryknął z wściekłości. Ruszył w stronę Nicka, ale nagle rozdzielił ich Caleb, który wyrósł jak spod ziemi i odepchnął Stone'a do tyłu.

Rany, ależ ten demon się rusza. Nic dziwnego, że jest gwiazdą drużyny futbolowej.

Z drugiej strony Caleb miał nieuczciwą przewagę ze swoją ponadludzką siłą i całymi wiekami żołnierskiego treningu.

Spojrzał teraz drwiąco na Stone'a.

– Blakemore, dzień jeszcze młody, za wcześnie, żebym spierał krew z ciuchów. Ale zniosę nawet zapach proszku do prania, jeśli dzięki temu zaczniesz się zachowywać po ludzku.

Prześmieszna uwaga, biorąc pod uwagę fakt, że Stone był wilkołakiem.

– Co tu się dzieje?

Nick aż cofnął się na widok wielkiego jak góra faceta, który wpadł między nich, by ich rozdzielić.

Uśmiechnął się szyderczo do obu przeciwników.

– Stone? Caleb? Ani mi się ważcie wdawać się w bójkę. No, chyba że chcecie robić rundy dookoła boiska, aż padniecie. Tylko tego mi teraz potrzeba, żeby mi jakiegoś gracza zawieszono. I tak nic pewnego, czy nie będziemy musieli się wycofać. Nie mogę sobie pozwolić na stratę nawet jednego człowieka. Rozumiano?

Caleb podniósł ręce do góry, jakby się poddawał.

– Ja nie szukałem kłopotów, ale też nie mam w zwyczaju przed nimi uciekać. Jak mnie ktoś popchnie, nie pozostanę dłużny.

Trener pokręcił głową.

– Blakemore, zabieraj swoje dziewczynki i spadajcie. Ale już.

Stone skrzywił się, po czym wycofał się wraz z całym swoim zoo.

Trener przyjrzał się uważnie Nickowi.

– A ty to niby kto?

...*ty śmieciu*. Trener tego nie powiedział, ale zabrzmiało to wyraźnie w jego głosie.

Nick zebrał się w sobie, żeby nie powiedzieć nic, czym mógłby zarobić na zostanie po lekcjach w szkole. Odezwał się ostrożnie:

– Nick Gautier.

Oczy trenera rozbłysły. Słyszał o nim! Chyba nawet był pod wrażeniem.

– W zeszłym roku byłeś biegaczem z pierwszego składu. Co się stało?

Nick wzruszył ramionami.

– Stała się niewyparzona gęba Stone'a. Trzeba ją było zamknąć, a ja trochę za bardzo się do tego rwałem.

Trener podrapał się po brodzie.

– W twoich papierach wyczytałem, że wyleciałeś z drużyny za niewłaściwą postawę.

– Nieścisłość. Wyleciałem z drużyny za niewłaściwą postawę Stone'a. Moja postawa była w porządku. I nadal jest, jeśli mam być szczery.

Facet wydał z siebie dźwięk, który mógł być śmiechem. Albo warkotem.

– Chciałbyś znowu grać?

Nick wskazał na swoją rękę na temblaku.

– Nie mogę. Jeszcze nie wydobrzałem. Lekarz powiedział, że nie wolno mi robić nic, co by mogło nadwyrężyć rękę.

Wykorzystywał tę wymówkę na maksa. Działało na matkę, ale mniej na Kyriana, który był bezlitosnym mistrzem w przydzielaniu zadań. Za każdym razem, gdy o wspominał o ręce, Kyrian zawsze odparowywał:

– Chłopie, zdarzyło mi się wypatroszyć parę osób, które biadoliły mniej od ciebie. A teraz do roboty.

Najwyraźniej trener też należał do tej kategorii.

– No tak, ale mógłbym cię dopisać do listy. Nawet jeśli nie możesz grać. Należysz do kadry i już. No dalej, Gautier. Potrzebne mi jeszcze trzy osoby i jesteśmy gotowi do baraży. Zrób to dla szkoły, a jeśli nie, to dla Malphasa. Ciężko w tym roku pracował. Chcesz go pozbawić gry o mistrzostwo z powodu drobnego niedomagania?

Drobnego niedomagania? Postrzelono go i omal nie zatłuczono na śmierć. A zrobili to ludzie, których miał za przyjaciół.

Spojrzał na Caleba.

*Zgódź się. Będzie mi łatwiej mieć na ciebie oko, jeśli będziesz chodził ze mną na treningi.*

Nie znosił, gdy on i Ambrose gadali mu w głowie. Ale Caleb miał rację. To przez Nicka w ogóle trafił do szkolnej drużyny. Przynajmniej tyle mógł dla niego zrobić. A poza tym będzie mu do twarzy w czarno-złotej koszulce drużyny. No i uniknie noszenia tych okropnych koszul, które wciskała mu matka. Przynajmniej w dniach meczów.

– Dobrze, zgadzam się.

– Super. – Trener się rozpromienił. – Przyniosę ci koszulkę. Do zobaczenia dzisiaj po lekcjach.

Nick otworzył usta, by mu powiedzieć, że musi wtedy być w pracy, ale trener zniknął, zanim zdążył cokolwiek z siebie wydusić. Zerknął na Caleba.

– Kyrian mnie zabije.

– Nie, nie zabije. Na pewno zrozumie.

Nick chciałby mieć jego pewność siebie, w najdrobniejszej sprawie. Nie miał jej jednak. Życie oraz różni idioci wybili mu to z głowy, zanim jeszcze skończył dwa... no, może trzy latka. Westchnął i ruszył po schodach. Caleb deptał mu po piętach. Gdy weszli do środka, odnieśli wrażenie, że wszyscy rozmawiają o rzeczach skradzionych, gdy szkoła była zamknięta.

Czasem bycie biednym to prawdziwe zrządzenie losu. Nick nie miał nic wartego kradzieży...

Przypomniał sobie jednak, jak parę lat temu matka wykosztowała się i kupiła w Walmarcie dwa krzesełka ogrodowe po pięć dolarów. No i ktoś je ukradł z werandy na tyłach ich rozpadającego się mieszkanka. Mama płakała tygodniami. Gdyby wtedy mógł dorwać złodzieja, spuściłby mu takie lanie, że kulałby do końca życia.

Co za drań kradnie plastikowe krzesełka ogrodowe komuś, kto żyje w takiej biedzie? W piekle musi być kąt przygotowany specjalnie dla takich ludzi.

– Cześć, Nick.

Zamarł przed swoją szafką, gdy ujrzał Nekodę.

– Cześć, Kody. Jak się masz?

Posłała mu uśmiech, który zawsze sprawiał, że robiło mu się gorąco, jakby nagle trafił na równik.

– Teraz już lepiej, bo cię widzę. Próbowałam się do ciebie wczoraj dodzwonić, ale nie odbierałeś. Dostałeś moją wiadomość?

Nick się skrzywił.

– Telefon wcale nie dzwonił. – Wyjął komórkę i sprawdził listę połączeń. – Sama zobacz.

Podał jej aparat.

– A to ciekawe. Trzy razy dzwoniłam.

Dziwna sprawa. Choć z drugiej strony…

– Może coś jest nie w porządku z naszym mieszkaniem. – Poza tym, że panowała w nim zawsze ponura atmosfera i grasowały karaluchy wielkości pięści, pewnie leży nad wrotami piekła, przez co nie ma tam zasięgu i porozumieć się można tylko za pomocą dwóch puszek połączonych długim sznurkiem. – Przykro mi, że się nie dodzwoniłaś. Coś ode mnie chciałaś?

– Tylko porozmawiać z tobą.

Nie potrafił powiedzieć dlaczego, ale od tych słów zrobiło mu się gorąco. Miał koszmary z Nekodą w roli głównej, a jednak go do niej ciągnęło. Nie potrafił się jej oprzeć. Wciąż czuł na wargach jej pocałunek. Wszystko by oddał za kolejny.

– Nick! Właśnie się dowiedziałam!

Zanim zdążył się zorientować, kto go woła, Casey rzuciła mu się na szyję i po prostu wbiła go w szafkę.

– Jesteś znowu w drużynie futbolowej! Tak się cieszę. Czyli będziesz mógł ze mną iść na bal. Super, co?

Czuł się jak mysz, która nagle znalazła się między dwoma kotami. Na twarzy Nekody malował się gniew.

Casey nie zwracała na nią uwagi.

– Kiedy dostaniesz koszulkę drużyny? Ależ w niej będziesz seksownie wyglądał!

*Ratunku*! Jego własny głos zabrzmiał w myślach jak brzęczenie muchy.

Nekoda odwróciła się bez słowa i ruszyła korytarzem.

– Kody!

Chciał za nią pójść, ale Casey go powstrzymała.

– Nick, nie zawracaj sobie nią głowy. To prawdziwa ofiara losu.

Akurat! Kody była jedyną osobą z całej szkoły, która odwiedzała go w szpitalu. No dobrze, pracowała tam jako wolontariuszka, ale zaglądała do niego codziennie, żeby go trochę podnieść na duchu. A nie musiała tego robić.

Próbował wywinąć się Casey. Była niczym pająk z rzepami na kończynach. W którą stronę się ruszył, już tam była i lepiła się do niego. Nie wiedział, jak się jej wyrwać, by jej przy tym nie sprawić bólu.

Sfrustrowany, posłał jej pełne złości spojrzenie.

– O co ci chodzi?

– O nic. Po prostu chcę być z tobą, Nick.

– Niby od kiedy?

– Pracujesz dla Kyriana Huntera. Jesteś jednym z nas.

Nie był pewien, czy chce być jednym z nich. Tak go potraktowali, że już dawno temu nauczył się trzymać z dala od szkolnych klik. Nie podobało mu się, jak działają. Jeśli bycie jednym z nich miało oznaczać okrucieństwo w stosunku do kogoś innego, wolał już zostać społecznym wyrzutkiem.

– Posłuchaj, nie jestem postacią z filmu o nastolatkach. Nie zależy mi na popularności, gdyby to miało oznaczać, że zapomnę o swoich przyjaciołach. Jednym życzliwym gestem nie wymażesz tego, że przez lata mnie ignorowałaś. A teraz wybacz, ale mam coś do załatwienia.

W końcu przepchnął się obok niej i poszedł za Kody. Było już jednak za późno. Zniknęła z horyzontu.

Bomba! Poczuł się jak ostatni dupek. *Rany, ale ze mnie idiota…*

– Nick? – Casey wzięła go za rękę, co go kompletnie zszokowało. Dotknęła jego, nietykalnego. – Przepraszam, że w przeszłości nieładnie cię traktowałam.

Przepraszam, jeśli uraziłam twoje uczucia. Jak każdy, potrafię być czasami mocno skupiona na sobie i nie dostrzegać tego, co jest przed moim nosem. Może moja mama ma rację, mówiąc, że powinnam czasem przestać gapić się w ekran telefonu. – Posłała mu spojrzenie spod spuszczonych rzęs. W życiu nie widział nic bardziej seksownego. – Masz rację. Nie dostrzegałam cię. Moja wina. Ale teraz cię dostrzegam. Nie możesz mi wybaczyć głupoty?

Te nieoczekiwane słowa wywołały w nim dziwną, nieznaną reakcję. Przypomniało mu się, co powiedział Ambrose. Związek z Casey będzie dobry.

A jednak on pragnął chodzić z Kody. To ona była dla niego miła, gdy tego potrzebował. To z nią naprawdę lubił rozmawiać.

*Przez czternaście lat nie zainteresowała się mną jedna laska, a teraz jestem rozdarty między tymi dwiema…*

Między najpopularniejszą dziewczyną w szkole, do której wzdychał, odkąd był mały, i drugą, która właśnie pojawiła się w jego życiu i nieźle w nim namieszała.

Życie gra nie fair. Nie miał pojęcia, co zrobić. Posłuchać Ambrose'a czy własnego instynktu…

– Chodź – powiedziała Casey, ciągnąc go za rękaw. – Odprowadzę cię do klasy.

Grim zamarł, gdy poczuł delikatny pocałunek muskający jego zimną skórę. Znał tę istotę od zamierzchłych czasów. Bezwzględna i okrutna, jego najlepsza przyjaciółka.

I najgorszy wróg.

Razem siali spustoszenie większe niż trwające tydzień, najpotężniejsze w skali tornado F5.

Zrobili to, gdy mieli dobry dzień. Przy złym dniu… No cóż, zdaniem naukowców tornado F6 nie jest możliwe. Gdy oni połączyli swoje siły, nie tylko stawało się możliwe, ale było niczym w porównaniu ze zniszczeniami, które mógł przynieść Grim z Wynter Laguerre.

– Laguerre… Co cię tu sprowadza?

Zwinna, seksowna i energiczna, wdarła się w jego przestrzeń osobistą, jakby ta była jej własnością. Z burzą ciemnych loków opadających do pasa była po prostu przepiękna. Jak zawsze usta miała pociągnięte krwistoczerwoną szminką. Jej spodnie i marynarka były w tym samym kolorze. Gdy tylko zmaterializowała się u jego boku, ogień w palenisku zamigotał, a na hebanową podłogę posypały się iskry.

Mało było rzeczy, na które nie oddziaływała.

– Chciałam, żebyś wiedział, że współpracuję.

Pod wpływem tych słów obudziły się w nim złe przeczucia. Zawsze, gdy Laguerre włączała się do współpracy, źle się to kończyło. Dla niego, ale przede wszystkim dla przedmiotu jej zainteresowania.

– A konkretnie?

Skrzywiła się.

– W Nicku Gautierze jest za dużo dobra. Bez względu na to, jak go dociskamy, nie chce się zmienić. Musimy zrobić coś, by to z niego wykorzenić.

– Jego matki nie możesz zabić.

Wszyscy wiedzieli, że był to jedyny sposób, by wyzwolić najmroczniejsze moce z zakamarków duszy Gautiera. Gdyby zmarła Cherise Gautier, byłby stracony i bez trudu dałoby się go skierować na ścieżkę zła. Ale...

– Nie wolno nam jej tknąć.

Osobnika, który ośmieliłby się podnieść na nią rękę, czekał bolesny zgon. Nawet sama Śmierć nie była nietykalna.

Wynter przejechała długim, czerwonym paznokciem po jego szczęce.

– Owszem, ale są inne sposoby, by go odmienić i upewnić się, że w tej bitwie stanie po naszej stronie.

On dotąd razie nie wpadł na taki sposób. Hart ducha Nicka był naprawdę godny pozazdroszczenia. Im więcej czasu Grim spędzał z chłopakiem, tym bardziej wątpił w to, że uda im się go przekupić, nawet najpotężniejszymi mocami.

– Najpierw musi się wszystkiego nauczyć. Na razie na nic by się nam nie przydał.

– Być może, ale jeśli damy mu powód by się zmienił, może jeszcze chętniej przyjmie te moce i wykorzysta je w sposób, który mu wskażemy.

Grim miał wątpliwości.

– Jest naiwny. Wierzy w szczęśliwe zakończenia.

Wzruszyła nonszalancko ramionami.

– Więc będziemy musieli pozbawić go tych złudzeń.

Jeśli ktokolwiek był w stanie tego dokonać, to tylko Wojna*. Jej specjalnością było zabijanie w ludziach aspiracji.

– Co ci chodzi po głowie?

Uśmiechnęła się złowieszczo i odsunęła się od Grima, by ogrzać sobie dłonie przy ogniu.

– Mój człowiek już zajął swoje stanowisko. To ktoś, komu Nick ufa, a kto nie jest tym, za kogo on go bierze.

– Znaczy?

Roześmiała się.

– Wezwałam naszego starego znajomego. Zgodził się nam pomóc w osiągnięciu tego celu. Żyje teraz w ludzkim wcieleniu.

To wyjaśniało zgony nastolatków znalezionych przez policję. Dzięki tym ofiarom ich człowiek miał dostać się w samo centrum zdarzeń.

– Nasz przyjaciel obiecał, że życie Nicka stanie na głowie. Zanim ta operacja dobiegnie końca, zginie jego prawdziwy przyjaciel, a on sam będzie nasz. – Odwróciła się do Grima i znowu uśmiechnęła się złowieszczo. – A wtedy odzyskamy władzę nad światem i nawet stare moce nie będą miały nad nami kontroli.

Grim odpowiedział uśmiechem. To brzmiało kusząco.

---

* La guerte (fr.) – wojna; Wyter nosi nazwisko Laguere (*przyp. red.*)

# ROZDZIAŁ 10

Nick siedział na angielskim i nudził się jak mops. Po co w ogóle taki przedmiot w szkole? No, poważnie? Przecież mówił po angielsku, na ogół nawet całkiem biegle, od samego rana do późnej nocy. Te lekcje, podobnie jak wszystko inne, co musiał znosić w szkole, to była po prostu niewyobrażalna strata czasu, rzeczy kompletnie bez znaczenia. Czy za sto lat naprawdę będzie się liczyło, że przeczytał *Moby Dicka*?

Czy w podaniach o pracę będzie musiał rozrysować schemat zdania albo udowodnić, że potrafi wyłowić ze zdania rzeczownik odczasownikowy?

*Przestań psioczyć, Nick. A co byś powiedział, gdybyś był nieśmiertelnym demonem żyjącym od początków świata i musiał wysłuchiwać tych bzdur? I to gdy angielski nie jest nawet twoim językiem ojczystym? Zresztą, jeśli ci się zdaje, że biegle posługujesz się angiel-*

*skim, to ja ci powiem, że wiem, co to jest rzeczownik odczasownikowy.*

Nick zerknął kątem oka na Caleba, który w podobnym miejscu w innym rzędzie, zajmował się tymi intelektualnymi wygibasami. *No tak, ale kilka lat to tylko moment w twoim długaśnym życiu, a w moim stanowią znaczący procent.*

Caleb roześmiał się drwiąco w jego umyśle. *O, patrz, właśnie wykorzystałeś coś, czego się nauczyłeś. To się nazywa matematyka. Niezła sprawa, co? Może jednak wcale nie tracisz tu czasu?*

Nick parsknął śmiechem.

– Ojej, patrzcie, kto właśnie wybudził się ze śpiączki. Czyżbyś miał coś do powiedzenia całej klasie?

Nick zamrugał i skupił swoją uwagę na nauczycielce. Jaką taktykę zastosować? Najlepiej udawać głupka. Zwykle taka strategia pozwalała przynajmniej uniknąć zostania po lekcjach za karę.

– Eee, to znaczy?

Pani Richardson podeszła do niego bliżej, wbijając w niego spojrzenie złośliwego trolla. Nienawidziła uczenia. Lubiła wprawiać uczniów w zakłopotanie i dogryzać im za każdym razem, gdy zmusiła ich do otwarcia ust.

– Panie Gautier, czyżbyśmy pana nudzili?

Rany, to niesamowite, że potrafił wypowiedzieć jego nazwisko w taki sposób, że brzmiało jak obelga. Sam by się chętnie takiej sztuczki nauczył.

Najpierw jednak musiał wydostać się jakoś spod tego deszczu, omijając, miejmy nadzieję, rynnę.

– Wcale się nie nudzę. Kichnąłem tylko. Przepraszam.

– To mi jakoś nie brzmiało jak kichnięcie.

*Rany, mogłaby się wykłócać przed Sądem Najwyższym.*

– Próbowałem stłumić kichnięcie, żeby nikomu w klasie nie przeszkodzić.

Zmierzyła go takim wzrokiem, jakby wiedziała, że Nick kłamie, ale nie była tego na tyle pewna, by go o to oskarżyć.

– No to może przedstawisz nam swój punkt widzenia na temat żądzy zemsty Ahaba?

*Wolałbym tego nie robić.* Ale dobrze wiedział, że musi, bo to, że ona mu teraz odpuści, było zapewne równie prawdopodobne, jak to, że zaraz sam z siebie stanie w ogniu. Odpowiedział więc na pytanie nauczycielki szczerze:

– To był idiotyzm.

Spojrzała na niego spod uniesionych brwi.

– Idiotyzm? W jakim sensie? Jak wtedy, gdy ty i twoi koledzy marnujecie mnóstwo czasu na gierki komputerowe, stając się częścią społeczeństwa konsumpcyjnego? A może jak wtedy, gdy niektórym z was się wydaje, że mogą spać albo esemesować u mnie na lekcjach, a potem jakoś zaliczyć przedmiot?

*Jak wtedy, gdy uwierzyła pani sprzedawczyni, która pani wciskała, że dobrze pani w tej sukience.* Z trudem powstrzymał się przed wygłoszeniem tej uwagi na głos, ale na szczęście ugryzł się w język. Tylko jej wolno było zionąć jadem podczas lekcji. Każdy inny zostałby za coś takiego zawieszony w prawach ucznia.

Nick odchrząknął i podrapał się w szyję. Czuł się nieswojo. Wszyscy gapili się teraz na niego, a niektórzy się podśmiewywali. Dwóch kolegów uśmiechało się szyderczo, a jedna dziewczyna przewróciła oczami, jakby miał nie po kolei w głowie. Nie znosił być w centrum uwagi. Czemu nauczyciele muszą to robić? Jakby specjalnie wybierali sobie na cel dzieciaki, które nie mają najmniejszej ochoty brać udziału w czymkolwiek. Albo jakby czekali na najmniej odpowiedni moment, by wezwać takiego ucznia do tablicy. Nie mogliby mu odpuścić? Chociaż na dzień lub dwa?

Ależ nie, lepiej upokórzmy Nicka bardziej. Przecież jego życie nie jest jeszcze wystarczająco okropne.

Nick zebrał się w sobie, przygotował na drwiny ze strony nauczycielki, i rozwinął swoje stanowisko:

– No, cóż... Ahab pozwala, by mu to zrujnowało życie. Ma taką obsesję na jednym punkcie, że traci z oczu wszystko inne. Odcina się od wszystkiego i wszystkich. Popada w paranoję. Czuje, że nikomu nie może ufać. Ostatecznie traci wszystko, w tym własne życie. I w imię czego? Moim zdaniem to totalny idiotyzm.

– Chcesz powiedzieć, że na miejscu Ahaba poddałbyś się i wrócił do normalnego życia? Nawet jeśli zginął ktoś, kogo kochasz najbardziej pod słońcem, a ty sam zostałeś kaleką?

– Zdecydowanie. Każdemu czasem przydarza się coś syfiastego. Trzeba wziąć się w garść i poradzić sobie z tym. Puścić to w niepamięć i żyć dalej.

Postukała się ołówkiem w policzek, jakby zastanawiała się nad jego interpertacją.

– Ciekawa idea. Naiwna i niedojrzała, ale ciekawa. – Spojrzała na Caleba. – A pan, panie Malphas? Doda pan coś do nieprzemyślanej opinii pana Gautiera? Jakie wnioski wyciągnął pan z książki, zakładając, że ją pan przeczytał zamiast obejrzeć film jak pani Harris?

Tina zsunęła się, jakby chciała schować się pod ławką. Richardson nigdy nie pozwoli biedaczce o tym zapomnieć.

Caleb odchylił się do tyłu i skrzyżował ręce na piersi. Zachowywał się bunczucznie, jak ktoś, kto przeczytał wszystkie książki pod słońcem.

– Widzę tu paralelę do *Króla Edypa*.

– Interesujące. Proszę kontynuować.

Caleb ziewnął, po czym odpowiedział:

– Jeżeli nawet ktoś zdaje sobie sprawę z tego, w jakim kierunku zmierza, i zna swoje przeznaczenie, nie może go zmienić ani powstrzymać. Przepowiednia to przepowiednia. Nie wszystko jesteśmy w stanie kontrolować. To właśnie wtedy, gdy człowiek próbuje zmienić przeznacznie, wszystko staje na głowie.

– Proszę to wyjaśnić.

– No, cóż, Ahab wielokrotnie słyszy od różnych ludzi, że jeśli nie przerwie swojej obsesyjnej pogoni, umrze. Jak mówi Starbuck: „To zła wyprawa! Źle zaczęta, źle idzie. Pozwól mi przebrasować reje, póki jeszcze czas, kapitanie, i pójść z dobrym wiatrem w stronę domu, aby w lepszą niż ta podróż wyruszyć!”* – Caleb spojrzał na Nicka. – Ahab nie słucha i umiera, bo jest głupi.

Nick się zaśmiał.

Nauczycielka wbiła w niego ciężkie spojrzenie.

Aż się skulił i natychmiast otrzeźwiał.

– Ładne podsumowanie, panie Malphas. – Podeszła do tablicy. – A teraz pora na wypracowanie, moi drodzy. Mam nadzieję, że wszyscy jesteście na bieżąco z lekturami. Jeśli nie, szybko się tego dowiem, a wtedy pożałujecie. I nawet nie próbujcie napuszczać na mnie swoich rodziców. Jeden telefon w sprawie rzekomego niesprawiedliwego traktowania i z automatu odliczam delikwentowi trzydzieści pięć punktów z końcowej oceny. I wszystkim innym w klasie też, tak dla równowagi.

Nick nie zwracał uwagi na nauczycielkę. Chciał się dowiedzieć, dlaczego Caleb w tak oczywisty sposób skierował swoje ostatnie słowa do niego. Różne rzeczy moż-

* Herman Melville, *Moby Dick czyli Biały wieloryb*, przeł. Bronisław Zieliński, Wrocław 1992, t.II, s.414

na o nim powiedzieć, ale nie to, że jest idiotą. A już zwłaszcza, gdy gra toczy się o jego życie. Nie był typem obsesjonata. Wierzył, że można radzić sobie z niepowodzeniami...

Zaraz. Czyżby Caleb wiedział coś o tym, że Nick chciał odegrać się na Alanie za to, że próbował go zastrzelić? Rzeczywiście, coś takiego niełatwo puścić w niepamięć. Ale ten głupek przecież do niego strzelił. Strzelił do niego! Zabiłby go bez zastanowienia, gdyby nie interwencja Kyriana. Alan chciał pobić dwójkę niewinnych, starszych ludzi. Ktoś musiał powstrzymać tego bydlaka. To nie była obsesja, to przysługa dla ludzkości.

Nagle włączył się interkom. Kilku uczniów, w tym Nick, aż podskoczyło w swoich ławkach.

– Pani Richardson? Proszę przysłać do sekretariatu Nicka Gautiera.

Nickowi aż się ścisnęło w żołądku. Takie wezwanie nigdy nie oznaczało niczego dobrego, nie w jego przypadku.

*Co ja takiego zrobiłem?*

Niewłaściwie postawione pytanie. Raczej, *o co mnie teraz obwiniają?* Jemu jeszcze nigdy się nie upiekło. I zawsze robiono z niego potem antywzór dla innych. Bywało jeszcze gorzej – że był zupełnie niewinny, a i tak mu się obrywało i stanowił przestrogę dla reszty.

Pani Richardson spojrzała na Nicka, skrzywiła się, po czym powiedziała do interkomu:

– Już idzie.

Nick spakował swoją torbę, na wypadek gdyby czekało go zawieszenie w prawach ucznia, po czym podniósł się z miejsca. Ktoś rzucił w niego papierową kulką, gdy nauczycielka, odwrócona do nich tyłem, pisała zadanie na tablicy. Oczywiście nic nie zauważyła.

Zignorował ten afront, którego autorem – co do tego miał pewność – był jeden ze sługusów Stone'a. Zignorował również fakt, że wyprowadziło go to z równowagi. Zarzucił sobie plecak na ramię i ruszył w swój marsz skazańca do sekretariatu. Rany, czy mógł on być położony dalej niż się znajdował? Czy Nick mógłby bardziej się bać?

*Czy uda mi się kiedyś spędzić w szkole chociaż jeden dzień bez konieczności stawienia się u dyrektora? Tylko jeden dzień. Naprawdę proszę o zbyt wiele?*

Żołądek ścisnął mu się w ciasny węzeł. Nick otworzył drzwi i podszedł do długiego kontuaru z jasnego drewna. Sekretarka, mniej więcej w wieku jego matki, choć o wiele mniej atrakcyjna, skrzywiła się na jego widok i zmierzyła go od stóp do głów.

– Pan Head chce się z tobą widzieć.

No jasne. Z jakiego niby innego powodu by tu przyszedł? Przecież nie po to, żeby doręczyć przesyłkę.

Podszedł do lekko uchylonych drzwi i zapukał w matową szybę z lśniącym nazwiskiem nowego dyrektora.

## RICHARD HEAD
## DYREKTOR

– Wejdź.

Nick otworzył drzwi na tyle szeroko, by móc wejść do Komory Straceń. W środku było ciemno i ponuro. Z jakiegoś powodu jarzeniówki w tym pomieszczeniu rzucały szarawe światło, które spowijało wszystko upiornym cieniem.

– Zamknij za sobą drzwi.

Tak, ten ton świadczył, że wpadł po uszy. Nick wykonał polecenie, po czym podszedł, żeby usiąść przed biurkiem z ciemnego drewna.

Jakie to dziwne, że wszelkie ślady po Petersie zostały usunięte, a zastąpiły je osobiste przedmioty Heada, jakby był tu dyrektorem od lat. Gdy się nad tym zastanowić, to aż się dostaje gęsiej skórki. Któregoś dnia zjada cię kolega z pracy, a następnego dnia życie toczy się dalej, jakbyś nigdy nie istniał. Nikt nie wspominał nawet Petersa. Został kompletnie wymazany. Nick poczuł dreszcz na plecach. Peters był może palantem, ale chłopaka przeraził fakt, że nikogo nie obchodzi człowiek, gdy już go nie ma.

A tymczasem...

Nowy dyrektor był łysym mężczyzną w średnim wieku. Robił wrażenie jeszcze surowszego niż Peters. Czy oni wszyscy jeżdżą na ten sam obóz treningowy, gdzie ich uczą tego napuszonego, protekcjonalnego skrzywienia warg?

Dyrektor spojrzał ciężko na Nicka znad swoich okularów w brązowych oprawkach.

– Wiesz, czemu tutaj trafiłeś?

*Bo chce pan komuś dokopać i to mnie się poszczęściło?* Zachował jednak tę myśl dla siebie.

– Nie, proszę pana.

– Zastanów się, Gautier. Dobrze się zastanów.

*Bo jestem największym pechowcem pod słońcem, a tacy jak pan lubią się nade mną znęcać?* Przełknął jednak tę sarkastyczną uwagę, choć nie było to łatwe.

– Przykro mi, proszę pana. Nie mam pojęcia.

Head położył konsolę Nintendo na biurku.

– Wygląda znajomo?

No, ba. Co miał odpowiedzieć na to pytanie? Oczywiście, że to wyglądało znajomo. Większość jego kolegów z klasy miała Nintendo. Wszędzie ich było pełno i, jeśli nie miały dodatkowych ozdób, wszystkie wyglądały tak samo.

Uśmieszek wyższości Heada przybrał na sile.

– No co, zapomniałeś języka w gębie?

Miał po prostu mętlik w głowie. Nadal nie miał bladego pojęcia, o co chodzi. Zanim jednak zdążył się odezwać, ktoś zastukał do drzwi.

Do środka zajrzał nowy trener.

– Przeszkadzam?

– Owszem.

Ton Heada był jeszcze chłodniejszy niż jego mina.

Trener nie zwrócił na to uwagi.

– Gautier. Cieszę się, że cię tu widzę. Właśnie cię poszukiwałem.

Wszedł do środka i podał chłopakowi jego koszulkę. W normalnych okolicznościach Nick by się ucieszył, ale teraz postanowił trochę poczekać ze świętowaniem.

– Być może należałoby się z tym wstrzymać – oświadczył Head złowieszczo.

Trener zmarszczył brwi.

– Niby czemu?

– Zaraz odeślę tego smarkacza do więzienia. A nie chcemy chyba kolejnej osoby w koszulce szkolnej drużyny za kratkami.

Nick omal się nie udławił. Więzienie? Za co? Za oddychanie?

– Co on takiego zrobił? – zapytał trener.

*Właśnie, co ja takiego zrobiłem?*

– Posunął się do kradzieży. To... – Dyrektor wziął Nintendo do ręki. – Znaleziono w jego szafce. Należy do...

– Kyla Poitiersa. Pożyczył to Nickowi na wuefie.

– Co?

Nick oniemiał nie mniej niż dyrektor, który wypowiedział na głos to samo pytanie, które dźwięczało głośno w głowie chłopaka. Nikt mu niczego nie pożyczał. I nic nie ukradł. Dobrze jednak wiedział, że lepiej siedzieć cicho, aż zrozumie, co się dzieje. *Cokolwiek powiesz, może zostać użyte przeciwko tobie – i na pewno zostanie użyte.*

Trener wskazał na Nicka.

– Sam widziałem, jak Kyl mu to dał.

Head nie chciał w to uwierzyć.

– Myli się pan. Numer seryjny jest na mojej liście ukradzionych przedmiotów. Ta konsola należy do Bryce'a Parkingtona.

– A ja powtarzam, że wiem, co widziałem podczas swoich zajęć. Jeśli ten przedmiot został skradziony, to może Poitiers próbuje wrobić Nicka. Choć nie wydaje mi się. Jest pan pewien, że numer się zgadza?

– Oczywiście, że jestem pewien. Mam tu zapisane... – Head porównał oba numery, po czym zaklął pod nosem. – Dziwne. Mógłbym przysiąc, że wcześniej numery się zgadzały.

Trener wzruszył ramionami.

– Zwykła pomyłka. Zdarza się nawet najlepszym. Zresztą numery na tych aparatach są wypisane tak małymi literami, że nietrudno je błędnie odczytać. – Skinął na Nicka. – No chodź, Gautier. Odprowadzę cię z powrotem do klasy.

Head nadal bełkotał coś pod nosem, porównując numery, które nijak nie chciały już do siebie pasować.

– Zaraz... – powiedział, gdy byli w drzwiach. Wyciągnął w stronę Nicka rękę z Nintendo. – Skoro to nie jest żaden ze skradzionych przedmiotów, to możesz go zabrać ze sobą. – Po czym jego ton znowu zabrzmiał ostrzej: – Tylko niech cię nie przyłapię na graniu na lekcjach albo na przerwie, to znowu ci zabiorę konsolę.

– Tak jest, proszę pana.

Nick wziął od niego Nintendo i szybko opuścił gabinet. Nadal nie miał pojęcia, co się dzieje, ale nie zamierzał odzywać się i narażać na kłopoty, których właśnie udało mu się ich uniknąć. Zwłaszcza że nie zrobił niczego złego.

Gdy tylko wyszli z sekretariatu i znaleźli się na korytarzu z dala od ciekawskich uszu innych, trener się zatrzymał.

– Założę się, że się głowisz nad tym, co się wydarzyło, co?

– Jestem mocno zdezorientowany, to prawda.

Trener wziął do niego Ninendo i zaczął się nim bawić.

– Zajrzałem do twojej szkolnej teczki. Robi wrażenie.

Nick miał nieprzyjemne wrażenie, że trener nie mówi o jego stopniach czy wynikach egzaminów.

– Znaczy?

– Miałeś najlepsze wyniki na egzaminach wstępnych w historii. Tylko tobie udało się zdobyć 100 procent punktów i odpowiedzieć na wszystkie trzy pytania dodatkowe. Wiedziałeś o tym?

No dobrze. Wyszło na to, że tym razem przeczucia go myliły. Zalała go fala dumy. To nie byle co, bo ostatecznie była to jedna z najlepszych szkół w kraju, nie wspominając o stanie Luizjana. Trudniej się było do niej dostać niż do szkoły Benjamina Franklina.

– Nie.

Powiedziano mu, że bardzo dobrze wypadł. Dostał pełne stypendium, ale nikt nigdy nie poinformował go, że zdał z maksymalnym wynikiem. O rany! Nic dziwnego, że matka tak się na niego wściekała, gdy się nie przykładał.

– Ale nie to mnie najbardziej zafascynowało. Chciałbym z tobą porozmawiać o innym rekordzie, który ustanowiłeś.

Żołądek mu się ścisnął. *No i proszę...*

*Bubel. Frajer. Z okropnej rodziny. Nie ma dla ciebie nadziei na przyszłość, więc równie dobrze możemy cię już teraz wyrzucić prosto do rynsztoka, z którego wypełzłeś.* Słyszał to więcej razy, niż był w stanie policzyć, i od większej liczby osób, niż pamiętał. Zwłaszcza Peters czerpał sadystyczną przyjemność z powtarzania mu, że nie ma przed sobą żadnej przyszłości.

– W samym tylko ubiegłym roku – ciągnął trener – brałeś udział w trzydziestu pięciu bójkach. W trzydziestu pięciu. Chłopie, to musi być rekord. Jeśli odliczyć nieobecności, wychodzi na to, że biłeś się co trzy dni. Fakt, że nadal jesteś uczniem tej szkoły, nawet biorąc pod uwagę idealnie zdany egzamin i twoje stopnie, to najbardziej niesamowita rzecz, o jakiej słyszałem. Uczyłem w wielu szkołach i nigdy nie natknąłem się na większego rozrabiakę. Naprawdę niezły wyczyn.

Cała duma, którą Nick przez moment poczuł, z miejsca wyparowała. Wiedział, że to kiepsko wygląda, ale winę ponosił nie tylko on. Nie reagował na obraźliwe słowa skierowane do niego, co zdarzało się średnio raz na godzinę, ale jeśli ktoś powiedział coś o jego matce, to rozgrywała się scena jak z *Donkey Kong*. Niestety, Stone doskonale o tym wiedział, więc nieustannie obrzucał matkę Nicka obelgami, mówił okropne rzeczy o niej i jej charakterze. Pomijając kilka pomyłek, które zdarzają się każdemu, Nick uważał matkę za świętą. Rozniósłby każdego, kto twierdził, że było inaczej. Wychodziło na to, że spotykał takie osoby co trzeci dzień.

Nick westchnął i podał trenerowi koszulkę.

– Pewnie chce pan to z powrotem.

Trener nie wziął jej jednak od niego.

– Nie. Dla chłopaka z twoimi… umiejętnościami mam inną propozycję.

Nick nie potrzebował nawet wahadełka ani książki, by zrozumieć, w jakim kierunku zmierza ta rozmowa. Podpowiadał mu to instynkt. Wcale mu się to nie spodobało. Gdy tylko trener się odezwał, jego obawy się potwierdziły.

– Mam grupę chłopaków, którzy robią dla mnie różne rzeczy. Chciałbym, żebyś dołączył do naszej elitarnej ekipy.

Akurat. Nie dziękuję. Były grupy, do których nie chciał należeć. Ta chyba znajdowała się na samym szczycie jego listy.

– Rany, ja nie robię nic perwersyjnego. Właściwie...

– Nic z tych rzeczy, Nick. – Podniósł Nintendo do góry. – Zdobywamy różne rzeczy...

Niewiarygodne... I trener jest tego częścią?

To niemożliwe. Czemu miałby to zrobić?

Z drugiej jednak strony rzeczywiście kradzieże zaczęły się, dopiero gdy pojawił się na horyzoncie. To w jakiś dziwaczny sposób nabierało sensu. Czyżby to było źrodło dodatkowego dochodu dla kiepsko opłacanego nauczyciela? Wszyscy znani Nickowi członkowie grona pedagogicznego narzekali na swoje pensje i większość szukała sposobów na dorobienie sobie na boku.

No, ale to była jednak przesada.

– Pan kradnie – powiedział oskarżycielsko Nick.

– To takie brzydkie słowo – skrzywił się trener. – My tylko bierzemy i pożyczamy. Przecież ludzie i tak nigdy nie zwracają tego, co pożyczą. Te zadzierające nosa bogate dzieciaki mają wszystkiego w bród i nawet tego nie doceniają. Mamusia i tatuś kupią im nowe rzeczy bez mrugnięcia okiem, a koszt pokryje ubezpieczenie. Właśnie po to się je kupuje, nie? Niech to będzie dla ciebie akcja jak z „Robin Hooda". Pozbawiasz zamożnych bogactwa, na które nie zasługują, i przekazujesz je tym, którzy są w potrzebie. Czyli nam.

Nick pokręcił głową, słuchając bzdur wygadywanych przez trenera. Bez względu na to, jakich słów by użył, prawda była oczywista. Szło po prostu o kradzież. Tego nie dało się w żaden sposób usprawiedliwić. Kradzież pozostaje kradzieżą, przestępstwem. Matka nie tak go wychowała.

– Nie ma mowy. Nie jestem złodziejem.

Już miał odejść, gdy trener go zatrzymał.

– Pomożesz nam, Gautier. Bo jeśli nie, zadbam o to, by następna rzecz znaleziona w twojej szafce łączyła się z wyrokiem za kratkami. – Pomachał Nickowi konsolą przed nosem. – Dyrektor Dick aż się wyrywa, żeby zadzwonić na policję. Chciałby mieć kozła ofiarnego, żeby rzucić go na pożarcie rozzłoszczonym rodzicom, którzy do niego wydzwaniają i domagają się ujęcia złodzieja. Po tobie nikt by nie płakał.

Nick poczuł narastającą panikę. Dobrze wiedział, że trener ma rację. Ludzie w szkole nawet by okiem nie mrugnęli, gdyby go zabrakło. Pewnie by się nie zdziwili, że okazał się kryminalistą, i uznaliby, że spotkała go zasłużona kara. Nikt by nie uwierzył, że on, najbiedniejszy dzieciak w szkole, nie posunął się do tego.

– Nie ośmieliłby się pan.

– Oj, oj, bo cię zaskoczę. Dziewięćdziesiąt procent uczniów i sto procent kadry nauczycielskiej jest przekonanych, że oszukiwałeś na egzaminach wstępnych, żeby się dostać do tej szkoły. Biorąc to pod uwagę, jak myślisz, komu by uwierzyli: tobie czy mnie? Ostatecznie zobaczyć znaczy uwierzyć.

Nick miał ochotę zaprzeczyć, ale dobrze wiedział, jak wygląda prawda. Wielu kolegów z klasy go nienawidziło. Z przyjemnością patrzyliby, jak stąd wylatuje. A to, że trafiłby za kratki, byłoby dla nich bonusem.

To by zabiło jego matkę.

*Nigdy nie wyląduj za kratkami, Nicky. Cokolwiek zrobisz, nie stań się taki jak twój ojciec. Za ciężko pracowałam i zbyt wiele poświęciłam, by patrzeć, jak tak kończysz.* Tyle razy to od niej słyszał, że znał to na pamięć.

– Ale czemu chce mi pan coś takiego zrobić?

Trener uśmiechnął się z okrucieństwem.

– Bo posiadasz umiejętności, które są mi potrzebne. Mam listę rzeczy i bardzo niewiele czasu, by je zdobyć. Jeśli mi się nie powiedzie, nie będziesz zachwycony tym, co ci się przydarzy. Tyle mogę ci obiecać. Ale jeśli mi pomożesz... Zostaniesz hojnie wynagrodzony.

Po co mu pomoc Nicka w kradzieżach?

– Ma pan problem z hazardem czy coś w tym rodzaju?

– Bystrzak z ciebie. Muszę po prostu spłacić pewien dług i, by to zrobić, nie cofnę się przed niczym. Pomóż mi, a ja ci też pomogę.

A jeśli się nie zgodzi, świrnięty trener wyśle go do poprawczaka. Nick aż zadygotał na tę myśl.

I wtedy coś mu przyszło do głowy.

– A gdybym pożyczył kasę, która jest panu potrzebna? Mógłby pan spłacić dług u lichwiarzy, bukmacherów czy komu tam pan jest winny pieniądze. I wszyscy byliby zadowoleni.

Trener pokręcił głową.

– W tym przypadku chodzi o bardzo konkretne przedmioty. Pieniądze na nic się tu nie zdadzą. Nie spłacą mojego długu i nie uchronią cię przed więzieniem.

– Niech pan posłucha, ja nie chcę być złodziejem.

– Dobrze. W takim razie nie kradnij, tylko, jak już mówiłem, pożyczaj. Nie obchodzi mnie, jak zdobędziesz to, co mi potrzebne, jeśli dostanę te przedmioty, które mam na liście, pochodzące od osób, które ci wskażę. Rozumiesz? Żadnych substytutów.

Nick kiwnął głową. Pożyczanie było trochę lepsze... Rzecz w tym, że trener nie ma zamiaru niczego zwrócić – tego był pewien.

Rany, jak on się wplątał w coś takiego?

Trener podał mu złożoną kartkę papieru.

– Masz sześć dni, Gautier. Potem idę prosto do pana Heada. Ależ się ucieszy!

Super.

Nick patrzył za odchodzącym trenerem. Serce waliło mu jak oszalałe. Rozwinął kartkę i spojrzał na nią. Aż mu szczęka opadła na widok listy przedmiotów, które miał ukraść swoim kolegom z klasy. Jedna pozycja na liście zwróciła jego szczególną uwagę.

Trener chciał, by ukradł Nekodzie jej naszyjnik z brylantami.

*Nie ma mowy. Nie zrobię tego.* Nie miał zamiaru skrzywdzić Kody. W żaden sposób. Nie zrobi tego.

I niech piekło pochłonie trenera!

Trwał w tym postanowieniu aż do szóstej lekcji, gdy przyszła policja i aresztowała Dave'a Smithfielda z jego klasy.

Dave płakał jak dziecko, gdy zakuto go w kajdanki i odczytywano mu jego prawa.

– Nie biorę narkotyków. Przysięgam! Ktoś mi je podłożył do szafki. Mówię prawdę. Czemu mi nie wierzycie? Nic nie zrobiłem! Naprawdę nic!

Nikt go jednak nie słuchał. Wyprowadzono go ze szkoły na oczach Nicka i reszty uczniów, którzy przyglądali się temu z przerażeniem.

I wtedy Nick zobaczył, że trener Devus uśmiecha się z satysfakcją i posyła mu ostrzegawcze spojrzenie. Wtedy zrozumiał, jak wygląda prawda.

To trener podłożył Dave'owi narkotyki. I pewnie on wezwał policję.

Tego samego wieczora, po treningu futbolu, gdy Nick oglądał u Kyriana w domu wiadomości, poznał prawdziwe rozmiary obłędu nowego trenera.

Twarz komentatorki była pełna smutku.

– Dziś wieczorem w izbie zatrzymań dla nieletnich doszło do tragedii. Czternastoletni David James Smithfield, uczeń szkoły St. Richards High School, aresztowany dziś w związku ze znalezieniem narkotyków w jego szkolnej szafce, godzinę temu został znaleziony martwy w swojej celi. Władze czekają na wyniki autopsji, ale wszystko wskazuje na to, że było to samobójstwo...

Akurat! Nick miał bardzo niedobre przeczucia. Dave nie targnąłby się na własne życie. Nawet gdy został aresztowany. Nick znał go od lat. Dave znał jako beztroskiego chłopaka, który nie był zamieszany w nic niemoralnego czy nielegalnego. Ich szkoła była na tyle niewielka, że Nick wiedziałby, gdyby rzeczy miały się inaczej.

Wyciągnął wahadełko z kieszeni. Z bijącym sercem otworzył swoją książkę leżącą na biurku i odszukał odpowiednią stronę.

Trzymając łańcuszek tak, jak pokazał mu Grim, skupił się na pytaniu.

– Czy to trener jest odpowiedzialny za śmierć Dave'a?

Wahadełko od razu zakołysało się nad słowem „tak". I to bardzo wyraźnie. A potem zaczęło tworzyć jakiś dziwny wzór, którego Nick nie potrafił rozszyfrować. Nie był w stanie tego rozgryźć, więc przerzucił kartkę w książce do pustej stronicy, po czym upewnił się, że ani Rosa ani Kyrian go nie widzą.

– No dobrze, książko. Powiedz mi, co się dzieje.

Nakłuł palec wahadełkiem, po czym upuścił trzy krople krwi na kartkę.

Krew błysnęło jaskrawo na tle bieli, po czym zawirowała i zaczęła się poruszać niczym jakiś egzotyczny wąż. Na oczach Nicka na stronie wykwitły słowa.

*Łatwo przyszło, łatwo poszło.*
*Trudno przewidzieć przyszłość niedoszłą.*
*Ale jeśli zadania nie wypełnisz,*
*to się niedługo twoje życie dopełni.*

Poczuł taki ucisk w żołądku, jakby miał tam kamień.

– Wypełnić jakie zadanie? Mam zrobić to, co chce trener, czy to, co mi podpowiada sumienie?

Strona zrobiła się zupełnie czerwona, jak krew, po czym nastąpił wybuch. Dosłownie. Słowa ułożyły się w bardziej płynny napis.

*Gdy mgłę światłość rozrzedzi,*
*wtedy poznasz wszystkie odpowiedzi.*

Co to bzdury? Nie powinien w ogóle zawracać sobie głowy tą głupią książką.

– Co z ciebie za cholera! Nie masz zamiaru odpowiedzieć na moje pytanie, co? – mruknął pod nosem.

*Dostałeś odpowiedź, o którą prosiłeś.*
*Cokolwiek zrobisz, poleją się łzy krokodyle.*
*Życie nie jest łatwe, i wie o tym każdy.*

*Każdą decyzję ostrożnie trzeba ważyć.*
*W końcu sam odpowiesz za to, co się ziści.*
*Przemyśl wszystko dobrze, pamiętaj, że to wyścig.*

Jaki wyścig?

Aż go głowa rozbolała od prób rozszyfrowania tego wszystkiego. Nadal męczyło go jedno pytanie i musiał poznać na nie odpowiedź.

– Czy to trener zabił Dave'a?

*Już dostałeś odpowiedź na to pytanie.*
*Nic nie zmieni powtórne go zadanie.*
*Trener nie jest tym, na kogo wygląda.*
*I to właśnie ciebie do swych dzieł pożąda.*

To Nick rozumiał aż za dobrze. Miał się stać narzędziem trenera. Zrobiło mu się niedobrze na samą myśl o tym. Nie chciał do tego dopuścić.

– Czy mogę jakoś uniknąć dopuszczenia się kradzieży dla niego?

*Zapytaj samego siebie, czego łakniesz.*
*I nie obawiaj się drwin innych, których ci nie zbraknie.*

Rzecz w tym, że on wcale się nie bał drwin innych. Dość się tego nakosztował od dnia urodzin. Bał się czegoś innego – że przez trenera trafi do więzienia i spędzi tam większość swojego dorosłego życia.

Albo, co gorsza, że trener go zabije, tak jak wykończył Dave'a.

Ta myśl przywołała wizję, której wcześniej doświadczył. Tę, w której leżał martwy, ściskając w dłoni naszyjnik Kody.

Ten sam naszyjnik, który miał ukraść dla trenera...

A Grimowi się zdaje, że Nick utracił zdolność widzenia przyszłości.

# ROZDZIAŁ 11

Nick wiedział, że musi znaleźć na trenera jakiegoś haka. Devus sam mu powiedział, że uczył w wielu szkołach. Jeśli kradł, to pewnie nigdzie nie zagrzał miejsca, bo ludzie szybko orientowali się, co się dzieje. Możliwe też, że któryś z jego uczniów wpadł, po czym doniósł na niego. To by wyjaśniało, dlaczego Derus zmienił pracę w trakcie roku szkolnego.

Nick czekał na dole na Kyriana, by zatwierdził zamówienie na nowy płaszcz, zabijając czas grzebaniem w internecie, ale nie udało mu się niczego znaleźć, przede wszystkim dlatego że nie miał wprawy w szukaniu informacji o ludziach. Potrzebował kogoś z dużo większym doświadczeniem informatycznym.

Złapał za telefon i wykręcił numer Bubby.

– Dodzwoniłeś się do 1-800-Ca'-Bubba. Nie mogę teraz odebrać telefonu. Jestem zajęty rozwiązywaniem jakiegoś komputerowego koszmaru albo wyszedłem, żeby oczyścić świat z drapieżnych zombie. Tak czy inaczej, zostaw wiadomość, a oddzwonię, gdy tylko uporam się z tym, co właśnie mam na tapecie. Dzięki za telefon. Miłego dnia.

Nick pokręcił głową i parsknął śmiechem. Bubba zmieniał wiadomość na automatycznej sekretarce przynajmniej raz w tygodniu. Nick nie potrafił zrozumieć, jak taki świr jak Bubba jest w stanie prowadzić kwitnący biznes. Cokolwiek jednak o nim powiedzieć, Bubba stanowił źródło niezłej rozrywki.

Nick przerwał połączenie, po czym wykręcił numer Marka.

– Tu Fingerman... Ha, rozmawiasz tak naprawdę z moim głosem, a nie ze mną. Niestety, jestem gdzieś z Bubbą, a nie z jakąś laską, bo na to jestem za cienki. Nie powiem ci, czym się zajmuję, ale jeśli to dzwonią moi rodzice, to zapewniam was, że nie robię niczego nielegalnego ani niemoralnego. I nie zadaję się ze zwierzętami hodowlanymi. Na wszelki wypadek odłóżcie jednak na bok kasę na kaucję. Sami wiecie, w jakie sprawy Bubba potrafi mnie wciągnąć. Forsa może być niedługo potrzebna. Wszyscy inni, zostawcie wiadomość i gdy tylko złapię sygnał, oddzwonię. Nawet zza grobu. Dzięki.

Zwierzęta hodowlane? Nick wiedział, że Mark miał na myśli przewracanie krów, której to czynności oddawał się, chodząc do szkoły średniej (skończyło się na tym, że krowa przewróciła się na niego i złamała mu nogę w trzech miejscach), ale sposób, w jaki to sformułował...

No tak, Markowi potrzebny był specjalny edytor.

Nick westchnął i rozważył pozostałe możliwości.

Zaraz, zaraz... Znał przecież jeszcze jednego nerda. Madauga St. Jamesa. Jeśli ktoś dorównywał Bubbie w wiedzy o komputerach, to jedynie Madaug. Urodził się z klawiaturą w ręce i modemem wbudowanym w mózgownicę.

Poza tym Madaug miał u Nicka dług wdzięczności za uratowanie go przed zombie, które ten głupek sam stworzył i napuścił na nich.

Przejrzał książkę adresową, znalazł właściwy numer, po czym zadzwonił do Madauga.

– Halo?

Nick westchnął z ulgą. W końcu udało mu się dodzwonić do żywego człowieka.

– Madaug?

– No?

– Mówi Nick Gautier. Eee... mam mały problem. Mógłbyś mi pomóc?

– Zadanie domowe?

– Coś w tym rodzaju.

– Coś w rodzaju zadania domowego?

– Kojarzysz nowego trenera?

Madaug jęknął.

– Tego troglodytę, który pozwolił Stone'owi zbrukać moje spodenki gimnastyczne, po czym wpisał mi uwagę, bo nie chciałem ich założyć? No, kojarzę go. Niechby się udławił na śmierć cudzym suspensorium*.

Ha, najwyraźniej Madaug miał traumy wyniesione z wuefu.

– Co mam zrobić? I czy będę mógł się przy okazji na nim zemścić?

Nick kiwnął głową, choć Madaug go przecież nie widział.

– Jeśli moje podejrzenia są słuszne, to tak. Zastanawiałem się, czy mógłbyś pomóc mi go sprawdzić i dowiedzieć się, gdzie uczył w przeszłości, i co się tam o nim mówiło.

– Brzmi nudno. Czemu chcesz, żebym to zrobił?

– Bo mi się zdaje, że on coś ukrywa.

– A co? – zapytał Madaug.

– Nie jestem pewien. Wydaje mi się, że on ma jakieś szkielety w szafie, które mogłyby okazać się dla nas obu interesujące i użyteczne.

Madaug zrobił pauzę, żeby się nad tym zastanowić. Chwilę później zgodził się zostać wspólnikiem Nicka.

– Dobra, ale to cię będzie kosztowało.

---

* Suspensorium – podpaska mosznowa noszona przy chorobach jąder oraz przez sportowców w celu ochrony (np. przez bokserów). Składa się z ochraniacza przymocowanego tasiemkami do opaski otaczającej biodra (*przyp. tłum.*)

– Kosztowało? – Nick osłupiał. – Stary, to ty jesteś mi coś winien. Masz u mnie całkiem konkretny dług. Więc lepiej się wyloguj z „Doom*" i mi pomóż.

Madaug aż się zapowietrzył.

– Skąd wiesz, co robię?

Banalne. Madaug nigdy nie zajmował się niczym innym. Zapytany o to, jak mu minął dzień, w odpowiedzi zawsze zdawał relację ze swoich postępów w „Doom-ie", takich jak liczba zabitych stworów lub pokonanych etapów gry.

– Domyśliłem się.

– No dobra. Zaraz się za to zabiorę. Jak tylko znajdę coś ciekawego, to do ciebie zadzwonię.

– Dzięki, M. Jestem zobowiązany.

– Nie ma sprawy.

Madaug się rozłączył.

Nick odłożył telefon na bok, usłyszawszy kroki zbliżające się do jego biura. Właśnie odświeżył widok internetowego koszyka, gdy do środka wszedł Kyrian.

– Witaj, szefie. Mam już twój płaszcz. Potrzebna mi karta kredytowa.

– Prawa górna szuflada.

Nick otworzył szufladę, gdzie spodziewał się znaleźć jedną z kart kredytowych Kyriana. Zamiast niej znalazł tam kartę ze swoim nazwiskiem.

* „Doom" (zagłada) – gra komputerowa, której pierwsza wersja powstała w I poł. lat 90. XX w.

Z oszołomienia wstrzymał oddech, wpatrując się w „NICHOLAS A. GAUTIER" wypisane na karcie Visa. Rany, w życiu nie widział niczego równie wypasionego.

Kyrian podszedł bliżej i zamknął otwartą buzię Nicka palcem wskazującym.

– Ta karta ma limit w wysokości tysiąca dolarów i służy tylko do celów służbowych. Jeśli udowodnisz, że jesteś odpowiedzialny, za kilka miesięcy wyrobię ci własną, z wyższym limitem. Umowa stoi?

– Tak jest, proszę pana. – Zachwycony Nick wpisał numer karty w odpowiednie pole i zakończył zakup płaszcza dla Kyriana. – Rozmawiałem też z Kellem, powiedział mi, że bez problemu może zamontować ostrza w butach od Ferragamo, jeśli tego chcesz.

– Fantastycznie. Gdy tylko przyjdą te buty, wyślij je do niego.

– Nie ma sprawy. – Nick przerwał, bo Kyrian odsunął zasłony i wyjrzał na zewnątrz, gdzie panowała ciemność. To było dla niego bardzo nietypowe. I jeszcze otaczająca go dziś aura melancholii... – Coś nie tak, szefie?

Kyrian się zawahał, po czym odpowiedział:

– Nie jestem pewien. Mam... sam nie wiem... Chyba mam złe przeczucie.

Jego słowa wywołały złe przeczucia w Nicku.

– W związku ze mną?

Pokręcił głową.

– Ash zacytowałby pewnie piosenkę: „there's a bad moon on the rise*". Mam poczucie, że wezwane zostało coś, co powinno pozostać w uśpieniu. – Spojrzał na Nicka. – Odwiozę cię dzisiaj do domu, dobrze?

Pewnie, pewnie. Dziwaczne zachowanie Kyriana zaczynała wyprowadzać Nicka z równowagi.

– Oczywiście. – Przeszyła go fala strachu. – Znaleziono kolejnego zamordowanego chłopaka?

– Nie, to nie to. Po prostu wolałbym się upewnić, że ty i twoja mama jesteście bezpieczni. Zbierz swoje rzeczy.

Ani myślał oponować. Nie ma to jak wcześnie wrócić do domu. Wepchnął książki z powrotem do plecaka i zarzucił go na ramię.

– Rosa już poszła?

– Jakąś godzinę temu. Jadłeś kolację?

– O, tak. Nigdy wcześniej nie miałem w ustach *tetrazzini*** z indykiem. Pychota!

– Chcesz zabrać trochę do domu, dla mamy?

Hojność Kyriana nie przestawała go zaskakiwać. Ten facet nieustannie myślał o innych. *Całe szczęście, że nie wbiłem w niego kołka, gdy odkryłem jego kły.*

– A mógłbym?

---

* There's bad moon on the rise – „wschodzi zły księżyc", cytat z piosenki *Bad Moon Rising* zespołu Creedence Clearwater Revival (*przyp. tłum.*)

** tetrazzini – włoska potrawa, zapiekanka z mięsa kurczaka, makaronu, białego wina, pieczarek, selera, śmietany i rosołu (*przyp. red.*)

– Oczywiście.

Poszli do kuchni. Wyjmując pojemnik z lodówki, Nick zaczął się zastanawiać nad nietypową egzystencją swojego pracodawcy.

– Jak udaje ci się zachować anonimowość? To musi być niełatwe w dzisiejszych czasach. Nikt się nie dziwi, że się nie starzejesz?

– O ironio, jest łatwiej, niż bywało w przeszłości. Dziś ludzie nie chcą wierzyć w nic paranormalnego. Kiedyś można się było spodziewać poważnych kłopotów ze strony przeciętnego bubby* i uzbrojonego w widły motłochu.

Nick parsknął śmiechem.

– Wiem, że nie mówisz o Bubbie Burdette, ale to skojarzenie... Nieźle się ubawiłem.

Kyrian uśmiechnął się, po czym ciągnął dalej:

– To dlatego Mroczni Łowcy mają ludzkich Giermków. – Nim właśnie Nick miał zostać w przyszłości, gdy osiągnie wiek, w którym będzie go można zaprzysiąc przed radą. Zadaniem giermków była ochrona nieśmiertelnych szefów oraz świata, którego ludzkość nie umiała zaakceptować. – Jak wy się tu kręcicie za dnia, ludzie się mniej wszystkim interesują. Ta nieruchomość jest zresztą zarejestrowana na nazwisko Giermka.

* W amerykańskim slangu słowo „bubba" oznacza brata (od „brother"). Na południu Stanów Zjednoczonych oznacza również osobę niewykształconą, o niskim statusie ekonomicznym. „Bubba" może też oznaczać przeciętnego człowieka (*przyp. tłum.*)

– Aha, rozumiem. Czyli nikt nawet nie wie, że istniejesz.

– Otóż to. Zasada numer jeden. Bądź częścią świata, ale nie powinieneś do niego należeć.

Nick zmarszczył brwi.

– Zasada numer jeden?

– Gdy zostajemy stworzeni i Acheron nas szkoli, każdy z nas otrzymuje podręcznik Mrocznych Łowców. Zawiera listę zasad, których musimy wiernie przestrzegać. Właśnie tej zasady Acheron uczy nas w pierwszej kolejności.

Mroczni Łowcy z podręcznikiem? Kto by pomyślał? Z drugiej strony miało to jednak sens, że musieli się trzymać jakichś zasad.

Nick zaczął się zastanawiać nad przeszłością Kyriana i tym, czego doświadczył.

– Czy świat aż tak bardzo się zmienił?

Kyrian wzruszył ramionami.

– Zabawki są o niebo lepsze, ale ludzie wcale się tak bardzo nie zmienili. Te same troski, te same zahamowania. Inne ciuchy. Po prostu inny wiek.

W jego ustach brzmiało, jakby było proste, ale Nick czuł, że wcale tak nie jest. Nie był w stanie sobie wyobrazić wszystkich zmian i cudów, które przeżył Kyrian. Wynalazek elektryczności, loty, telewizja... Papier toaletowy.

– To musi być niesamowite, tak długo żyć.

– Bywa. – Kyrian schował pojemnik w powrotem do lodówki, podczas gdy Nick docisnął wieczko na pudełku z jedzeniem dla matki.

– Miałeś kiedyś żonę i dzieci? – zapytał Nick.

Kyrian zawahał się, jakby to pytanie go zabolało.

– Żonę miałem. Dzieci chciałem mieć.

Nick wiedział, że powinien ugryźć się w język, ale chciał zrozumieć dziwaczną reakcję Kyriana.

– Tęsknisz za nią?

Jego oczy pociemniały z gniewu.

– Nie obraź się, ale nie chcę o niej mówić.

To wiele mówiło na temat Kyriana i jego związku z żoną. Nick zaczął zastanawiać się, czy to właśnie ona go zdradziła i czy to przez nią stał się Mrocznym Łowcą. Rany, to musi być straszne, gdy żona cię zdradzi, wystarczająco straszne, by zaprzedać swoją duszę dla zemsty.

– Przepraszam. Nie będę już o niej wspominał.

Rysy Kyriana złagodniały.

– Uważaj, komu oddasz swoje serce, Nick. Upewnij się, że gdy to zrobisz, ona uczyni to samo.

– No tak, ale skąd mogę to wiedzieć?

Było oczywiste, że Kyriana oszukano. Jak Nick miałby tego uniknąć, skoro ktoś tak inteligentny i rozsądny jak Kyrian dał się nabrać?

Mroczny Łowca westchnął.

– Na tym polega cała trudność. Ludzie oszukują i kłamią. Im więcej posiadasz, tym bardziej spiskują, by ci to odebrać, i tym częściej próbują tego dokonać. Świat jest okropny. Wielu ludzi uważa, że łatwiej i prościej jest brać od innych, niż samemu na coś zapracować.

Nick zmarszczył brwi, słysząc gorycz w głosie Kyriana.

– No to czemu nas chronisz?

Kyrian posłał mu dziwny półuśmieszek.

– Bo za każdym razem, gdy myślę, że nie warto, gdy mi się wydaje, że ludzie zasługują na swój nędzny żywot, spotykam kogoś, kto zmienia moje nastawienie.

– Na przykład kogo?

Kyrian potargał Nickowi włosy, gdy wyszli z kuchni i ruszyli do jego lamborghini.

– Na przykład pewnego wyszczekanego Cajuna, który uwielbia swoją matkę. Chłopaka gotowego poświęcić własne życie za dwójkę obcych ludzi, których zaatakowali jego koledzy, mimo że przydałaby mu się ta kasa. Albo kobietę, która jest gotowa się upodlić, byle tylko wykarmić syna. Czy inną, która nie bała się kartelu narkotykowego, by ochronić swoją rodzinę i miasteczko. Tego rodzaju miłość przypomina mi o tym, jakim kiedyś byłem człowiekiem. Ludzie tacy jak ty, twoja mama i Rosa zasługują na to, by ktoś ich chronił.

Nick zastanowił się nad słowami szefa i zrobiło mu się ciepło. Nikt nigdy nie mówił o nim w sposób tak życzliwy. A już na pewno nikt szanowany i porządny. Chciał w przyszłości stać się takim człowiekiem jak Kyrian.

– Kim byłeś jako człowiek? – zapytał.

– Starożytnym greckim generałem.

– Poważnie?

Z jakiegoś powodu to go zaskoczyło.

Kyrian kiwnął głową. Wyjechali z podjazdu i ruszyli w stronę domu Nicka.

– Wygrałeś jakieś wielkie bitwy?

– Owszem. Byłem zmorą dla Rzymian. Razem z przyjacielem i mentorem Julianem Augustusem powstrzymywałem ich napór, walcząc niczym maszyna. Za ludzkiego życia uważano nas za greckich herosów. Historie o nas opowiadano jeszcze wiele wieków po naszej śmierci.

Nick był pod wrażeniem.

– Zginąłeś na polu walki?

Kyrian zaśmiał się gorzko.

– Nic z tych rzeczy. Żaden człowiek na świecie nie był w stanie mnie pokonać. Żaden.

Nagle Nick przypomniał sobie jedyną rzecz, której nauczył się od swojego ojca, skazańca.

– Zguby nie przynoszą wrogowie z zewnątrz. To zawsze wróg wewnętrzny.

Kyrian potaknął.

– Bądź ostrożny, Nick. Najczęściej dopuszcza się tego osoba, po której się tego nie spodziewasz. Ta, której ufasz. Ona potrafi być najbardziej zabójcza. Zna twoje słabości, wie, gdzie uderzyć. Zaatakuje cię, gdy odwrócisz się do niej plecami i nie będziesz ostrożny.

Jego tata powiedział mu kiedyś dokładnie to samo.

– Przykro mi.

Kyrian wzruszył ramionami i skręcił w prawo.

– Niech ci nie będzie przykro. Każdego przynajmniej raz zdradzono. To łączy nas wszystkich. Sztuka polega na tym, by nie pozwolić, żeby zniszczyło to w tobie zaufanie do innych. Nie pozwól na to.

Nick kiwnął głową.

– Myślisz, że jeszcze kiedyś się ożenisz?

– Nie. Mrocznym Łowcom nie wolno się z nikim spotykać ani mieć narzeczonych. Małżeństwo absolutnie nie wchodzi w grę.

– A co z dziećmi?

– Nick, ja jestem martwy. Nie mogę tworzyć nowego życia.

Chłopak aż się wzdrygnął i przykrył dłonią przyrodzenie.

– To znaczy, że nie możesz...

– Tego nie powiedziałem – warknął Kyrian, jakby Nick go śmiertelnie obraził. – Jako Mroczny Łowca mogę współżyć z kobietą, ale nie mogę jej zapłodnić.

Aha, no dobrze, to miało sens.

– A zdarza ci się chorować?

– Nie.

Nick zamilkł. Zastanawiał się, jakby to było być odpornym na choroby. Przyglądał się innych samochodom za szybą, gdy Kyrian wjechał w jego dzielnicę. Rozsypujące się budynki, wraki samochodów, wysuszone trawniki – wszystko to tworzyło ostry kontrast z nienagannie utrzymaną posiadłością jego szefa.

Nick westchnął na widok zwyczajnego, rozpadającego się bliźniaka, który wraz z matką nazywał domem.

Kyrian zaparkował na ulicy.

– Do zobaczenia jutro – powiedział do Nicka.

– Pewnie. Uważaj na siebie.

– Zawsze. Dzwoń, gdybyś czegoś potrzebował.

Nick kiwnął głową, otworzył drzwi i wysiadł. Nie ruszył się z miejsca, dopóki Kyrian nie odjechał, następnie obrócił się na pięcie i poszedł nierównych chodnikiem prowadzącym do drzwi.

Na powitanie wyszła mu ciocia Menyara. Jako że była położną, to ona sprowadziła go na ten świat. Z nie do końca znanych mu powodów przygarnęła jego matkę pod swój dach, gdy ta była w ciąży. Drobna i śliczna, była przy nim całe jego życie, jedyna krewna, jaką mieli on i jego matka.

Stała tam teraz w zwiewnej, białej spódnicy i jasnoniebieskim topie, a jej dredy przytrzymywała biała chustka.

– Cześć, ciociu.

Uściskała go, gdy do niej podszedł.

– Gdzie byłeś, Misiu?

– W pracy. Mama w domu?

Przytaknęła.

– Właśnie do niej szłam, żeby zapytać, czy nie chciałaby pooglądać telewizji.

Oni nie mieli własnego odbiornika, więc Mennie często zapraszała ich do siebie. Pozwalała im oglądać telewizję, a także używać swojego telefonu.

Nick otworzył drzwi do ich maciupkiego mieszkanka, które składało się właściwie z dwóch pomieszczeń: z małej sypialni mamy i „dużego" pokoju z częścią kuchenną. Po drugiej stronie tego pomieszczenia był jego pokój, wydzielony niebieskimi kocami zawieszonymi na drucie. Mama zorganizowała to dla niego z Mennie, gdy zaczął dojrzewać. Chciała, by miał odrobinę prywatności.

Matka siedziała na jedynym w domu taborecie przy stole kuchennym, czytając gazetę. Podniosła głowę i uśmiechnęła się na ich widok.

Nick rzuciwszy swój plecak na podłogę koło drzwi, poszedł ją uściskać.

– Co robisz?

Mennie zamknęła drzwi i dołączyła do nich.

– Szukam mieszkania do wynajęcia w Dzielnicy Francuskiej.

Nie potrafił powiedzieć, kto bardziej osłupiał na te nieoczekiwane słowa: on czy Menyara.

– Poważnie?

Mennie uniosła brew, ale nic nie powiedziała.

– Nie bierz tego do siebie, Menyaro – dodała szybko matka Nicka. – Dobrze wiesz, że cię uwielbiam i jestem ci ogromnie wdzięczna za wszystko, co dla nas zrobiłaś.

– Ale wolałabyś mieszkać bliżej pracy – kreolski akcent Mennie zabrzmiał mocniej niż zwykle.

Matka Nicka przytaknęła.

– I szkoły Nicka. Wiecznie się śpieszy na tramwaj. Chciałabym, żeby nie musiał zaczynać każdego dnia w takiej panice.

– Dostałaś niezłego przyspieszenia, co? – zapytał Nick.

Roześmiała się.

– Nie, skarbie. Po prostu... Nawet nie wiesz, jakie napiwki dają ludzie w Sanctuary. Boże, nie miałam o tym pojęcia. Z pensją i napiwkami zarabiam cztery razy więcej niż poprzednio.

Nick uśmiechnął się do niej z nadzieją.

W odpowiedzi zmarszczyła brwi.

– No dobrze. Wybaczam tobie i Bubbie, że przez was wyleciałam z poprzedniej pracy.

– Naprawdę?

– Naprawdę. Co więcej, tak sobie właśnie myślałam, żeby zabrać dziś ciebie i Mennie na kolację. Mamy co świętować.

Brzmiało super, ale był pewien problem.

– Jestem nażarty po uszy. Rosa przygotowała przepyszne *tetrazzini* z indykiem. Przyniosłem trochę. Dla Mennie też wystarczy.

Wrócił po plecak, żeby wyjąć z niego jedzenie.

Rzucił na podłogę koszulkę drużyny, na widok której jego matka wciągnęła z sykiem powietrze do płuc.

Nick zamarł. Ten dźwięk zwykle oznaczał, że wpakował się w tarapaty.

– Coś nie tak?

– Co to jest? – wskazała koszulkę.

Zerknął w dół. Nie do końca rozumiał, dlaczego koszulka spotkała się z taką reakcją.

– Trener chce mnie z powrotem w drużynie.

Matka miała sceptyczną minę.

– Mówisz poważnie?

– Owszem. Mają mało zawodnikow, więc...

– Coś mi nie wyglądasz na specjalnie uszczęśliwionego – zauważyła Menyara.

Na tym właśnie polegał problem z Mennie. Potrafiła go rozgryźć i dostrzec nawet rzeczy, które próbował ukryć.

Posłał im obu wymuszony uśmiech. Tylko tego mu jeszcze brakowało, żeby się dowiedziały, czego chce od niego trener. Boże, gdyby Mennie się tego domyśliła...

– No, cieszę się.

– Nicky, jestem twoją matką. Nie okłamuj mnie. Co się dzieje?

Dzieje się to, że jego trener jest psycholem, ale tego nie mógł jej powiedzieć. Gdyby to zrobił, pomaszerowałaby prosto do szkoły i zrobiła takie piekło, że wtedy już na pewno wpadłby po uszy. Gdy chodziło o niego, matka zupełnie traciła zdrowy rozsądek.

– Nic, przysięgam.

Posłała mu spojrzenie, które świadczyło o tym, że jej nie przekonał. Na szczęście Mennie odwróciła jej uwagę. On tymczasem wyjął pojemnik z jedzeniem i zaniósł go do kuchni.

Gdy tylko skończyły jeść, matka i Mennie poszły oglądać telewizję, podczas gdy on został w domu pod pretekstem odrabiania lekcji.

Nie było to do końca kłamstwem. Pracował nad czymś, co rzeczywiście miało związek ze szkołą.

Gdy się upewnił, że nikt mu nie przeszkodzi, zadzwonił znowu do Madauga.

– Co?

Rany, Madaug nie próbował nawet ukryć irytacji.

– Znalazłeś coś? – zapytał Nick.

– Nie.

– Nic?

– Nie rozumiesz, Nick. Kompletnie nic nie udało mi się znaleźć. Ten gość jest jak duch. Żadna szkoła w tym kraju nie miała ostatnio trenera nazwiskiem Devus. A przecież z tak nietypowym nazwiskiem znalezienie go nie powinno być trudne, nie uważasz?

Nick siedział w milczeniu i zastanawiał się, co właśnie usłyszał. Madaug miał rację. Przy takim nazwisku nie powinno być trudne zdobycie informacji o nim.

– Mówisz poważnie?

– Owszem. Jedyny trener nazwiskiem Devus, jakiego udało mi się znaleźć, to ten, który pracował w Instytucie Technologii w Georgii w – uwaga, uwaga – 1890 roku.

– W 1890? – Nick osłupiał. – Ponad sto lat temu? W 1890 roku?

– Owszem. Był głównym trenerem podczas pierwszego meczu o Puchar Gubernatora między Uniwersytetem Georgii a Instytutem Technologii. Instytut Technologii rozgromił Uniwersytet 28 do 6. A teraz słuchaj... Następnego dnia cała drużyna, nie wyłączając trenera, zginęła w pożarze, który wybuchł w budynku, gdzie świętowali swoje zwycięstwo.

– Koszmar.

Coś takiego mogło się przydarzyć i jemu. Ostatecznie o pechu Gautiera krążyły legendy.

– Prawda? Tak czy inaczej, żadnego innego Devusa nie udało mi się znaleźć.

To nie miało najmniejszego sensu.

– Powiedział mi, że jest trenerem od wielu lat. Muszą gdzieś być jakieś informacje na jego temat.

– Nie mogę nigdzie znaleźć ani śladu, a, uwierz mi, dobrze szukałem. Włamałem się do bazy danych szkoły. Jego życiorysu nie ma w internecie. Bez tego nic nie zdziałam. Nie mam pojęcia, gdzie jeszcze mógłbym szukać. Trafiłem w tyle ślepych zaułków, co mysz w ruchomym labiryncie.

Tylko Madaug, którego oboje rodzice pracowali naukowo, był w stanie wymyślić coś takiego jako przykład.

Nick westchnął i poczuł, że ogarnia go przerażenie. Bał się tego, co miało nastąpić, ale dobrze wiedział, że nie ma wyjścia.

Musiał włamać się do gabinetu trenera i poszukać jakichś śladów jego przeszłości. Dupa, dupa blada. *Czemu ja się wiecznie pakuję w takie historie?*

Musiał zrobić coś koszmarnego w swoim poprzednim życiu i przez to teraz tak obrywał. Miał tylko nadzieję, że przynajmniej trochę sobie użył w tamtym wcieleniu.

*No, dalej, Nick. Myśl. Musi być jakiś inny sposób.*

Niestety, nie było. Koniec, kropka. Będzie musiał tam pójść i modlić się, by go nikt nie przyłapał.

– Dobra – powiedział. – Jutro zdobędę dodatkowe informacje. Dzięki za pomoc.

– *De nada**. Bądź ostrożny. Nie wiem czemu, ale coś mi tu śmierdzi.

Nick był prawie pewien, że to właśnie Devus zabił jego kolegę z klasy, więc rzeczywiście nie wykrzesał z siebie żadnego ciepłego, przyjaznego uczucia dla trenera.

– Dobranoc, M.

– Cześć.

Nick rozłączył się, po czym zadzwonił do Caleba, który odebrał po drugim dzwonku.

– Umierasz?

---

* (hiszp.) Nie ma za co. (*przyp. red.*)

Czy mu się zdawało, czy w głosie Caleba zabrzmiała nuta nadziei?

A może to on popada w paranoję?

– Nie – odparł, modląc się, by jego odczucie było tylko urojeniem. Dobrze jednak wiedział, że tak nie jest.

Caleb wypuścił długi oddech z płuc.

– No to czemu do mnie dzwonisz?

– Zastanawiałem się, czy wiesz coś na temat Devusa?

– Poza tym, że jest naszym nowym trenerem?

– Tak, Caleb. Coś jeszcze.

– Nie bardzo. Bo?

Nick się zawahał. Uznał jednak, że rozmawia z jedyną istotą, której może powiedzieć prawdę.

– Groził mi.

Caleb zmaterializował się koło niego. W ręce nadal trzymał telefon.

– Jak to groził ci? – zapytał swoim demonicznym głosem.

Niezła obsługa. Całkowicie zaszokowany tym nagłym pojawieniem się kolegi, Nick zerkał to na telefon w dłoni Caleba, to na niego samego. No dobrze, wiedział, że Caleb miał demoniczną moc, ale jednak...

To robiło wrażenie.

Przerwał połączenie. Było oczywiste, że telefon nie jest mu już potrzebny do rozmowy z Calebem.

– Powiedział mi, że jeśli nie ukradnę dla niego pewnych rzeczy, to pośle mnie do kicia.

Caleb parsknął śmiechem.

– A ty uwierzyłeś w te głupoty?

Mocno urażony Nick wbił w niego ciężkie spojrzenie.

– Głupoty czy nie, jestem pewien, że to on wrobił Dave'a, a potem go zabił, gdy ten był w areszcie.

Caleb przewrócił oczami, czym jeszcze bardziej rozzłościł Nicka.

– Nick, poważnie? Rozmiar twojej paranoi zasługuje na wpis w Księdze Rekordów Guinnessa lub na coś takiego.

– To nie paranoja – warknął Nick. – Użyj swoich mocy, to sam się przekonasz. Mówię prawdę.

Caleb spojrzał na niego z irytacją, po czym zamknął oczy i się skoncentrował.

Nick nabrał pewności siebie. Skrzyżował ręce na piersi i postukiwał stopą. Prawda zaraz wyjdzie na jaw, potwierdzi się słuszność jego słów, a pewien złośliwy demon będzie go musiał przeprosić. No i naprawdę się pokajać.

Kilka minut później Caleb otworzył oczy.

– Nic nie zobaczyłem.

Nicka ogarnęło przerażenie. Uznał, że to niedobry znak. A i przeprosin się nie doczekał.

– Jak to? – zapytał z lękiem.

Zimne oczy Caleba przeszyły go na wylot.

– Trener jest człowiekiem, tyle wiem, ale...

Nicka znowu ogarnęła nadzieja na przeprosiny.

– Ale co? – zapytał.

Caleb wzruszył ramionami.

– Jakby był zjawą.

– Duchem?

– Nie do końca. Zjawa przybiera formę kogoś żywego.

Nick próbował to zrozumieć.

– Coś jak powidok*?

– Dobre porównanie. Ale w odróżnieniu od powidoku, zjawa zwykle pojawia się na moment przed śmiercią... Widzi ją osoba, która ma umrzeć.

Cóż, nie brzmiało to za dobrze.

– Przez ciebie dostałem gęsiej skórki.

– Ja też. – Caleb zawahał się, po czym znowu się odezwał: – Spotkałem w życiu wiele zjaw. On jakoś nie do końca mi pasuje. Mam dziwne poczucie, jakby to był człowiek owinięty w zło.

– No, to super. Nasz trener jest szatańską roladką.

Caleb westchnął sfrustrowany.

– Wiesz, jesteś nie do zniesienia, kiedy wpadniesz w taki humor. Spróbuję się czegoś dowiedzieć i dam ci znać.

– Będę czekał... Dopóki trener mnie nie wykończy.

---

* Powidok, inaczej kontrast następczy lub obraz następczy – zjawisko optyczne polegające na tym, że po wpatrywaniu się w jakiś kształt, a następnie odwróceniu wzroku, w oczach pojawia się na chwilę ten sam, zamazany kształt w barwie dopełniającej, np. czerwone zachodzące słońce pozostawi w oczach swój okrąg w barwie zielono-niebieskiej.

Caleba nie rozbawił jego kiepski dowcip.

– Nie wpuszczaj go do środka. Gdyby się tu pokazał, dzwoń do mnie.

– Jeśli jeszcze będę w stanie wybrać numer.

Caleb łypnął na niego z rozdrażenieniem, po czym zniknął w chmurze czerwonego dymu.

Nick został ze swoimi troskami sam. Zastanawiał się nad tym, co się działo. Kiepsko się to wszystko dla niego zapowiadało. Właściwie czuł już płomienie liżące mu pięty. Musiał jakoś pozbyć się trenera. To było najważniejsze.

Miał mnóstwo pytań, na które chciał poznać odpowiedzi. Przyszło mu do głowy, że mógłby znowu zapytać książkę. Z drugiej strony nie miał ochoty na kolejną migrenę.

Nie, rozgryzie to na własną rękę. Był tego pewien. Usiadł na palecie, która służyła mu za łóżko, wyciągnął listę przedmiotów do kradzieży sporządzoną przez trenera i jeszcze raz jej się przyjrzał.

Poniżej naszyjnika Kody widniał szkolny sygnet Stone'a. Akurat! Ciekawe, jak niby miałby tego dokonać. Spróbował to sobie wyobrazić. Podchodzi do Stone'a i posyła mu uśmiech. *Cześć, Stone. Może byś mi oddał swój sygnet z dwudziestoczterokaratowego złota? Ten z prawdziwym brylantem. Wyobraź sobie, że jestem dziewczyną i że to jej go dajesz.*

Przecież ten wilkołak wyprułby z niego flaki.

Jednak dzięki temu, że przedmiot ten był na liście, Nick wiedział przynajmniej, że Stone nie należy do „grupy wybrańców" trenera. Pytanie tylko, kogo jeszcze udało mu się skaptować i dlaczego wybrał właśnie jego. Czyżby Devus znał jego kryminalną przeszłość? Nick aż się wzdrygnął na tę myśl. W desperacji robił kiedyś rzeczy, z których nie był dumny, na przykład stał na czatach i wyglądał policji, gdy jego „koledzy" okradali sklepy. Wtedy wydawało mu się to niegroźne, bo wskutek tego przestępstwa nikt nie ucierpiał. No, a on sporo na tym zarobił, dzięki czemu mógł pomóc matce opłacić rachunki. Przekonał samego siebie, że nie krzywdzi nikogo konkretnego, tylko jakąś ogromną bezosobową korporację, której nie obchodzą ludzie tacy jak on. Wmówił sobie, że wielkie korporacje żerują na zwykłych ludziach i jeszcze się przy tym dobrze bawią. Tak sam siebie usprawiedliwił.

Podczas ostatniej wizyty w Angoli przejrzał na oczy, słuchając współwięźniów ojca, którzy szukali wymówek dla swoich zbrodni. Najbardziej na świecie nie chciał stać się jednym z nich, skończyć w celi, gdzie zabijałby czas, zrzucając winę za swoje złe decyzje na cały świat. Nic nie było warte utraty wolności i szacunku do samego siebie, a już na pewno nie pieniądze. Nie chciałby też nikogo zranić. Gdyby mógł oddać choć część tego, co Alan ukradł, chętnie by to zrobił. Niestety, wydał te pieniądze na jedzenie.

Ale pewnego dnia...

Odda co do grosza wszystko, co ukradł.

*Nie ma mowy, by trener o tym wiedział.* Poczucie winy było tak silne, że Nick starał się myśleć o tym jak najrzadziej i nie wspomniał nikomu pod słońcem poza Tyree i Alanem, którzy z nim brali w tym wszystkim udział. A oni nie chodzili do szkoły, więc trener nie mógł nigdzie się na nich natknąć.

*On nic nie wie.*

A jednak z jakiegoś powodu wybrał Nicka do realizacji swojego okropnego planu. Chłopak zerknął znowu na listę i aż się wzdrygnął. Trener chciał coś właściwie od każdej osoby, z którą chodził na dwie pierwsze lekcje.

Co za dziwaczny zestaw. Zegarki, pierścionki, naszyjniki i dwie szczotki do włosów. Po co mu szczotki do włosów? Jak można na tym zarobić?

W tym momencie rozdzwoniła się jego komórka. Aż podskoczył. Opanował się jednak i odebrał telefon.

Dzwonił Caleb.

– Gdzie Menyara?

– U siebie, razem z moją mamą. A co?

– Zrób coś dla mnie. Idź tam i zostań z nimi.

– Jest jakiś powód?

– Tak. Właśnie natknąłem się na Pogranicznego Strażnika.

Nick zmarszczył czoło. Nigdy nie słyszał tej nazwy.

– Kogo?

– Jednego z Pogranicznych Strażnikow – powtórzył Caleb. – To łowcy nagród, którzy tropią stworzenia nadprzyrodzone. Ten szuka kogoś, kto ukrywa się w ciele dzieciaka.

– A co to ma ze mną wspólnego? Wiesz, *koło* mnie kręci się demon, ale nie *we* mnie.

Irytacji w głosie Caleba nie dało się nie zauważyć.

– On szuka czternastolatka, Nick. Chyba już wiemy, kto zabił tych dwóch chłopaków, których widziałeś z Ashem.

Poczuł dreszcz na plecach. Czy w tych chłopakach mieszkał demon czy tylko próbował się w nich wcielić?

– Ale ja nie jestem opętany.

Caleb zaklął.

– Czy mógłbyś przestać się ze mną spierać, Nick, i po prostu wykonać polecenie? Wierz mi: z takimi stworzeniami wolałbyś nie spotkać sam na sam. Zresztą tam, gdzie kręci się jeden z nich, kręci się ich na ogół więcej. Miłosierdzie i humanitaryzm są im raczej obce. Więc rób, co ci każę. Nie zostawaj sam. Najgorzej by było, jakby któryś cię dorwał i zaczął przesłuchiwać.

– A czemu?

– Nick, przysięgam... Przestań się zachowywać jak trzylatek przed pójściem lulu i zbieraj tyłek w troki do sąsiadki. Albo sam tam przyjdę i zaciągnę cię do Menyary. A to ci się nie spodoba.

– No dobrze, uspokój się, Caleb. Nie gorączkuj się. Już idę.

Przerwał połączenie. W odróżnieniu od Caleba nie był przekonany, że Mennie jest dość silna, by stawić czoła czemuś takiemu. Owszem, była kapłanką voodoo i sporo potrafiła, ale Nick nie chciał jej na nic narażać. Choć z drugiej strony rzeczywiście miała w domu sporo symboli ochronnych, więc czemu by nie miał z nich skorzystać?

Włożył sobie rękę w temblak, wstał i ruszył do drzwi.

Wyszedł na zewnątrz, odwrócił się i zamknął drzwi na klucz. Pociągnął nosem i aż się skrzywił. *Błe*! Co to za okropny smród?! Jak zgniłe jaja w połączeniu z nawozem i szczyptą wymiocin. Rany, śmierdziało jak wtedy, gdy Stone miał wypadek na lekcji chemii. Nick zasłonił sobie nos i zrobił krok w stronę mieszkania Mennie.

Wtedy jednak padł na niego cień i coś złapało go od tyłu.

# ROZDZIAŁ 12

Zaklął i okręcił się na pięcie, gotów się bronić. Następnie zamarł i zamrugał dwa razy, by się upewnić, że nie ma zwidów.

Nie miał.

Zobaczył przed sobą wysokiego, potarganego, odzianego we flanelę i dżinsy Marka, zlanego kaczą uryną. Zwijał się na werandzie niczym hiena, której zacięła się ścieżka dźwiękowa z nagranym śmiechem.

– Chłopie, szkoda że nie możesz zobaczyć swojej miny! Nie widziałem cię tak przerażonego od tamtej nocy, gdy zombie chciały ci wyżreć mózgownicę. Rany! Gdybym miał przy sobie kamerę, zbiłbym na tym majątek.

Zirytowany faktem, że niepotrzebnie się dał temu szaleńcowi przestraszyć, Nick wbił w niego ciężkie spojrzenie.

– Ty kretynie! Nie jesteś zabawny.

– Zgadza się. To nie ja byłem śmieszny, tylko ty, chłopie!

Śmiał się dalej, aż Nicka ogarnęła ochota, by kopnąć go tak, żeby długo go popamiętał. Gdyby nie miał u Marka długu wdzięczności, być może dałby się ponieść emocjom.

Z gardła Nicka wydobył się niski warkot.

– A tak w ogóle to po coś tutaj przylazł? Żeby mi zasmrodzić werandę i skrócić mój żywot o dziesięć lat?

Mark przetarł sobie oczy.

– *Lo siento** za siki, *mi amigo***, ale na bagnach trzeba uważać. To moje motto. – W końcu przestał szczerzyć zęby i wyjaśnił, po co przyszedł. – Widziałem, że dzwoniłeś. Próbowałem oddzwonić, ale bateria mi się rozładowała. No to poszedłem do samochodu, żeby ją naładować. Niestety, użyłem ładowarki do podwiązania klapy schowka, przez co kabel się wytarł, więc jak ją podłączyłem, wywołałem spięcie elektryczne w jeepie, no i zajęła się sterta papierów. Całe siedzenie pasażera mi się sfajczyło, zanim zdążyłem ugasić pożar coca-colą. Napoje gazowane nie sprawdzają się przy gaszeniu pożarów, tak jak można by się spodziewać… No, tak czy siak, jestem. Czego ode mnie chciałeś?

Tylko Mark lub Bubba byli w stanie wywołać pożar w aucie za pomocą ładowarki. Nicka by to rozśmieszy-

* (hiszp.) przepraszam (*przyp. red.*)
** (hiszp.) mój przyjacielu (*przyp. red.*)

ło, gdyby nie było to takie: a) typowe dla nich, b) żałosne.

– Ach, to... – Nick podrapał się w ramię na temblaku. – Już to załatwiłem.

Mark wydął wargi.

– Chcesz powiedzieć, że sfajczyłem sobie jeepa bez powodu? To do dupy, stary. Powiedz mi przynajmniej, że jakieś zombie stało u twoich drzwi, albo coś innego.

– Nie. Przykro mi.

Mark mruknął coś pod nosem.

Nick spojrzał na auto kolegi, które po stronie pasażera miało osmolone okno. Nagle coś dziwnego przyszło mu do głowy. Być może właśnie on, nie licząc Caleba, będzie w stanie naprawdę mu pomóc.

A w każdym razie był jedyną osobą na tyle szaloną, by tego spróbować. Wszyscy, których znał, przekonywaliby go, żeby sobie odpuścił.

Mark był jedyną osobą poza Mennie i Calebem, który wiedział, jak ochronić go przed atakiem czegoś nadprzyrodzonego. W sumie Mark za cel życia obrał walkę z tym, co nieludzkie.

– Nie chciałbyś wybrać się ze mną na małe zwiady?

Mark się ożywił,

– A co to za zwiady?

– Cóż... Właśnie w tej sprawie do ciebie dzwoniłem. W mojej szkole jest nauczyciel, który stanowi dla mnie zagadkę.

Jedna brew Marka powędrowała w górę.

– Zagadkę z gatunku zombie czy taką normalną zagadkę?

– Jakoś mi się nie wydaje, żeby był zombie.

Z drugiej strony na tym etapie niczego nie można było wykluczyć. Najbardziej prawdopodobne wydawało się to, że jest psychopatą. Ale ostatecznie byli w Nowym Orleanie i Nick z zaskoczenia dowiadywał się o istnieniu licznych mieszkańców miasta, o których nie miał dotąd pojęcia. Kto wie, może rzeczywiście trener jest zombie?

I pomyśleć, że jeszcze pół roku temu Nick miał Marka i Bubbę za najdziwniejszych mieszkańców Luizjany.

*Jak szybko wszystko może się zmienić.*

Ach, dobrze by było...

Spróbował skoncentrować się na rozmowie.

– Powiedział mi, że uczył w kilku szkołach, ale Madaugowi nie udało się znaleźć ani słowa na jego temat. Dosłownie. Ani jednej szkoły, w której Devus uczył. W ogóle nic. Tak jakby przed zatrudnieniem w mojej szkole w ogóle nie istniał.

– Przedstawiciel neoluddyzmu*. – Mark pokiwał głową z aprobatą. – To mi się podoba. Być może facet ma

* Neoluddyzm – określenie na współczesne ruchy przeciwstawiające się postępowi technologicznemu. Zwolennicy tej filozofii twierdzą, że przemiany społeczne spowodowane informatyzacją stanowią zagrożenie. Powołują się na analogie z negatywnymi skutkami społecznymi rewolucji przemysłowej.

po prostu głowę na karku. Mówię ci, Nick, któregoś dnia wszyscy zostaniemy podczepieni do jakiegoś ogromnego serwera i przemienimy się w bity w strumieniu danych. Nawet to, co składa się na naszą indywidualność, zostanie zredukowane do kodu binarnego*. A może to się już wydarzyło i jesteśmy tylko aktorami u Roda Serlinga** w odcinku o trwałej syndykalizacji. Zresztą...

Nick strzelił Markowi palcami przed nosem.

– Mógłbyś na moment wrócić do rzeczywistości? Jeszcze przez kilka minut jesteś mi potrzebny tu, na ziemi.

– Pewnie, choć nie jest to moje ulubione miejsce. Nadal czekam na powrót statku macierzystego... No to czego ode mnie oczekujesz?

Nick wziął głęboki oddech. Starał się nie stracić cierpliwości. Bywały chwile, gdy zmuszenie Bubby i Marka do skupienia się na aktualnym zadaniu było jak próba opanowania hordy kotów z ADHD szalejących na mysiej farmie.

– Mój nowy trener...

Nie chciał mówić Markowi o szantażu ani złodziejskim kręgu. Ufał mu niemal bezgranicznie, ale bał się, że ten mógłby pójść prosto do trenera, wyważyć mu

* Kod binarny, inaczej dwójkowy system liczbowy – pozycyjny system liczbowy, w którym podstawą jest liczba 2. Do zapisu liczb potrzebne są tylko dwie cyfry: 0 i 1. Powszechnie używany w elektronice cyfrowej, przyjął się też w informatyce.
** Rodman Edward Serling – amerykański scenarzysta i reżyser, autor serialu telewizyjnego s-f *Strefa mroku*.

drzwi, wyciągnąć go na zewnątrz i solidnie pobić za to szantażowanie ludzi. Mark nie przepadał za zwyrodnialcami i gnębicielami wszelkiej maści. Uważał, że skopanie im tyłków to cenna przysługa oddana społeczeństwu.

– Coś z nim jest nie tak. Czuję to. – Tego rodzaju informację Mark był w stanie zrozumieć i zgodzić się z nią. – Tak się zastanawiałem, czy nie moglibyśmy przejechać koło jego domu, żeby się zorientować, jak to wygląda. Może to by mi pomogło wydedukować, kim lub czym on jest. Wiem, że ty lubisz bawić się w profilera.

Mark nakręcił się jeszcze bardziej.

– Wiesz, gdzie on mieszka?

Nick kiwnął głową.

– Wiem.

To była jedna z niewielu rzeczy, które trener powiedział mu po treningu. Ten świr chciał, by Nick przyniósł mu skradzione rzeczy do domu, żeby nie przyłapano go z nimi na terenie szkolnego kampusu.

Nic go jednak nie obchodziło, jeśli sam Nick zostałby przyłapany. *Spalcie tego dzieciaka, puście go z dymem.*

– No dobra – zgodził się Mark. – Skończyłem już na dziś z polowaniem na zombie, a skoro moja kobieta uwolniła mnie od siebie... – A przy okazji spaliła wszystko, co Mark posiadał, zmuszając go do wyprowadzki, ale to była zupełnie inna historia. – Czemu nie? No chodź.

Zszedł z werandy.

Nick go zatrzymał jeszcze na chwilę.

– Poczekaj, tylko powiem mamie, gdzie idę.

Bo inaczej nieźle da mu popalić po powrocie.

Otworzył drzwi do mieszkania Menyary.

Mennie i jego matka siedziały na kanapie pod grubym, czerwono-białym kocem. Światła były zgaszone, a one pogryzały czipsy z sosem.

Jego matka podniosła na niego wzrok wyczekująco.

– Mamo? Mogę wyjść na parę minut z Markiem? Mamy coś do załatwienia.

Przyjrzała mu się podejrzliwie.

– Z szurniętym Markiem?

Mark wsadził głowę do środka i posłał matce Nicka szeroki uśmiech.

– Słyszałem to, Cherise.

Matka zrobiła się czerwona jak burak. Różnica wieku między nią a Markiem była mniejsza niż między nim a Nickiem. W dodatku Mark pracował kiedyś jako ochroniarz w klubie, w którym tańczyła. To tam Nick go poznał.

Wrzuciła czipsa z powrotem do paczki, odchrząknęła i zerknęła na niego spłoszona.

– Nie wiedziałam, że tam jesteś. Przepraszam.

Mark zaśmiał się dobrodusznie.

– Nie ma sprawy. Słyszałem na swój temat już dużo gorsze rzeczy. Ty przynajmniej nie zwyzywałaś moich rodziców. Ale nie bój się, na dziś nie mam w planach nic szczególnie ekstrawaganckiego.

– Cieszę się.

Mark zerknął z rozbawieniem na Nicka.

– Nie martw się, *cher*. Będę go pilnował z narażeniem życia.

– No i dobrze – powiedziała ostrzegawczo. – Bo właśnie jego cię pozbawię, jeśli choć jeden włos spadnie mu z głowy. Ja nie żartuję, Mark. Znajdę cię w najdalszym zakątku piekła, wyciągnę cię stamtąd i będę torturować, dopóki zupełnie się nie wykrwawisz. Ten chłopak to całe moje życie. Nie chcę, by wrócił do domu w kawałkach. Więc lepiej daruj sobie swoje zwykłe dziwactwa. Mówię poważnie.

– Tak jest, proszę pani.

Nick ruszył już do wyjścia, ale matka wycelowała w niego oskarżycielski palec.

– Wracaj niedługo. Jutro masz szkołę.

Powtórzył ostatnie słowa Marka:

– Tak jest, proszę pani.

Po czym zamknął za sobą drzwi.

Rany, jak na taką drobną kobietę, potrafiła być bardziej przerażająca niż rozwścieczony niedźwiedź napakowany sterydami. Nawet Mark przestraszył się jej gróźb.

Schodzili po schodkach, gdy szalona przemowa matki przypomniała Nickowi o surowym ostrzeżeniu Caleba.

– Hej, Mark? Wiesz kim są Pograniczni Strażnicy?

– No pewnie. Przecież nie jestem idiotą. Kto by nie wiedział, kim oni są?

Nick się naburmuszył. *No, ja jestem takim idiotą.* Na szczęście, dzięki Calebowi nie musiał się do tego przyznać.

– Walczyłeś kiedyś z którymś z nich?

Mark podrapał się po zaroście na policzku.

– Osobiście nie. I chyba nie paliłbym się do tego, biorąc pod uwagę to, co o nich słyszałem. Ale znam kogoś, kto walczył. Bo co?

– Znajomy mi powiedział, że wpadł dziś na jednego z nich i że powinienem uważać.

Spojrzenie Marka przeszyło Nicka na wylot.

– Kazał ci się ukryć?

– Skąd wiesz?

– Rozumiem mowę twojego ciała, Nick. Umierasz ze strachu. Co jeszcze powiedział ci ten twój znajomy?

– Że powinienem trzymać się miejsc, które są chronione.

Mark podszedł do niego szybko i wyciągnął coś spod swojej koszuli. Dopiero po chwili Nick dostrzegł, że jest to naszyjnik ze srebra z symbolem podobnym do tego, który zdobił okładkę jego grymuaru.

– Załóż to. Ochroni cię przed wszystkim, choć nie przed szatanem.

Nick skrzywił się, bo w jego nozdrza uderzył odór kaczej uryny. Aż mu wszystko podeszło do gardła.

– Na pewno?

Mark się wyprostował.

– Nadal żyję, nie?

– Niby tak. Choć nie wiem, jak to możliwe, skoro otacza cię taki smród. Zaraz padnę od tego trupem. Wcale bym się nie zdziwił, gdybyś i ty tego nie przeżył.

Mark podrapał się po brwi.

– Zaufaj mi, młody. Sprawdziłem to w praktyce. Ten naszyjnik nie dopuści do ciebie niczego, co mogłoby cię skrzywdzić. Często od tego zależało moje życie.

Nick nie do końca podzielał wiarę Marka. Choć z drugiej strony... Może i ten naszyjnik jest czymś w rodzaju placebo, ale i tak sprawił, że czuł się dużo lepiej. A mógłby przysiąc, że gdy Mark zakładał mu go na szyję, coś lekko zaiskrzyło.

*No i proszę, do czego mnie namówili...*

Jeśli tak dalej pójdzie, zacznie chodzić z Markiem i Bubbą na bagna i będzie siedział w łodzi, gdy oni pójdą polować na nieumarłych. *Błagam, niech mi ktoś powie, że jak dorosnę, będę miał lepsze rzeczy do roboty.*

Bez dalszego narzekania ruszył za Markiem do jego jeepa.

– Skąd wytrzasnąłeś tę brykę?

Mark otworzył przed nim drzwi od strony kierowcy i pozwolił mu wsiąść na tylne siedzenie, które nie było uszkodzone. Nick starał się nie zwracać uwagi na smród spalonego winylu i papierów.

No cóż, przynajmniej zagłuszał on odór kaczej uryny.

Mark wsiadł do środka i zatrzasnął drzwi.

– To moja zapasowa bryczka. Tata kupił mi ją na szesnaste urodziny. Wygląda nieszczególnie, ale potrafi nieźle dać popalić. Można na niej polegać. Jest szybsza, niżbyś się spodziewał.

Nick odniósł wrażenie, że wehikul Marka zawdzięczał to zamontowanemu między przednimi siedzeniami zbiornikowi z podtlenkiem azotu. Cud, że dotąd się nie zapalił. W przeciwnym razie zdrapywaliby teraz właściciela wozu z chodnika.

Mark otworzył okna i ruszyli. Nick siedział zapięty pasem na samym środku tylnego siedzenia, by móc wychylić się do przodu i mówić Markowi, gdzie ma jechać.

Wkrótce dotarli do ulicy Frenchmen Street, przy której trener wynajmował dom. Był to niczym nie wyróżniający się „shotgun*", jakich w Nowym Orleanie wiele. Niedawno odmalowano go na biało. Zielone okiennice były uchylone, więc Nick z Markiem mogli bez trudu zajrzeć do środka. Zobaczyli Devusa oglądającego ten sam program, przy którym zostawili matkę Nicka i Menyarę. Cóż takiego ludzie w średnim wieku widzą w wia-

* Dom typu shotgun – dom mieszkalny o szerokości nie większej niż 3,5 metra, z pokojami ułożonymi w amfiladzie i drzwiami wejściowymi na obu końcach. Tego typu domy popularne były na południu USA od końca Wojny Secesyjnej (1861–65) do lat 20. XX wieku (*przyp. red.*)

domościach? Wciągały ich bez reszty. Nick tolerował takie programy, ale nie pasjonował się nimi.

Westchnął z frustracją, bo uświadomił sobie, że tracą czas. Nie było tu nic do zobaczenia.

Nic.

Ot, kolejny domek szeregowy z zaparkowaną na podjeździe niewyróżniającą się niczym toyotą.

Mark się wzdrygnął.

– Rany, czy on nie wygląda, jak ktoś, kto zagrałby w rozbieranego pokera tylko po to, żeby przegrać? Co innego, jakby to był jakiś ponętny kobiecy egzemplarz, jak Angelina Jolie. Ale nie, to zawsze jest właśnie ten typ faceta, którego zdecydowanie nie masz ochoty oglądać nago.

– Ange-kto?

Mark się skrzywił.

– No weź! Przecież wiesz. „Dopalacz" z „Hakerów"*.

Nick parsknął śmiechem. To był najukochańszy film Marka. Z jakiegoś powodu, niezrozumiałego dla nikogo poza nim samym, Mark niemal w każdej rozmowie robił aluzje do jego fabuły i postaci.

Mark tymczasem ciągnął dalej.

– Skoro już ma siedzieć u siebie w dużym pokoju w samych gaciach, to mógłby chociaż zasłonić okna. Ta-

---

* „Dopalacz" (Acid Burn) to pseudonim Kate Libby granej przez Angelinę Jolie bohaterki sensacyjnego filmu Softleya „Hakerzy" (1995) o nastoletnim hakerze, który wraz z przyjaciółmi próbuje powstrzymać przestępcę przed kradzieżą miliona dolarów (*przyp. red.*)

ki dziad, słowo daję! Chyba nie dam rady odwieźć cię do domu, Nick. Oślepiły mnie kilometry obnażonego białego cielska.

Nick się roześmiał.

Nagle Mark umilkł i przechylił głowę, wpatrując się w werandę.

– Dziwne.

Nick wychylił się do przodu, żeby zobaczyć, co przykuło uwagę przyjaciela.

– Co?

– Mam *déjà vu*.

Większość osób by to zignorowało, ale tu chodziło o Marka…

To mogło być coś poważnego.

– Co się dzieje?

Mark pokręcił głową.

– Nie wiem. Chyba… Chyba znam twojego trenera. Z jakiegoś powodu wydaje mi się znajomy, ale nie umiem powiedzieć z jakiego.

– Może chodziłeś do którejś ze szkół, w których uczył? – zapytał z nadzieją Nick.

Jeśli tak, oznaczałoby to przynajmniej jakieś informacje na temat tej bestii.

Mark się nad tym zastanowił.

– Być może. Czego on uczy i jakiej dyscypliny jest trenerem?

– Historii i futbolu.

– Nie – mruknął Mark. – Chyba nigdy nie uczył mnie historii, a już na pewno nie był moim trenerem. Twarze moich trenerów są trwale wypalone w mojej pamięci.

Ta informacja zaskoczyła Nicka. Mark nigdy o tym nie wspominał.

– Grałeś w piłkę?

Mark wyprostował się, jakby to pytanie go uraziło.

– Eee... No pewnie. Byłem obrońcą w pierwszym składzie drużyny aż do studiów. Powiem ci też, że dostałem pełne stypendium. Zostałbym zawodowcem, gdybym na drugim roku nie rozwalił sobie kolana.

Nick zdziwił się. Był pod wrażeniem.

– Nie miałem pojęcia, że grałeś w piłkę.

– No wiesz. Halo? Jestem urodzonym futbolistą. Jak myślisz, gdzie nauczyłem się tych wszystkich ruchów, dzięki którym umiem robić uniki przed zombie? Mój wujek był jednym z trenerów, którzy pracowali z Bearem Bryantem*.

Rany, niezła sprawa...

– Powaga?

Mark przytaknął.

– Mój prawdziwy tata też był trenerem.

Mark nigdy wcześniej nie wspominał przy nim o swoim ojcu, jeśli nie liczyć informacji o tym, że nie żyje. Od

* Paul William „Bear” Bryant – amerykański gracz i słynny trener futbolu, najbardziej znany z wieloletniej pracy z drużyną Uniwersytetu w Alabamie (*przyp. tłum.*)

Bubby Nick dowiedział się, że tata Marka zmarł na raka, gdy ten miał siedem lat. Dwa lata później jego matka wyszła ponownie za mąż. Mark czuł się zdradzony przez oboje rodziców i nie lubił mówić o swoim ojcu. Zdaniem Bubby wciąż dotkliwie cierpiał z tego powodu.

Mark gapił się na trenera siedzącego na kanapie.

– Wygląda tak znajomo... Widzę jego facjatę jak na dłoni. Tylko nie pamiętam skąd go znam. Z jakiegoś dziwnego miejsca, gdzie spędziłem mnóstwo czasu. Gdybym tylko mógł sobie przypomnieć...

– Może grałeś z drużyną, którą trenował?

– Może. – Mark odchrząknął. – Jak on się nazywa?

– Devus.

– A jak ma na imię?

– Trener.

Mark skrzywił się z bólem.

– Widzę, że twoja edukacja nie idzie na marne.

– No weź... Nie musisz mnie obrażać. Nigdy mi nie przyszło do głowy, żeby go zapytać o imię. Nie obchodzi mnie to.

Kogo by obchodziło? Uczniom nie wolno było zwracać się do nauczycieli, używając imion, więc kto by sobie zawracał głowę ich zapamiętywaniem? Mogłoby zabraknąć miejsca na coś ważnego, na przykład na umiejętność gry w „Donkey Kong". To by dopiero był kłopot.

Mark nic na to nie powiedział. Westchnął tylko z rozdrażnieniem.

Gdy on się biedził, Nick spojrzał znowu na trenera. Spróbował użyć swoich mocy, by coś wyłapać.

Niczego tam jednak nie znalazł. Pustka jak na pogrążonej w mroku ulicy. Miało to o tyle sens, że trener nie wydawał się Nickowi szczególnie głęboką osobowością.

– A jego dom z czymś ci się kojarzy? – zapytał Marka.

– Nie bardzo. Nie ma punktu zaczepienia. Dom, jakich wiele, tak samo jak ta biała toyota.

– W takim razie lepiej wracajmy do domu. Nie chcę, żeby mama zabiła któregoś z nas.

Mark włączył bez słowa silnik jeepa i ruszył.

Po niespokojnej nocy przepełnionej snami o kradzieżach, do których go zmuszono, Nick obudził się skrajnie wyczerpany. Czuł się tak, jakby w ogóle oka nie zmrużył. Zaspany, z bólem głowy, który nie chciał go opuścić, ubrał się i poszedł do szkoły.

Dotarł tam wcześnie. I dobrze, bo chciał niezauważony przez nikogo zajrzeć do gabinetu Devusa. O tej porze trener był zajęty doglądaniem uczniów przyjeżdżających do szkoły autobusem. Powinno to dać Nickowi jakieś piętnaście minut, żeby się rozejrzeć w jego gabinecie.

Tak myślał do chwili, gdy odkrył, że drzwi są zamknięte na klucz.

A niech to... Sfrustrowany podniósł głowę i wbił wzrok w sufit.

– Choć raz mogłoby mi coś pójść ławo...

Nick jednak umiał to i owo. Potrafił otworzyć szybko praktycznie każdy zamek. Był to prezent od jednego z „kolegów z pokoju" jego taty, który uznał, że zabawnie byłoby nauczyć sześciolatka podstaw sztuki włamywania się.

Nick zadbał o to, by ta umiejętność nie zaniknęła. Tak na wszelki wypadek. Choć być może nie powinien.

Pięć minut później był już w środku. Upewnił się, że kamery go nie nagrywają. Nie włączając światła, podszedł do biurka i przejrzał szuflady.

Nic.

Nic, poza tym czego można się spodziewać w biurku trenera. Dziennik ocen. Gwizdek. Długopisy. Ołówki. Spinacze. Kalendarz. Przepustki dla uczniów. Zeszyty ćwiczeń. Rozkłady zajęć. Grafiki. Spis zawodników drużyny.

I wtedy do Nicka coś dotarło. Miał tę myśl gdzieś z tyłu głowy od wczorajszej wizyty w domu trenera. Tutaj, w jego gabinecie, nagle nabrała ona ostrości.

W całym pomieszczeniu nie było nic osobistego. Żadnego zdjęcia, trofeum ani dyplomu.

Nawet głupiego miętusa.

Nic.

Dyrektor Dick, zatrudniony w tym samym czasie co Devus, przejął gabinet Petersa i błyskawicznie uczynił go swoim własnym. Tymczasem ten pokój wyglądał tak, że gdyby trener go opuścił, nic by się tu nie zmieniło.

Dosłownie.

Podobnie było z jego domem, który Nick widział wczoraj wieczorem. Sterylny i bezosobowy. Przeciętny. Pozbawiony indywidualnych cech. Podobnie jak sam trener. Nic wartego zapamiętania.

Nagle wszystko nabrało sensu.

Rany... Devus musi mieć gigantyczne długi, skoro wiecznie ucieka. Czy to przez hazard? Życie w takim strachu musi być niełatwe. Strachu, który nie pozwala mu nawet wybrać sobie odpowiadającego jego upodobaniom samochodu, z obawy, że rzucałby się w oczy na szosie. Trener był po prostu mistrzem w sztuce znikania.

*Nic dziwnego, że niczego na jego temat nie możemy znaleźć.*

Pewnie trzyma się z dala od radarów, żeby uniknąć lichwiarzy i zbirowatych windykatorów. Nickowi zrobiło się go niemal szkoda. Niemal, bo Devus był bezlitosnym zabójcą, który go szantażował. W takiej sytuacji najchętniej oddałby go w ręce poszukujących go osób.

Pokręcił głową i zamknął szufladę.

– Co ty tu robisz, Gautier?

Aż podskoczył na dźwięk głębokiego barytonu trenera dobiegającego zza jego pleców.

*O, cholera. Już po mnie.*

# ROZDZIAŁ 13

Starając się zachowywać, jakby nigdy nic, Nick odwrócił się do trenera. Trząsł się jak osika. Ciekawe, czy Devus słyszy, jak jego kolana obijają się o siebie, a serce łomocze?

*No, dalej, Nick. Myśl. Lepiej tego nie schrzań.*

Ale w głowie słyszał tylko policję jadącą tu na sygnale, by go aresztować. Oczami wyobraźni zobaczył samego siebie dyndającego w odosobnionej celi więziennej. *No nie, tylko mi nie mówcie, że właśnie zaczęła działać moja umiejętność przewidywania przyszłości.* Co nie znaczy, że nie chciał się tego nauczyć.

Ogarniała go coraz większa panika.

Zmusił się do zapanowania nad nią, po czym postanowił zastosować najprostszą taktykę.– Bezczelne kłamstwo.

– Czekam na pana, panie trenerze.

Devus przyjrzał mu się groźnie.

– Jak dostałeś się do środka?

*Dobra, pora dokręcić śrubę. Ratuj się, póki możesz.* Przełknął ślinę i odpowiedział:

– Było otwarte.

Zgadza się, bo sam sobie najpierw otworzył. Wcale nie skłamał – gdy wchodził do środka, było już otwarte. Jeśli pominąć jeden ważny szczegół.

W normalnych okolicznościach czułby się źle z powodu kłamstwa, ale jeśli się ma do czynienia z morderczym świrem, to zasady gry zmieniają się diametralnie.

Devus pokonał dzielący ich dystans i stanął oko w oko z Nickiem, by go zastraszyć. Szturchnął chłopaka ramieniem i spojrzał na niego z góry.

– Kłamiesz. Zawsze zamykam drzwi na klucz.

Taktyka trenera nie należała do najrozsądniejszych, zwłaszcza w stosunku do Cajuna z krwi i kości, którego ojciec był zawodowym przestępcą, siedzącym aktualnie w celi śmierci. Cajuna, który nawykł do odważnego stawiania czoła najgorszym typom.

Który nie cofa się, nawet gdy mierzą w niego z naładowanej broni.

Jak często powtarzała jego matka, Gautierowie nie uciekają. Czasem by chcieli, czasem nawet powinni, ale nie uciekają.

Nigdy.

Nick wspiął się na palce, żeby zmniejszyć różnicę wzrostu i się wyprostował. Gniew wziął górę nad strachem... Jak również, zapewne, nad zdrowym rozsądkiem.

– A ja jakoś otworzyłem je bez trudu.

Co właściwie było zgodne z prawdą.

Devus wpadł we wściekłość.

– Po coś tu wlazł?! Czego szukałeś?!

Nie mogąc powiedzieć mu prawdy, Nick wyrzucił z siebie jedyne kłamstwo, które przyszło mu w tym momencie do głowy:

– Zgubiłem listę, którą mi pan wczoraj dał. Potrzebna mi nowa.

Twarz Devusa zrobiła się czerwona jak burak. Nickowi przyszedł na myśl szybkowar, który ma zaraz wybuchnąć.

– Jak mogłeś zgubić tę listę? Jak to możliwe?

Nick wzruszył ramionami z udawaną nonszalancją.

– Moja mama mówi, że zgubiłbym własną głowę, gdyby nie była do mnie przytwierdzona. Wychodzi na to, że ma rację, prawda?

Devus złapał go za poły jego koszmarnej, żółtej koszuli hawajskiej.

– Lepiej mnie posłuchaj, smarkaczu! Czas ucieka i jeśli ci się wydaje, że cię oszczędzę, to się mylisz. Musisz się za to zabrać jeszcze dziś. Jeśli do trzeciej nie będę miał w ręce pięciu przedmiotów z listy, to przysięgam, o czwartej wylądujesz za kratkami. Zrozumiano? A przecież wiesz, co przydarza się chłopakom z tej szkoły, którzy trafiają do więzienia...

Nicka przeszył zimny dreszcz. Wyraz oczy Devusa i jego wykrzywione rysy obudziły w nim złe przeczucia. Jeśli wcześniej miał jeszcze jakiekolwiek wątpliwości w kwestii samobójstwa Dave'a, teraz się ich wyzbył.

Trener był psychopatą.

To on zabił Dave'a.

*Już nie żyję*. Jak się z tego wyplątać?

Rozległo się stukanie do drzwi i chwilę później do środka weszła Casey.

– Panie trenerze?

Trener popchnął Nicka na biurko, po czym stanął między nim a Casey.

– Czego? – warknął do niej.

Nick skrzywił się z bólu, po czym wyprostował się. Chciał być świadkiem tej konfrontacji.

Trzeba było Casey przyznać, że nie cofnęła się ani nawet nie wzdrygnęła, słysząc poirytowany ton głosu trenera. W opiętych dżinsach i czerwonym T-shirtcie z obozu cheerleaderek wyglądała dziś wyjątkowo ślicznie. Zatrzepotała rzęsami jak jakaś trzpiotka idiotka, choć Nick podejrzewał, że to wszystko gra. Posłała trenerowi szeroki uśmiech.

– Pani Dale mnie przysłała, żebym poprosiła pana o grafik na piątkowy wieczór. Chce mieć pewność, o której godzinie podstawione będą autobusy. Przecież baraży nie można zagrać bez cheerleaderek, prawda? Jesteśmy niezbędnym elementem motywacji drużyny. Ciężko pracowałyśmy nad nowymi układami na ten mecz. – Puściła oko do Nicka. – To na pewno podniesie morale zawodników.

Nick nie śmiał skomentować jej słów.

Trener jęknął, po czym podszedł do biurka i otworzył szufladę, którą Nick przeszukał jako ostatnią. *Czy włożyłem wszystko z powrotem do środka?* Ale nawet jeśli coś było nie na swoim miejscu, trener tego nie zauważył – złapał kartkę papieru, po czym zamknął szufladę.

– Już jej to dałem.

Casey wzruszyła ramionami.

– Gdzieś się jej zapodziało.

Trener spojrzał ostro na Nicka.

– Coś często się to tutaj zdarza.

Ignorując tę uwagę, Casey podeszła tanecznym krokiem do biurka i wyjęła trenerowi kartkę z ręki.

– Dziękuję, panie trenerze. – Po czym odwróciła się do Nicka. – Mógłbyś mi w czymś pomóc? Potrzebny mi ktoś wysoki, w każdym razie wyższy ode mnie. – Posłała Devusowi kolejny uśmiech. – Pożyczy mi go pan na chwilkę, panie trenerze?

Jego gniewna mina jeszcze się pogłębiła, gdy zerwał kawałek papieru ze swojej podkładki. Złożył go na pół i podał Nickowi.

– Lepiej nie zapomnij, co masz zrobić. Słyszysz, co mówię?

Nick przytaknął. Zanim zdążył się powstrzymać, odezwały się jego samobójcze skłonności:

– Trzy do piątej, tak?

Nozdrza Devusa się rozszerzyły.

– Pięć. Do trzeciej. Lepiej to sobie zapamiętaj.

– Tak jest.

Nick wsadził sobie kartkę papieru do tylnej kieszeni i w duchu przeklął trenera.

– Dziękuję, panie trenerze – zaszczebiotała Casey, przytrzymując drzwi Nickowi, którego ta sytuacja przyprawiła o mdłości.

Jak się z tego wyplątać?

Casey poprowadziła go w stronę sali gimnastycznej. Jednak zamiast tam wejść pociągnęła go do wnęki, w której stały automaty z napojami. Mieli tam trochę prywatności. Po szkole kręciło się coraz więcej uczniów.

– Nic ci się nie stało?

Troska w jej głosie zaskoczyła go. Można by pomyśleć, że jej naprawdę na nim zależy. To jednak było niemożliwe.

– Nie, a czemu?

Dostrzegł panikę w jej oczach, gdy spojrzała w stronę gabinetu Devusa.

– Bałam się, że on ci zrobi krzywdę, Nick. Coś ty narozrabiał?

Przecież nie jest taki głupi, by odpowiedzieć na to pytanie... No dobrze, bywały chwile, gdy był tak głupi.

Ale to nie była jedna z nich.

– Nic takiego.

– Nick – zbeształa go. – To nie było nic takiego. To była czysta, nieskrywana wściekłość. Masz szczęście, że ci nie złamał na nowo ręki.

Nie po złamaniu ręki dochodził do siebie. Został postrzelony, ale nie miał ochoty wdawać się z nią w dyskusję na ten temat. Spróbował ją wyminąć, lecz nim mu się to udało, wsadziła mu rękę do kieszeni. W mgnieniu oka wyciągnęła z niej kartkę papieru i zaczęła ją czytać.

Żołądek mu się ścisnął na ten widok. Próbował zabrać jej kartkę.

– Oddawaj to.

Odskoczyła niczym trzylatek, któremu rodzice chcą odebrać zabawkę.

– Co to jest?

Rozdrażniony i poirytowany, przestał się za nią uganiać. Zresztą na nic by się to nie zdało, jeśli ona dalej będzie odskakiwać poza jego zasięg. Był coraz bardziej wściekły.

– To moje. Oddawaj. – Spojrzała na niego spod uniesionej brwi. – Oddawaj, to nic takiego.

– Nic? – zapytała podejrzliwie. – To lista różnych... znaczących przedmiotów. Sygnet szkolny Stone'a? Masz pojęcie, ile jego rodzice za niego zapłacili? Gość z firmy, która je wykonuje, zadzwonił do ojca Stone'a do domu, żeby się upewnić, że to nie pomyłka i że naprawdę chcą zamówić coś tak drogiego.

– Mów trochę ciszej, dobra? – syknął do niej Nick.

Podeszła do niego bliżej i powiedziała szeptem:

– Nick, powiedz mi, co się dzieje, albo pójdę z tym prosto do dyrektora. Przysięgam, że tak zrobię.

Tego mu jeszcze potrzeba. Już sobie wyobraził następujący scenariusz:

Nick: Ach, no tak, panie dyrektorze, to lista rzeczy, które mam ukraść. Dał mi ją trener. Jeśli tego nie zrobię, zabije mnie. (Brzmiało to niewiarygodnie nawet dla kogoś, kto wiedział, że to prawda. A co dopiero dla kogoś, kto go nie znosi.)

Trener: Gautier kłamie jak z nut. Sam pan wie, jacy oni są. To tylko nic nie warci złodzieje.

Dyrektor: Zgadza się, to śmieci. Wiecznie knują, co by coś zwędzić i nie ponieść za to kary.

Trener: To może wyręczę pana i zadzwonię na policję.

Dyrektor: Świetnie, to ja sobie usiądę i będę na niego patrzył z góry, gdy pan będzie rozmawiał.

Taka wariacja na ten temat. I bez względu na to, jak dokładnie wyglądałaby ta scena, zakończenie zawsze byłoby takie samo.

Nick martwy w więziennej celi.

Nie, dziękuję.

– Casey... – podjął jeszcze jedną próbę przemówienia jej do rozsądku. – To sprawa między mną a trenerem. Nie wtrącaj się i oddaj mi tę kartkę.

Z sykiem wciągnęła powietrze do płuc i odskoczyła od niego.

– To nie w moim stylu. Zwłaszcza, gdy widzę coś, co mi wygląda na listę zakupów. A na tym to się znam.

No jasne. Zakupy stanowiły sens jej życia.

*Mam przechlapane.*

– Błagam cię, zapomnij o tym, co widziałaś.

– Dlaczego?

Nie miał wyboru, musiał uchylić przed nią choćby rąbek prawdy.

– Bo w przeciwnym razie będę miał poważne kłopoty.

*I jeszcze dziś pożegnam się z tym światem.* Aż się wzdrygnął na tę myśl.

Wpatrywała się w niego uporczywie, jakby próbowała zdecydować, czy może mu uwierzyć.

– Coś mi mówi, że już je masz. Trener chce, żebyś ty też dla niego kradł, prawda?

Nickowi opadła szczęka. Nie spodziewał się, że usłyszy od niej coś takiego.

– Co?

Potrząsnęła buńczucznie głową.

– Nie jestem taka głupia, jak ludzie myślą, wiesz? Nie uwierzyłbyś, o czym przy mnie rozmawiają, zupełnie się nie przejmując moją obecnością.

– Na przykład o tym, kto dla kogo kradnie?

Kiwnęła głową.

– Podsłuchałam, jak o tym rozmawiali kilka dni temu.

Serce zaczęło mu bić szybciej na myśl o tym, że znalazł kogoś, kto mógłby potwierdzić jego wersję wydarzeń przed dyrektorem. Jeśli poprze go kilku dobrych uczniów, ma szansę pociągnąć trenera do odpowiedzialności.

– Kogo?

– Dave'a i Barry'ego.

Poczuł ucisk w żołądku. Niedobrze. Bardzo niedobrze.

– Barry'ego Thorntona?

Przytaknęła.

Obaj przecież nie żyli. No tak, to wszystko nabierało sensu. Trener wykorzystywał, kogo się dało, a potem zabijał, by nikomu o tym nie powiedzieli. Nic dziwnego, że Ash dopatrzył się czegoś dziwnego w ataku na Barry'ego.

Tak właśnie było.

Zwyczajne, ludzkie okrucieństwo, którego dopuścił się tchórz próbujący zatrzeć za sobą ślady. Co za bydlę!

– Znasz kogoś jeszcze? – zapytał, licząc, że jego plan da się jednak zrealizować.

– Nie, tylko ich dwóch.

A niech to...! Właśnie zdruzgotała znowu jego nadzieje.

Nagle jej oczy rozszerzyły się jak spodki.

– Nie myślisz chyba, że miał coś wspólnego z ich śmiercią, co?

Tak właśnie uważał, ale nie zamierzał donosić na członka grona pedagogicznego, wciąż nie mając żadnych dowodów na poparcie swojego podejrzenia.

– Czemu tak mówisz?

– No wiesz, obaj dla niego kradli, a teraz obaj nie żyją. Jakie inne wnioski można z tego wyciągnąć?

Miał ochotę się rozpłakać, bo właśnie dotarło do niego, że jego los jest już przypieczętowany. Umrze jako prawiczek bez grosza przy duszy, nieznający uroków prowadzenia samochodu...

*Czemu? Boże, och, czemu?*

Casey wciągnęła go do jakiegoś pomieszczenia, z dala od gęstniejącego tłumu uczniów, napływających przez tylne drzwi do szkoły.

– Dobra, posłuchaj. Coś mi przyszło do głowy. Może jakoś bym ci pomogła?

Jego umysł od razu wrócił do poprzedniej myśli. *Nie, to by było za dużo szczęścia na raz*. Przecież ona nawet nie wie, dlaczego Nick tak bardzo obawia się przedwczesnej śmierci. Na pewno źle zrozumiał jej intencje.

– Niby jak?

– Zdobyć to, czego potrzebujesz.

Akurat...

– Zwariowałaś? – warknął. – Nie możesz, Casey.

– Oczywiście, że mogę. Nie chcę, żeby cię zabił. To mi się nie podoba.

Tu się z nią zgadzał. Tyle że nie chciał, by ona również zginęła za spełnienie dobrego uczynku. Po co mieliby oboje nawiedzać salę gimnastyczną jako duchy?

– Może moglibyśmy pójść do dyrektora? Mnie nie uwierzy, ale jeśli ty też tam będziesz, to...

– Nie mam żadnych dowodów. Dlaczego miałby mnie posłuchać?

Nick wzruszył ramionami.

– Pochodzisz z dobrej rodziny. Czemu miałabyś kłamać?

– Sama nie wiem. Trener może mu powiedzieć, że ze sobą sypiamy, czy coś takiego. Wiesz, jacy są dorośli. Nigdy nie wierzą ludziom w naszym wieku, zawsze zakładają, że się naćpaliśmy albo wpakowaliśmy w jakieś kłopoty. Jak tylko coś się stanie, natychmiast zrzucają winę na gry komputerowe, w które gramy, kreskówki, które oglądamy, muzykę, której słuchamy, czy coś ezoterycznego. To równie absurdalne, co obwinianie „D&D" czy gier fabularnych RPG.

Miała rację. Większość dorosłych taka właśnie była. Nick wiedział jednak, że Kyrian i Ash by go posłuchali.

I może jeszcze matka...

No i Bubba z Markiem, oni na pewno by mu uwierzyli, tyle że wierzyli też w Wielką Stopę*, zielonych ludzików i wróżkę zębuszkę, więc im z kolei nikt by nie uwierzył. Gorzej, ich udział mógłby podważyć jego wiarygodność w oczach innych.

Tak czy inaczej, nic nie da się zrobić bez dowodów. Wszystko sprowadzało się do tego jednego drobiazgu. Jedynym sposobem na uporanie się z trenerem było przyłapanie go na gorącym uczynku i pokazanie dyrektorowi oraz wszystkim innym, jaki z niego świr.

– Musimy się dowiedzieć, kogo jeszcze szantażuje.

Casey się skrzywiła.

– Niby jak?

– Nie mam pojęcia. Przecież znasz wszystkich w szkole. Nie mogłabyś się czegoś dowiedzieć? A jak dowiedziałaś się o Barrym i Davie?

– Tak samo jak o tobie. Przypadkiem. Rozmawiali, gdy przechodziłam w pobliżu.

Kiepska sprawa. Nie było czasu, by „przypadkowo" dowiedziała się, których jeszcze uczniów Devus prześladuje. Musiałaby kręcić się po korytarzu jak jakiś bezmózgi robot. A i tak pewnie ktoś by ją capnął i musiałaby za to zostać za karę po lekcjach.

---

* Wielka Stopa – mityczne zwierzę, które według niepotwierdzonych relacji żyje w Górach Skalistych i w sąsiednich regionach (USA i Kanada) (*przyp. tłum.*)

Czas zaś mijał. Nick musiał ukraść przedmioty z listy i dostarczyć je trenerowi przed końcem dnia. W przeciwnym razie zapłaci za to głową. Dosłownie.

Ostatecznie, choć bardzo mu się to nie podobało, uznał że musi przystać na wariacki pomysł Casey. Sam nie miał szans tego załatwić. Nie miał szans przeżyć.

*Będę za to skwierczał w piekle...*

– Niech będzie, Casey. Ale niczego nie kradniemy, dobra? Tylko pożyczamy. Ja już o to zadbam, żeby wszystko wróciło do prawowitych właścicieli, jak zakończymy operację. Rozumiesz?

– Skoro tak mówisz. – Zerknęła na listę i dokonała wyboru. – Mogę bez trudu zwędzić szczotkę Shannon i pierścień Stone'a.

Nie żeby w nią wątpił, jednak...

– Poważnie?

Kiwnęła głową.

– No wiesz, ja niby chodzę ze Stone'em. Wystarczy, że się ładnie uśmiechnę do tego idioty, a da mi pierścień. Jego rodzice wyłożyli na niego kupę kasy, ale on ma to w nosie. Dla niego to tylko coś, co leży w pudełeczku albo stanowi symbol mojej przynależności do niego. Nie znoszę tej jego terytorialności. Mam szczęście, że nie chce mnie oznakować w bardziej osobisty sposób.

Błeee. Nad tym Nick nie miał ochoty się zastanawiać. *Jak sobie zasłonić oko umysłu, gdy człowiek ma taką potrzebę?*

Najwyraźniej nie jest to proste.

– Co jeszcze?

– Szczotkę Shannon też mogę pożyczyć bez problemu.

Świetnie. Nickowi pozostawało wybrać coś dla siebie.

– Mogę zapytać Masona, czy pożyczy mi notatki z historii.

Z jakiegoś powodu trener chciał mieć próbkę odręcznego pisma Masona. Nick kompletnie tego nie rozumiał, ale nie zamierzał spierać się z gościem, który skończył studia.

– Co jeszcze? – zapytała.

Nick zerknął na listę i zobaczył kolejną rzecz łatwą do zdobycia.

– Michael wiecznie zostawia szalik w stołówce. Założę się, że znajdę jeden z nich w biurze rzeczy znalezionych.

Ale dlaczego szalik? Nie miał pojęcia. Może stanowił dla trenera substytut kocyka bezpieczeństwa i był mu potrzebny na mecz?

A może trener jest po prostu aż takim dziwakiem?

Casey wskazała kolejny przedmiot na liście.

– Ja mogę zdobyć naszyjnik Kody.

Nick wzdragał się przed tą propozycją. Akurat tego przedmiotu nie miał zamiaru ukraść.

– Nie ma mowy.

– Nie?

– Nie – powtórzył stanowczo.

Tupnęła nogą jak małe dziecko.

– A czemu? Bo sam chcesz go ukraść?

Nie, i nie chciał, by ona zeszła na drogę przestępstwa. Co by potem zrobił – miałby zabrać ją na połowinki w eskorcie policji? Pewnych sytuacji wolał uniknąć, a ta zdecydowanie do nich należała.

– My nie kradniemy, Casey. My pożyczamy.

– Jak sobie chcesz. To ja pożyczę – zrobiła gest cudzysłowu w powietrzu – jej naszyjnik.

I zanim Nick zdążył zaprotestować, już jej nie było.

*Wracaj, ty mała...*

Był jednak bezradny. Zniknęła bez śladu.

Czuł niesmak. Szkoda, że nie mógł przywołać jej z powrotem, nie robiąc przy tym sceny. Niestety, po szkole kręciło się teraz za dużo uczniów, więc nie powinien był też skorzystać ze swoich mocy.

Tłum coraz bardziej gęstniał.

No dobrze. Casey zajmie się później. Teraz musiał znaleźć szalik i pożyczyć próbkę ręcznego pisma.

Pani Grider nie spuszczała z niego swoich małych, czujnych oczek, gdy grzebał w wielkim pudle pełnym rzeczy znalezionych na terenie szkoły.

– Jesteś pewien, że to twój szalik? Jakoś sobie nie przypominam, bym cię kiedykolwiek widziała w szaliku. Kurtki też chyba nie masz. Zawsze nosisz podarte dżinsy, koszmarne koszule dla turystów, które sprzedają za parę groszy w sklepach akcji charytatywnej, i zniszczone buty.

Niezrównana pamięć tej bezwzględnej strażniczki rzeczy znalezionych aż przygniotła Nicka. Musiała mieć z 904 lata, więc można by się spodziewać, że pamięć już nie ta, ale najwidoczniej jedyne, co ją opuściło, to własna osobowość i ludzka przyzwoitość.

– No cóż, pani Grider, gdyby pamiętała pani, co należy do kogo w tej szkole, to chyba nie potrzebowalibyśmy pudła z rzeczami znalezionymi, prawda?

Wbiła w niego ciężkie spojrzenie.

– Mam nadzieję, że ten szalik należy do ciebie. Zanotuję sobie jak on wygląda i kto go bierze.

*Ależ oczywiście.*

– Jeśli ktoś inny się po niego stawi, to powiem mu, kto go zabrał.

Nick uśmiechnął z przymusem, wepchnął sobie szalik do plecaka i wyszedł. *Mamo, czego ja bym dla ciebie nie zrobił?* Gdyby to od niego zależało, wyniósłby się z tej szkoły i poszedł do takiej, gdzie nie byłby pariasem. Do szkoły, gdzie to on byłby normalny, a ludzie tacy jak ci dziwadłami. Ale jego matka chciała, by zdobył możliwie najlepsze wykształcenie. I dlatego tu tkwił.

I miał zostać w tym piekle jeszcze przez kolejne trzy i pół roku.

*Wielkie dzięki, mamo.*

Szedł w stronę swojej szafki, by wymienić książki, gdy coś poruszyło się szybko z jego prawej strony. Wciąż liczył się z zasadzką ze strony Stone'a i jego kolesi, więc odskoczył w lewo i...

Nic.

Zmarszczył brwi i spojrzał skonsternowany na ścianę. Ani śladu tego, co wcześniej dostrzegł kątem oka. Dziwne. Wolny obrót na pięcie na środku korytarza również nie ujawnił niczego poza otaczającym go morzem uczniów.

I wtedy, na jego oczach, wszyscy zaczęli poruszać się w zwolnionym tempie, jak przy replayu podczas transmisji. Wahadełko w kieszeni znowu mu się rozgrzało, a naszyjnik od Marka zaczął wibrować.

Rozdzwoniło mu się w uszach, nozdrza wypełnił obrzydliwy smród.

– Mark, to znowu ty?

Nie był w nastroju na takie numery.

Gdy tylko wypowiedział te słowa, w całej szkole zgasły światła. Krzyki kolegów z klasy brzmiały wręcz ogłuszająco... One również rozciągnęły się w czasie, by dopasować się do ślimaczego tempa poruszania się uczniów.

Ni stąd, ni zowąd jego pierś przeszyła błyskawica. Potem uniosła go i cisnęła w głąb korytarza.

Jak znikąd jego pierś przeszyła błyskawica. Podniosła go do góry i rzuciła przez korytarz.

# ROZDZIAŁ 14

Nick nie był w stanie oddychać. Czuł się tak, jakby pękły mu płuca. Uderzył w sufit nad szafkami z taką siłą, że nie był pewien, czy nie przebił się przez beton i nie pogruchotał sobie wszystkich kości. Nie miał się czego złapać, więc spod samego sufitu spadł prosto na podłogę.

Oszołomiony, leżał chwilę na ziemi, smakując krew, aż coś złapało go za koszulę i popchnęło na ścianę. Niewidzialna pięść przyparła go do niej, a on wierzgał nogami w powietrzu.

– Czy to ty nim jesteś? – Silny, nieludzki głos mówił wprawdzie nie po angielsku, a jednak Nick go zrozumiał. – To ty?

Nim, czyli kim?

Tym, którego buty napełniają się krwią? Zgadza się.

Tym, który zrobił dziurę w ścianie? Zgadza się.

Tym, który skopie temu demonowi tyłek...

Mało prawdopodobne.

Nick zacisnął ręce na trzymających go szponach, próbując odepchnąć od siebie tę istotę. Na nic się to nie zdało. Zupełnie jakby rozdeptał okulary Clarka Kenta*.

– Puść mnie!

Napastnik przyciągnął go bliżej do swojego śmierdzącego, baniastego ciała, żeby lepiej mu się przyjrzeć. A potem przesunął po nim czymś mokrym i oślizłym. Co to było?

Nos?

Tak, to coś wyraźnie go obwąchiwało.

– Błee! Zostaw mnie w spokoju! Czym ty jesteś?

– Czymś paskudnym. Nick, na ziemię.

Ledwie zdążył się skurczyć w uścisku tej istoty, gdy zaatakował ją Caleb w swojej demonicznej postaci. Napastnik stracił nagle całe swoje zainteresowanie Nickiem i odwrócił się do Caleba.

Nick przemknął na drugą stronę korytarza, gdzie było względnie bezpiecznie. Próbował się zorientować, co się dzieje.

Caleb cofnął się krokiem mistrza sztuk walk, okrążył swego przeciwnika, czym zmusił go do obrócenia się, by nie stracić wroga z oczu. Miał na sobie złotą zbroję bi-

* Clark Kent – nieśmiały dziennikarz w okularach pod postacią którego żył na co dzień na Ziemi *Kal-El*, przybysz z planety Krypton znany jako Superman; imię i nazwisko otrzymał od swych przybranych ziemskich rodziców Marthy i Jonathana Kentów (*przyp. red.*)

tewną, która zakrywała absolutnie wszystko, poza jego lśniącymi, złowrogimi oczami węża. Przedstawiał sobą imponujący widok, zwłaszcza z rozpostartymi na plecach skrzydłami. W pochwach umocowanych na ramionach miał dwa skrzyżowane miecze. Obserwując ruchy Caleba, Nick doszedł do wniosku, że w razie potrzeby byłby w stanie dobyć tych mieczy i zatopić je w bestii szybciej, niż ktokolwiek zdążyłby powiedzieć „Liu Kang". No dobra, wyglądem przypominał bardziej Kano*, ale...

Ale Liu Kang brzmiało lepiej.

– Ach, Malphas... – stworzenie wypowiedziało to nazwisko, jakby stanowiło obelgę. – Słyszałem, że Malachai mają jakiegoś przydupasa. Kto by pomyślał, że to ty?

Caleb aż się wzdrygnął.

– To mnie naprawdę zabolało, Bricis. Musiałeś mnie obrazić?

Bricis zignorował to pytanie i wskazał brodą na Nicka.

– Czy to on nim jest?

Caleb dwa razy uderzył się w napierśnik, żeby zwrócić na siebie uwagę owej istoty.

– W tym momencie tylko mną powinieneś zaprzątać sobie głowę.

Bricis rzucił się Calebowi do gardła. Caleb złapał go za rękę, po czym kopniakiem rzucił na ścianę. Nie puszczając ramienia, wykręcił je i wbił głowę Bricisa naj-

* Liu Kang, Kano – bohaterowie gry „Mortal Kombat".

pierw w ścianę, a potem w szafki. Stworzenie ryknęło, po czym wykonało unik i huknęło go wierzchem dłoni.

Walczyli jak Jet Li z Jackie Chanem* podczas historycznego pojedynku na śmierć i życie, tnąc, uderzając, atakując i robiąc uniki. Był to piękny, choć makabryczny taniec w rytm melodii, którą słyszeli tylko oni. Nick był pod wrażeniem ich umiejętności.

Rany, gdyby tak potrafił choć szczyptę tego...

Tak przynajmniej myślał do chwili, gdy Caleb pchnął Bricisa ostrzem i rozciął mu ramię. W chwili, gdy śmierdząca krew potwora trysnęła na ziemię, wyrośli z niej demoniczni pomocnicy i rzucili się na Caleba.

Oj, niedobrze.

Nick nie miał zamiaru pozwolić koledze zginąć podczas próby ochronienia go przed atakiem. *Pora zakasać rękawy.*

Rany, co też mu chodzi po głowie? To przecież nie to samo, co stawić czoła ludzkiemu trenerowi. *Zaraz dostaniesz od nich takiego kopa, że trafisz we wczesne średniowiecze. A może nawet do epoki kamienia łupanego. Te stwory mają zębiska jak piranie.* I wgryzały się właśnie w ciało Caleba.

*Odwagi, Nick, przecież nie jesteś jakąś tchórzliwą myszką!*

---

* Jet Li i Jackie Chan zagrali razem w filmie *Zakazane królestwo*, amerykańsko–chińskim przygodowy film fantasy z 2008 roku w reżyserii Roba Minkoffa (*przyp. tłum.*)

*Pip, pip.*

Właśnie. Nie był tchórzem. Wziął głęboki wdech, przygotował się na kolejną dawkę bólu i rzucił się na demony. Pierwszemu z nich wbił pięść w brzuch.

Stwór zaśmiał się tylko, jakby go to ledwie połaskotało.

A niech to! Będzie bolało, i to porządnie.

Gdy jednak demon rzucił się na niego, zdarzył się cud. Ta sama moc, która przejęła nad nim kontrolę, gdy walczył z mortentami, powróciła teraz ze zdwojoną siłą.

– Nie, Nick! Przestań! – zawołał Caleb.

Łatwo powiedzieć. Czymkolwiek była ta moc, przeszywała go, sprawiała, że włosy stanęły mu dęba, i otoczyła go miękką, ciepłą, świetlną otoczką. Jakby jakaś część jego istoty tego właśnie pragnęła, jakby podłączył się do tego niczym głodne niemowlę do butelki mleka. Potrzebował tego... Cokolwiek to było.

Caleb odezwał się w języku, którego Nick nie potrafił rozszyfrować. Nagle w jego dłoniach pojawiła się peleryna.

Nick, który właśnie bił się z pomiotem demona, został wepchnięty do szafki.

– Ejże! – wrzasnął do Caleba. – Nie jestem Madaugiem! Co ty wyprawiasz?

Na zewnątrz słyszał odgłosy dalszej walki Caleba z Bricisem i jego pomagierami.

– Gdzie on się podział, Malphas? – zapytał Bricis, jakby nie słyszał krzyków Nicka dochodzących z szafki.

Caleb wyciągnął miecze i wywinął nimi w powietrzu. To był piękny, perfekcyjny pokaz siły i umiejętności.

– Niech cię o niego głowa nie boli. Nie jest tym, za kogo go uważasz.

Bricis prychnął z powątpiewaniem.

– Nie broniłbyś go, gdyby tak było.

– Nie znasz mnie. Nic a nic.

Bricis się roześmiał, a jego pomiot rzucił się znowu na Caleba, okładając go ze wszystkich sił.

Nick próbował wyplątać się z peleryny i wrócić do walki, ale im bardziej się szarpał, tym ciaśniej peleryna owijała się wokół niego. Gdy chciał znowu zawołać Caleba, peleryna zatkała mu usta.

Co, do...?

Był rozzłoszczony i zdesperowany, ale nie miał wyboru, musiał znieść to poniżenie i patrzeć, jak Caleb walczy samotnie.

*Muszę coś zrobić.* Zaraz, coś mu przyszło do głowy.

– Ambrose!

*Wiem, czego ode mnie chcesz, Nick. Nie mogę się wtrącać.*

Nick dobrze wiedział, że to nic nie da, ale i tak nie przestawał się szarpać.

– Co znaczy, że nie możesz się wtrącać?

*Są pewne zasady. Jeśli pomogę Calebowi, ty znajdziesz się w jeszcze większym niebezpieczeństwie. Nie obraź się, ale jesteś dla mnie dużo ważniejszy niż on.*

– Mam w nosie siebie. Caleb to mój przyjaciel. Nie chcę, by stała mu się krzywda, bo próbował mi pomóc.

Ambrose aż prychnął. *Caleb wcale nie jest twoim przyjacielem. Lepiej o tym pamiętaj albo srogo tego pożałujesz.*

Nick nie wierzył w ani jedno jego słowo. Wiedział swoje.

– A skąd mam wiedzieć, że to nie ty mnie okłamujesz, co?

Wyczuł, że Ambrose jest nim zdegustowany. *Znowu będziemy się w to bawić? Mam już dość. Nic dziwnego, że zawsze wyprowadzasz Kyriana z równowagi. Aż dziwne, że jeszcze cię nie zabił.*

Nicka przeszył dreszcz.

– Znaczy?

*Cierpliwości, Nick. Bądź cierpliwy. Caleb sobie poradzi sam. Uwierz mi. Walczył z większymi, groźniejszymi i straszniejszymi przeciwnikami.*

Odgłosy walki brzmiały w jego uszach zgoła inaczej. Miał wrażenie, że to prawdziwa jatka.

Nachylił się do przodu, żeby wyjrzeć przez metalowe szczeliny w drzwiach szafki. Korytarz i ściany były zbryzgane krwią. Krew z licznych ran płynęła szeroką strugą spod zbroi Caleba.

*Słuchaj, młody. Nie mogę tu zostać. Im dłużej tu jestem, tym niebezpieczniej się robi.*

– Tchórz! – Było już jednak za późno, Ambrose zniknął. – No, leć, leć. Jesteś zupełnie taki sam jak twój braciszek, ty nędzny śmieciu! Zostawiłbyś przyjaciela na pewną śmierć. Przyprawiasz mnie o mdłości!

Ambrose go zignorował.

Niech mu będzie. Nick miał to w nosie. Stryj był taką samą świnią jak jego ojciec. Jeden wart drugiego.

Nagle na zewnątrz zapadła cisza. Nachylił się i wyjrzał, żeby sprawdzić, co się dzieje.

Na przeciwległej ścianie zrobionej z pomalowanych na niebiesko pustaków skwierczała i dymiła wielka zielona plama. Pomiędzy tą plamą a zakrwawioną sylwetką Caleba na podłodze wyłożonej rudymi płytkami dojrzał mnóstwo fioletowych plam. Caleb oddychał z trudem, ściskając mocno swój zakrwawiony miecz. Spojrzał prosto na Nicka. Złożył skrzydła, a jego zbroja przemieniła się w zwykłe ubranie. Opadły z niego łuski i odsłoniły ludzką skórę. Jako ostatnie zmieniły się te upiorne, wężowe oczy, które przed chwilą promieniały tak jasno.

Caleb przeczesał sobie włosy dłonią, po czym zbliżył się do szafki i otworzył ją.

Nick wypadł na podłogę u jego stóp.

Demon cmoknął z niesmakiem i wbił w niego ciężkie spojrzenie.

– Czy to naprawdę było konieczne?

Nick próbował odpowiedzieć, ale usta nadal miał zatkane peleryną.

– Wiem, że jeszczc tego pożałuję, ale…

Strzelił palcami i uwolnił Nicka.

Chłopak zerwał się na równe nogi, gotów go udusić. Odrzucił pelerynę na bok.

– Coś ty sobie myślał…?! – Przerwał, bo dotarło do niego, że Caleb jest poważnie ranny. – Stary, nic ci nie jest?

– Daj mi chwilę na opanowanie bólu, a potem uwolnię innych.

– Uwolnisz…? – Nick znowu się zawahał, bo zauważył, że otaczający ich uczniowie poruszają się w tak zwolnionym tempie, że ledwie można było dostrzec jakikolwiek ruch. Wyglądało to tak, jakby czas się dla nich zatrzymał. – Co się dzieje?

– To to samo, koncept, dzięki czemu kiedyś nauczysz się latać. Czasem można manipulować, można też niezauważenie przemieszczać się w jego strumieniu. Zwolniłem czas, żeby móc stanąć do walki i żeby oni wszyscy nie wpadli w panikę i przy okazji nie ucierpieli.

Nick kompletnie osłupiał. Naprawdę da się coś takiego zrobić?

Mocna rzecz.

Z wyjątkiem plamy na ścianie. Wskazał ją nią głową.

– Co to było?

Caleb oparł się o ścianę.

– Pograniczny Łowca. I to wyjątkowo wredny.

– Szukał mnie?

– Nie. – Caleb otarł ręką pot z czoła. – Kogoś innego.

– Mnie powiedział coś innego. W kółko pytał, czy to ja nim jestem.

Caleb spojrzał na niego uważnie.

– Chodziło mu o coś innego, nie o ciebie. W ogóle by się tobą nie zainteresował, gdybyś się przed nim nie obnażył.

*Że co? Przecież trzymałem go w spodniach.*

– Znaczy?

Caleb wskazał na pozostałości po bitwie.

– Nie wolno ci używać swoich mocy, jeśli nie ma z tobą kogoś, kto może cię chronić. Do cholery, Nick! Mogłeś zginąć, rozumiesz? Gdy ci coś mówię, masz słuchać, ty idioto.

Przypomniało mu się, co Ambrose powiedział na temat lojalności Caleba.

– A co cię to obchodzi?

Caleb się skrzywił. W tej minie było coś iście demonicznego.

– Nie obchodzi mnie. Poważnie. Gdy umrzesz, odzyskam wolność. Dla mnie to byłby piękny dzień.

– No, to czemu mnie chronisz?

Caleb odwrócił od niego wzrok, jakby robiło mu się niedobrze na sam jego widok.

Nick musiał jednak poznać odpowiedzi na swoje pytania. I nie miał zamiaru odpuścić.

– Czegoś mi nie mówisz. Czego?

– To jak fabuła kiepskiego filmu, Nick. Urodziłeś się obciążony największym przekleństwem i największym błogosławieństwem spośród wszystkich istot. Jesteś paskudztwem, które nigdy nie powinno zaistnieć, a jednak żyjesz, niczym bezbronne niemowlę, które nie rozumie świata, który je wydał. Nie rozumie swojej mocy ani tego, do jakiego zniszczenia jest zdolne. Twoim przeznaczeniem jest zabić wszystkich, którzy cię kochają. Wszystkich, których ty kochasz.

Na dźwięk słów Caleba serce zaczęło walić mu jak młotem.

Nie, to nieprawda. Nie mógł w to uwierzyć. Nigdy nie zabiłby ludzi, których kocha. Nie jest taki.

– Okłamujesz mnie – rzucił oskarżycielsko w stronę Caleba.

– Mówię prawdę. Jesteś zarazą, Nick. Jak ospa czy…

– Przestań, Malphas! Ani się waż.

Nick rozdziawił buzię, słysząc rozwścieczony głos Kody. Kompletnie osłupiał na jej widok. Zbliżała się do nich od strony południowego korytarza.

Czemu nie zamarła, jak cała reszta szkoły? Poruszała się równie swobodnie co oni obydwaj.

Gdy stanęła obok nich, Caleb posłał jej szydercze spojrzenie.

– Sugerowałbym, żebyś nas zostawiła samych. Ciebie to nie dotyczy.

Ta szorstka próba zbycia jej rozbawiła ją tylko.

– Oczywiście, że mnie dotyczy. Co próbujesz zrobić?

– On musi poznać prawdę. Nie tę wyidealizowaną. Musi znać czystą, nieupiększoną prawdę na temat tego, czym jest i co zrobi w przyszłości. Gdybyśmy mieli choć trochę oleju w głowie, zabilibyśmy go już teraz i oddali światu przysługę.

Wyciągnęła w jego stronę rękę.

– Może byś posłuchał samego siebie, co?

– A nie podcięłabyś mu gardła, gdyby ci kazano? No, dalej, Nekodo. Powiedz mu, dla kogo pracujesz.

Jej oczy pociemniały z przerażenia. Bała się spojrzeć na Nicka.

Kiepsko. A już myślał, że jest ktoś, komu może ufać. Okazało się, że oboje są…

Czym?

– Kody? Czy ty też jesteś demonem? – zapytał Nick, który za wszelką cenę chciał się dowiedzieć, z kim ma do czynienia.

– Nie – odpowiedział Caleb bez tchu. – Ona należy do istot, przy których my możemy uchodzić za łagodne stworzenia.

Nick przełknął ślinę, gdy dotarło do niego, co to oznacza. Jest coś gorszego od demonów? Otrzeźwiał na tę myśl.

– No to czym jesteś?

Caleb spojrzał na nią z uśmieszkiem wyższości.

– Ludzkość nie zna słowa na określenie gatunku, do którego ona należy. Ona niesie agonię.

Kody wbiła w niego ciężkie spojrzenie.

– A ty? Co powiesz o sobie, co?

– Jednym słowem? Że jestem przeklęty.

Nick miał już tego dość.

– Spadam stąd.

Zanim zdążył się ruszyć, oboje wyrzucili ręce przed siebie, sprawiając, że zastygł.

Poczucie, że jest jak mucha, która złapała się na lep, zaczynało go już trochę nużyć. Jeśli nie przestaną, zacznie ich rozliczać za czas zmarnowany na ich nonsensy.

Kody pokręciła głową.

– Inaczej sobie wyobrażałam moment, w którym Nick się dowie, kim jestem. Miałam działać incognito. Dzięki, że mnie wyautowałeś, Malphas.

Ukłonił się przed nią szyderczo.

– Cała przyjemność po mojej stronie. Wszystko bym zrobił, byle tylko zatruć twój dzień.

Spojrzała znacząco na jego krocze.

– Uważaj, bo ja ci zatruję noce, kochasiu. I to na całą wieczność.

Caleb aż prychnął.

– Powiedz mi coś, czego nie wiem. Zresztą i tak nie mam na to czasu.

– Nie rozumiem, co ty sobie myślisz – oznajmiła z odrazą. – Jak możesz być tak zimny po tym wszystkim, co się stało.

– Jestem zmęczony. W odróżnieniu od ciebie, Nekodo, ja nigdy nie mam urlopu od swojej piekielnej egzystencji. Zresztą nie rozumiem, po co wykonujemy ten idiotyczny taniec, skoro oboje wiemy, jak to się skończy. Przepowiednia to przepowiednia. Nigdy nic się nie zmienia. Nic.

Ona była innego zdania.

– Ludzka wola to najsilniejsza ze znanych mocy. Niektórzy rodzą się zwycięzcami, inni rodzą się zdeterminowani, by zwyciężać. Tym pierwszym to się po prostu przydarza, podczas gdy ci drudzy pracują na to ze wszystkich sił. Nikt ich tego nie pozbawi. Nic ich nie zniechęci.

Caleb przewrócił oczami.

– Naprawdę wierzysz w to, co wygadujesz?

– Tak.

– Spójrz mi w oczy i powiedz, że nigdy nie miałaś wątpliwości.

Skrzywiła się.

– Oczywiście, że miałam. Bez wątpliwości nie ma wiary.

Caleb pokręcił głową i obszedł ją z boku.

– A ja mam już dość twojej gadaniny. Poważnie. Zmień płytę, skarbie.

Kody nie próbowała zatrzymać Caleba. Zostali z Nickiem sami.

– Co się dzieje, Kody? Kim właściwie jesteś? Co tutaj robisz?

Robiła wrażenie przybitej.

– Myśl o mnie jak o strażniczce.

– Ale czego?

– Nie mogę ci tego powiedzieć. Zabroniono mi.

Jak wszystkiego ostatnimi czasy. Już mu się z wolna zaczynało przejadać, że nie zna odpowiedzi na żadne pytania.

– Jesteś tu, żeby mnie zabić?

Pokręciła głową.

– Jestem obserwatorem. Donoszę innym o twoich postępach.

– Co?

– To prawda, Nick. Podobnie jak Caleb, jestem tu, by mieć cię na oku, ale z zupełnie innych powodów. Musimy mieć pewność, że pozostaniesz człowiekiem i że twoje uczucia nie obumrą.

– Czemu?

– Bo jeśli przestanie ci na kimkolwiek lub czymkolwiek zależeć, staniesz się pionkiem i niewolnikiem najmroczniejszych mocy, które kiedykolwiek istniały. A gdy to nastąpi, zniszczysz cały świat.

# ROZDZIAŁ 15

Nie każdego dnia człowiek dowiaduje się, że jego przeznaczeniem jest zniszczenie całego świata. To, co Nick usłyszał, wprawiło go w otępienie. Czuł się zagubiony. Ludzie wokół ledwo się poruszali. Miał wrażenie jakby świat zwolnił, a on próbował go dogonić.

– Co ty wygadujesz? – zapytał Nekodę, próbując odzyskać kontrolę.

– Mówię prawdę, Nick. To dlatego tyle różnych istot depcze ci teraz po piętach. Jeśli uda im się ciebie złapać, dopóki jeszcze jesteś słaby, wykorzystają twoją moc do własnych celów.

– Nie pozwolę im na to.

Nachyliła ku niemu głowę.

– Właśnie po to tu jesteśmy, by o to zadbać. Caleb i ja opiekujemy się tobą. On stoi na straży twojego ciała, a ja umysłu.

Że co?! Pomijając fakt, że był szurnięty, jego umysłowi nic nie brakowało. Po co mu opiekun?

– To nie ma sensu.

– Owszem, ma. Sam się nad tym zastanów. Tylko dzięki swojej dobroci i wolnej woli jeszcze się nie poddałeś i nie utraciłeś zdolności odczuwania. Musisz mocno się trzymać tej części swojego jestestwa.

– A jeśli nie?

– Znasz odpowiedź na to pytanie.

Zabije wszystkich. Unicestwi wszystkich ludzi wokół siebie. Pokręcił głową.

– Chyba nieszczególnie mi się to podoba. Nie chcę mieć takiej mocy. Zabierz ją ode mnie.

– Nie mogę. I nikt nie może tego zrobić. Zresztą teraz jeszcze jej nie masz. Jesteś tylko embrionem.

Może jeszcze nie jest za późno. Może…

– W takim razie niczego się nie nauczę.

Jeśli nie zaakceptuje swoich mocy, to nikt nie będzie mógł ich wykorzystać, nawet on sam. To powinno zapewnić wszystkim bezpieczeństwo.

Kody nie miała jednak dla niego litości.

– Musisz. Jeśli to odrzucisz, los i tak w ten czy inny sposób zmusi cię do tego a ludzie, których kochasz, i tak za to zapłacą. Musisz stać się na tyle potężny, by ochronić samego siebie i bliskich ci ludzi. To twoja jedyna nadzieja. Nasza jedyna nadzieja. Rozumiesz, Nick?

– Nie, nie rozumiem.

Czuł się tak, jakby cały świat walił mu się na głowę. Dyrektor szkoły aż się rwie, by posłać go za kratki. Trener chce go zabić. Szef jest nieśmiertelnym pogromcą wampirów. Dwaj najlepsi koledzy są nieźle szurnięci, a od swojej niby-dziewczyny właśnie dowiedział się, że jest chodzącą bombą zegarową, która wysadzi świat w powietrze.

*Jestem za młody na takie historie.*

Był tylko dzieciakiem.

Nie mógł złapać tchu. Spojrzał Nekodzie w oczy.

– Chcę się cofnąć w czasie i znowu być normalny. Chcę o tym wszystkim zapomnieć. Chcę spędzać całe godziny, grając w durne gry komputerowe i...

– Nick, nigdy nie byłeś nieodpowiedzialny i dobrze o tym wiesz.

To prawda. Ale...

Mógłby się tego nauczyć. Chciał się tego nauczyć.

*Przestań.* Niemal od momentu narodzin musiał się troszczyć o swoją matkę. Musiał być jej opiekunem.

I...

Zaklęcie, które rzucono na jego kolegów ze szkoły, przestało działać. W okamgnieniu wszystko wróciło do normy, towarzyszył temu wściekły, głośny szum. Nikt z uczniów nie zdawał sobie sprawy z tego, że przed chwilą miał tu miejsce morderczy bój. Pędzili korytarzem, żeby zdążyć do klas przed dzwonkiem. Nikt z nich nie dostrzegał śladów walki, które zresztą szybko znikały. Nick miał poczucie, że to tylko zły sen.

Jednak nie dla niego.

Był pewien, że już nigdy nie będzie normalny.

*To kłamstwo. Ona ci miesza w głowie.*

Ale w głębi ducha wiedział, że to nie było kłamstwo. Czuł, że to prawda.

*Nie zrobię tego. Nie zrobię.*

*To samo powiedziałeś o kradzieży i sam popatrz, co robisz?*

Przy odpowiedniej motywacji ludzie są zdolni do wszystkiego. Bubba powtarzał to jak mantrę. Nawet świątobliwego pustelnika można by skłonić do przemocy, gdyby go odpowiednio podejść.

Nick nie był nigdy pewien, czy to właściwe porównanie, choć z drugiej strony…

– Muszę chwilę odsapnąć.

Kody zrobiła krok w jego stronę.

– Chcesz, żebym zatrzymała…

– Nie! – warknął, przerażony tym, co mogłaby zrobić. – Nie chcę żadnego czary-mary ani nic z tych rzeczy. Chcę tu po prostu posiedzieć przez chwilę i zebrać myśli.

Rozległ się dzwonek.

Musiał iść do klasy i zacząć swój normalny dzień. Miał listę rzeczy, które musiał ukraść dla trenera…

Teraz było to śmiechu warte, jeśli wziąć pod uwagę, co się działo.

– Można mnie zabić? – zapytał Nekodę, zastanawiając się, kim i czym właściwie jest.

– Tak.

– A co się stanie, kiedy umrę?

– Szczerze mówiąc, nie jesteśmy do końca pewni. Poza tym, że moce twojego ojca będą nadal rosnąć, aż...

– C-c-c-cooo? Mój ojciec?

Potwierdziła skinieniem głowy.

– A jak myślisz, gdzie to wszystko ma swoje źródło? Urodziłeś się na następcę swojego ojca. Gdy już nic nie będzie ci grozić, będzie musiał się poddać.

– Poddać się czy umrzeć?

– Jeśli nie odda dobrowolnie swojego tytułu, to zostanie zabity.

No, to przynajmniej wyjaśniało, dlaczego ojciec aż tak go nienawidził. W porównaniu z wszystkim, czego Nick właśnie się dowiedział, to akurat poprawiło jego samopoczucie. Po raz pierwszy w życiu wydawało mu się, że rozumie swego ojca.

I...

– To, co mój tata powiedział policji o atakujących go demonach...

– Jest prawdą. Te same siły teraz polują na ciebie.

– Z drogi, Gautier, śmieciu jeden. – Przechodzący obok Stone szturchnął go z całej siły.

Nick chciał za nim ruszyć, ale Nekoda zatarasowała mu drogę.

– Właśnie takie reakcje sprawią, że poniesiesz klęskę. Ściągną na ciebie wrogów. Czy Stone jest tego wart?

Nie.

*A może?*

– A co z moją mamą?

– Już znasz odpowiedź na to pytanie.

Ją również musiał ochronić. Od zawsze był głową rodziny.

– Gdybym umarł...

– Twój ojciec spłodziłby kolejne dziecko. I nie byłoby tak ludzkie jak ty. Nie byłoby tobą. To dzięki matce jesteś wyjątkowy, Nick. Kolejna kobieta Adriana nie przypominałaby jej. Wszyscy łączymy w sobie najważniejsze cechy naszych rodziców, ich przeszłości. Odbijają się w nas okoliczności, w których nas wychowano. Wszystko, co nam się przydarza, dobrego i złego, pozostawia trwałe ślady w naszych duszach. Wyeliminuj jeden element tej układanki, a może się zmienić coś niezwykle ważnego. Ogólnie rzecz biorąc, nie kształtują nas bynajmniej rzeczy wielkie. To te małe, codzienne sprawiają, że jesteśmy tacy, jacy jesteśmy. I jacy będziemy.

Aż mu dudniło w głowię od wysiłku, jaki wkładał w zrozumienie tego wszystkiego.

– To mnie przytłacza.

– To przytłacza większość z nas, Nick. Na zewnątrz może robimy wrażenie spokojnych i opanowanych, ale większość z nas żyje na krawędzi załamania nerwowego. Wiesz, dlaczego Bubba codziennie ogląda *Oprah*?

– Bo ma nierówno pod sufitem?

– To był ulubiony program jego żony. Oglądała go, gdy umarła.

Oniemiał wcale nie mniej niż wtedy, gdy się dowiedział, kim tak naprawdę jest.

– Bubba był żonaty?

– I miał dziecko.

Rozdziawił usta. Bubba ojcem? Jak to możliwe, że Nick nic o tym nie wiedział.

– Odeszła od niego?

– Nie z własnej woli. Była w domu, miała zwolnienie. Zajmowała się dzieckiem, gdy ktoś włamał się i zabił oboje. Bubba znalazł ich po powrocie z pracy. Wkrótce potem przeszedł załamanie nerwowe. Rzucił świetną, dobrze płatną posadę i otworzył sklep, by w ten sposób dostarczać ludziom broń, niezbędną do ochrony tego, co dla ludzi najcenniejsze. Dlatego włóczy się po nocach, rozglądając się za drapieżnikami polującymi na niewinnych. To dlatego nie może spać i robi wrażenie takiego obsesjonata. Bo nim jest.

Wyjaśniało to również, czemu organizował wieczorne sesje, podczas których uczył sztuki przetrwania. Dlatego prowadził zajęcia z samoobrony, na które zapraszał przede wszystkim kobiety i dzieci. Dlatego czasem trzymał się od wszystkich z daleka.

Wszystko to nabrało teraz dla Nicka sensu.

Zrobiło mu się słabo na samą myśl o tym, co spotkało Bubbę.

– Ale to przecież nie były żadne tam drobne decyzje, ale naprawdę znaczące.

– Patrzysz na to z szerszej perspektywy, tymczasem na całą sytuację składają się szczególiki. To jak ten obraz przedstawiający piknik na plaży. Z większej odległości widzisz dopracowany wizerunek, ale gdy podejdziesz bliżej, zobaczysz maleńkie dotknięcia pędzla. To z nich składa się całość. Żona Bubby wyszła wcześniej z pracy i poszła prosto do domu, a nie do lekarza. Postanowiła zabrać dziecko od niani i odłożyć zrobienie zakupów spożywczych na później. Poprosiła też Bubbę, by wrócił wcześniej do domu, ale on stwierdził, że musi zostać w pracy. Gdyby tylko jeden z tych elementów uległ zmianie, całe jego życie wyglądałoby zupełnie inaczej.

– Czyżby? – zapytał. Nekoda spojrzała na niego z uniesioną brwią.

– Gdyby zostawiła dziecko u niani, i tak by zginęła. Więc co to miało zmienić?

– Mając niemowę na utrzymaniu, Bubba nie poświęciłby się tak sklepowi. Skupiłby się na dziecku, to ono stałoby się całym jego światem.

– Skąd to wszystko wiesz?

– Zajrzyj we własne serce. Znajdziesz tam odpowiedź.

Tak zrobił, ale nie umiał jeszcze tego zaakceptować.

Nekoda nachyliła się i szepnęła mu do ucha.

– Tamtej nocy, gdy cię postrzelono... Gdybyś nie poszedł wtedy do mamy, tylko prosto do domu, jak ci kazała, nigdy nie poznałbyś Kyriana. Twoja mama nadal pracowałaby...

– Rozumiem.

Gdyby nie postawił się wtedy Alanowi, Kyrian nie ocaliłby mu życia. Pozostałby dla niego tylko jeszcze jednym drobnym zbirem.

Jedna – wydawałoby się – nieznacząca decyzja.

Jedno wydarzenie, które odmienia całe życie.

– Skąd wiadomo, kiedy nadchodzą te ważne momenty?

– Właśnie po to musisz się nauczyć panować nad swoimi mocami. Słyszałeś, że przezorny zawsze ubezpieczony, i to prawda. Wiedza jest potęgą. Rozumiejąc niuanse otaczającego cię świata i to, jak nie dać się pokusie, panujesz nad wszystkim. Panujesz nad sobą samym.

– Pan własnego przeznaczenia.

– Właśnie.

– Pan własnego przeznaczenia? Czyżby, panie Gautier? – Zakpiła z niego pani Richardson, która właśnie do nich podeszła. – Jedyna rzecz, na którą będziesz miał wpływ, to fakt że pozostaniesz w szkole po lekcjach. Spóźniłeś się. Oboje się spóźniliście. – Podała im formularze. – A teraz biegiem do klasy, zanim Kopciuszek zamieni to w zawieszenie w prawach ucznia.

Nick westchnął sfrustrowany. No, pięknie.

Nekoda ścisnęła go za rękę.

– Wszystko będzie dobrze, Nick. Masz mnie i Caleba. My cię nie opuścimy.

– Nadal mi nie powiedziałaś, czym jesteś. Więc?

– Twoim przyjacielem. Tylko to się liczy.

*Najgroźniejszy nie jest ten wróg, który atakuje z zewnątrz.* Nie miał pojęcia, czemu ta myśl przebiegła mu przez głowę. Czyżby podświadomość próbowała mu coś powiedzieć?

A może po prostu cierpiał na paranoję?

Dlaczego życie jest tak cholernie brutalne? Czemu każdą decyzję podejmuje się z takim trudem? Brakowało mu już sił do tego wszystkiego, więc po prostu ruszył do klasy. Próbował choć trochę uporządkować myśli.

Cały czas powracał jednak do tych samych pytań. Czy coś, co narodziło się z ciemności, może służyć dobru? Co czyni człowieka złym?

Czy takim się rodzi, czy też staje?

Czy to człowiek ma kontrolę nad swoim losem, czy należy ona do kogoś innego?

Można zwariować, kiedy próbuje się to wszystko rozgryźć. Nick zdecydowanie czuł się tak, jakby miał zaraz postradać zmysły. A przecież musiał zebrać przedmioty, które – jak wiedział – posłużą złemu celowi. *Podjąłem niesłuszną decyzję.*

I jaki jednak miał wybór?

Nie mógł iść do więzienia i nie mógł pozwolić trenerowi żerować dalej na ludziach. Ktoś musi go powstrzymać. Nick postanowił, że będzie udawał współpracę, by zdobyć dowody potrzebne do powstrzymania nieprawości trenera.

A potem znajdzie sposób na powstrzymanie własnej.

O trzeciej Nick stał w gabinecie Devusa i czuł się jeszcze gorzej niż rano. Nie miał pojęcia dlaczego, ale czuł się tak, jakby sprzedawał własnych braci, jakby oddawał kolegów z klasy na rzeź.

Idiotyzm, prawda?

A jednak nie mógł się pozbyć tego wrażenia.

– No, co tam masz, Gautier?

– Okropną niestrawność, proszę pana – odparł z sarkazmem, czym nie zyskał sobie przychylności Trenera Grabieżcy.

– To, co, mam wezwać dyrektora?

– Nie.

Nick opróżnił kieszenie i wyłożył ich zawartość na biurko. Szczotka do włosów, dwie próbki pisma od dwóch uczniów z listy, szalik oraz…

Zawahał się, zanim wyciągnął pierścień, który Casey dała mu po lunchu. Powiedział jej, by wstrzymała się na razie z naszyjnikiem Kody. Casey nie miała pojęcia, jakie to właściwie wyzwanie, ale Nick nie chciał ryzykować, że Nekoda wypruje jej wnętrzności na korytarzu, a z niej samej pozostawi tylko kolejną plamę na ścianie.

Spojrzał na masywny pierścień, który trzymał w dłoni. Lśnił w przyciemnionym świetle. Kamień osadzony w środku był intensywnie czerwony, jak krew, otoczony małymi brylancikami, które delikatnie migotały. W odróżnieniu od pozostałych przedmiotów, z którymi jego sumienie jakoś mogło sobie poradzić, w tym przypadku prawda była bezsporna – to była kradzież. Poczucie winy rozdzierało Nicka. Myślał, że jest taki sam jak własny ojciec. Nienawidził trenera przede wszystkim właśnie za to poczucie.

*Nie stanę się kimś takim.*

Teraz jednak, w tej właśnie chwili...

Był nim.

Nick skrzywił się i wyciągnął rękę przed siebie. Tak mu zależało, by żadnego z tych przedmiotów nie dawać Devusowi w szkole, ale...

Trener z uśmiechem wziął od niego pierścień.

– Grzeczny chłopiec. Załatwiłeś sobie odroczenie wyroku. A teraz idź i zdobądź pozostałe rzeczy z listy albo cię wykończę.

Zadawanie bólu sprawiało mu wyraźną przyjemność. *Jak mojemu ojcu.* To porównanie wstrząsnęło Nickiem. Niestety, nic nie był w stanie na to poradzić. Za piętnaście minut lekcje się skończą i będzie musiał gnać na cmentarz St. Louis na następną lekcję z Grimem.

Uczeń odwrócił się do wyjścia, ale trener zatrzymał go.

– Coś ci powiem, Gautier. Daruj sobie dzisiejszy trening i lepiej zatroszcz się o to, bym miał kolejne cztery przedmioty na jutro rano, dobra?

– A jeśli nie?

Ton głosu trenera wyraźnie wskazywał, że to było ultimatum.

– Masz głowę na karku. Znasz odpowiedź.

*Pójdę do więzienia i umrę.*

– Mogę o coś zapytać?

– O co?

– Czemu wybrał pan do tego mnie?

– Bo jesteś tylko żałosnym śmieciem, który nie ma nic do stracenia. Gdybyś jutro umarł, nikt by nawet nie zauważył, że zniknąłeś.

Nick zacisnął zęby. To nieprawda. Życie jego matki ległoby w gruzach, już nigdy nie byłoby takie samo. Życie innych ludzi toczyłoby się dalej, ale nie jej. Był tego pewien. I w tym momencie coś do niego dotarło z całą jasnością.

Z iloma różnymi żywotami krzyżuje się jedno życie! Te przecięcia nie zawsze mają wielkie znaczenie, ale przecież istnieją.

Gdyby zmarł, pani Liza musiałaby sama rozładowywać dostawy. Owszem, potrafiła sobie poradzić bez niego, ale zawsze powtarzała, jaką przyjemność sprawiało jej te kilka minut pogawędki z nim, gdy był zajęty rozładowywaniem. Czekała na te wizyty. Mennie nie miałaby nikogo, kto wynosiłby śmieci i sprzątał podwórko. Kyrianowi zabrakłoby kogoś, nad kim mógłby się znęcać, a Acheron straciłby ludzkiego przyjaciela, który zna jego dziwactwa.

To nie były wielkie rzeczy, lecz właśnie drobiazgi mają w życiu największe znaczenie.

Pochylił się nad biurkiem.

– I tu się pan myli, panie trenerze.

Trener spojrzał na niego kpiąco.

– Czyżby?

Nick odpowiedział na jego drwiący uśmieszek napuszonym grymasem, który na pewno jeszcze bardziej zirytował trenera.

– Zapewniam pana, że gdyby pana śmieciarze nagle zniknęli, bardzo szybko zaczęłoby panu ich brakować i tęskniłby pan za nimi. Niech pan myśli, co chce, ale życie nie jest pozbawione znaczenia. Każdy jest do czegoś potrzebny. Nawet pan.

Devus zaczął coś bełkotać. Nick obrócił się jednak na pięcie i wyszedł. Po raz pierwszy w życiu czuł się tak, jakby naprawdę doświadczał rzeczywistości. Jakby zerwano mu klapki z oczu, dzięki czemu nagle dostrzegł słońce na niebie w całym jego naturalnym pięknie.

To było wspaniałe. Zapierało dech w piersiach.

Bał się o swoją przyszłość, ale w tym momencie poczuł dreszcz podniecenia na myśl o tym, że żyje.

Gdy tylko usłyszał dzwonek, złapał swój plecak i ruszył na cmentarz, na spotkanie z Grimem. Po porannej konfrontacji z Pogranicznym Strażnikiem, Nekoda i Caleb unikali Nicka przez resztę dnia. Kody robiła wrażenie smutnej.

Z kolei gniew Caleba był tak silny, że przerażał Nicka. Z demonem działo się coś, o czym nie mówił. A ponieważ Nick nie był w stanie skutecznie stawić mu czoła na polu walki, postanowił zostawić go w spokoju, aż ten upora się z tym, co go gryzie.

Nick pokonał kilka przecznic i szybko znalazł się na cmentarzu położonym po północno-zachodniej stronie Dzielnicy Francuskiej, pomiędzy ulicami Conti Street i St. Louis on Basin. Biały, otynkowany mur ciągnął się wzdłuż całej przecznicy i odgradzał ogromne miasto umarłych, gdzie spoczywało ponad sto tysięcy nowoorleańczyków. Pochowano tu niejednego spośród najsłynniejszych mieszkańców miasta.

Ponieważ Nowy Orlean leży dużo poniżej poziomu morza i przez to pogrzebane ciała miały upiorną skłonność do powracania między żywych, miasto musiało znaleźć inny sposób radzenia sobie ze zmarłymi: zaczęto budować nagrobki i mauzolea ponad ziemią. Właśnie dlatego mówiono na ten teren „miasto zmarłych". Najgorsze, że większość nagrobków była dzielona, zwykle między członkami jednej rodziny, czasem też między grupami społecznymi, jak w przypadku wielkiego włoskiego mauzoleum w środku cmentarza. Gdy ktoś umierał, kładziono jego ciało na innym, które już się rozłożyło. To dlatego w mieście obowiązywała zasada, że nagrobków nie wolno otwierać przez cały rok i jeden dzień – chodziło o to, by ciała miały dość czasu, aby ulec rozkładowi, zanim dołożono następne. Nick nie miał pojęcia, co robiono, jeśli trzeba było pogrzebać kogoś przed upływem tego okresu. I wolał tego nie wiedzieć.

Są pytania, na które naprawdę nie trzeba odpowiadać. To zdecydowanie do nich należało.

Odsunął od siebie te myśli i przekroczył czarną żelazną bramę. Była otwarta, by turyści, jak również krewni, mieli dostęp do cmentarza za dnia.

Szczerze mówiąc, cmentarz był piękny, nawet jeśli jego widok trochę przerażał. Wszędzie stały bogato zdobione nagrobki i posągi, niektóre z nich ogromnych rozmiarów. Większość z nich była biała, niektóre barwne. Urody i smaku dodawały też kryptom ornamenty z kutego żelaza.

– Bu!

Nick zaklął, gdy Grim pojawił się za jego plecami i go przestraszył.

– Nie rób tego!

– A co, przestraszyliśmy się?

– No wiesz, jesteśmy na cmentarzu.

Grim się roześmiał.

– No pewnie, że wiem. To jedno z moich ulubionych miejsc.

– Aha. A moje nie bardzo. Nie przesiaduję tu. Zakładam, że skoro pewnego dnia tu zamieszkam, nie ma się co spieszyć i za często wpadać tu zawczasu.

– Podoba mi się, jak patrzysz na różne sprawy, młody. No, chodź.

Nick wykonał polecenie. Nagle zauważył, że Grim ma nie jeden cień, tylko trzy.

– Co do...?

Grim zatrzymał się i zerknął na niego przez ramię.

– Co?

Nick wskazał na cienie.

– Co tu jest grane?

– Znasz moich kolegów. Ból i Cierpienie grali mi na nerwach, więc na dziś zostali cieniami.

Po czym ruszył przed siebie.

Nick nie był pewien, czy mu się to podoba, ale miał dość oleju w głowie, by się nie kłócić. Przyspieszył kroku i dogonił Grima. Zatrzymali się dopiero w odległym krańcu cmentarza. Stał tam sarkofag, który skojarzył się Nickowi ze stołem. Cały pokryty był reliefowymi* wizerunkami śmierci i aniołów.

– Myślę, że tu odbędziemy naszą następną lekcję. – Grim przesunął dłonią ponad powierzchnią sarkofagu, nie dotykając go przy tym. Ni stąd, ni zowąd pojawiła się

* relief – płaskorzeźba (*przyp. red.*)

tam tkanina, która przykryła poczerniałą powierzchnię.
– Tak lepiej. – Wyciągnął rękę w stronę Nicka. – Ćwiczyłeś?

– Owszem, choć bez olśniewających rezultatów. – Podał Grimowi wahadełko oraz książkę.

– Zaprzyjaźniłeś się z wahadełkiem?

– Próbowałem, ale chyba bez wzajemności. Tak mi się zdaje.

Grim westchnął z irytacją.

– Dobrze. Dziś chcę ci pokazać, jak odnaleźć kogoś przy pomocy wahadełka.

– A nie prościej zadzwonić?

Posłał mu rozbawione spojrzenie.

– A jeśli telefon nie działa, Nick? Albo jeśli nie masz numeru? Albo gdy nie wiesz, kogo tropisz, ale musisz go odnaleźć?

– A po co miałbym tropić kogoś, kogo nie znam?

Grim zacisnął szczęki.

– A po co marnujesz długie godziny na bezsensowne gry komputerowe?

– Bo to dobra zabawa.

– Ale to może ci uratować życie.

No dobra, być może to rzeczywiście lepsze niż mistrzostwo w grze w „Mario".

Być może.

Gdy Grim otworzył książkę na pustej karcie, zza rogu wychynął turysta, krzyknął, po czym szybko się wycofał. Na twarzy Grima pojawił się diaboliczny uśmieszek.

– Poczekaj chwilę.

Nick przyglądał się ze zmarszczonymi brwiami, jak Śmierć zamieniła się w ciemnoszary dym i zniknęła. Kilka sekund później usłyszał głośny wrzask i tupot nóg.

Grim wrócił cały rozpromieniony.

– Strach. Uwielbiam jego zapach!

– Jesteś nieźle pokręcony, Grim.

– Ty też kiedyś nauczysz się czerpać przyjemność z drobiazgów.

No tak, ale po tym, czego się dzisiaj o sobie dowiedział, miał tylko nadzieję, że nie będzie to przyjemność czerpana z krzywdzenia innych. Choćby nawet nie zadawał im poważnego cierpienia.

– No, to na czym skończyliśmy?

– Na szukaniu różnych rzeczy.

– A, tak.

W książce Nicka pojawiła się mapa Nowego Orleanu.

– Jak to zrobiłeś? Gdy ja czegoś takiego próbuję, grymuar mi tylko odpyskuje.

– Ta książka jest jak małe dziecko. Wie, że pyskowanie tobie ujdzie jej na sucho. Ja za tym nie przepadam i nie toleruję tego. Jeśli mnie zirytuje, to ją spalę.

Aha, czyli zastraszanie działa. Kto by pomyślał?

– No dobra – mruknął Grim, skupiając uwagę Nicka na mapie. – Powiedz mi, kogo byś chciał odszukać.

Rzecz w tym, że wiedział, gdzie mieszkają wszyscy liczący się dla niego ludzie.

Wszyscy poza Nekodą.

– Nekoda – powiedział do wahadełka. – Pokaż mi, gdzie ona jest.

Grim podał mu łańcuszek.

Nick przytrzymał go nad mapą, ale nic się nie wydarzyło.

– Strata czasu.

– Nauka nigdy nie jest stratą czasu. Teraz właśnie uczysz się, jak nie robić żarówki.

– Że co?!

Grim pokręcił głową.

– Już ci to wcześniej mówiłem, ale powtórzę jeszcze raz. Dokształć się trochę, młody. Wahadełko nie działa. Czasem potrzebuje dodatkowego paliwa.

– Znaczy benzyny?

– Tak, Nick. Podpalimy książkę i wahadełko, bo takie z nas mądrale.

– Daruj sobie sarkazm, co? Mam za sobą naprawdę kiepski dzień.

– To przestać pyskować, bo inaczej twój dzień stanie się jeszcze gorszy.

Nick odchrząknął i upomniał się w myślach, że nie jest w towarzystwie kogoś, przy kim może być sobą.

– Przepraszam. Więc co mówiłeś?

– Masz coś, co należy do Nekody?

– Mam. Pożyczyła mi Nintendo i ołówek. Czemu?

– Masz któryś z tych przedmiotów przy sobie?

– Oba.

– Daj mi Nintendo, bo to bardziej osobisty przedmiot. Gdy próbujesz kogoś znaleźć, potrzebny ci przedmiot, który coś znaczy dla poszukiwanej osoby. Taki przedmiot może ci wiele powiedzieć i bardzo pomóc.

Podobnie jak jego książka i wahadełko, których Grim kazał mu strzec z narażeniem życia…

Och, nie. Nagle ogarnęło go bardzo złe przeczucie.

Zagryzł wargę i zamknął wahadełko w dłoni.

– Powiedziałeś mi, że przy pomocy takich przedmiotów można osiągnąć kontrolę nad kimś, prawda?

– Zgadza się.

– Coś jeszcze można?

Śmierć przytaknęła.

– Mnóstwo.

– Na przykład?

Grim zastanowił się, po czym odpowiedział:

– Można za ich pomocą rzucić zaklęcie. Można kimś manipulować. Można wykorzystać je do dobrych celów, na przykład kogoś zmotywować albo pomóc mu znaleźć coś, co zgubił, ale mało kto to robi. Zwykle wykorzystuje się takie przedmioty do skrzywdzenia ich właściciela. Czemu pytasz?

– Bo chyba w końcu zrozumiałem, co knuje Devus.

– Kto?

– Nieważne.

To nadal nie do końca miało sens. Devus wiedział, gdzie mieszkają wszyscy uczniowie. Wystarczyło zajrzeć do ich teczek.

A to oznacza, że Devus wykorzystuje skradzione przedmioty do kontrolowania lub manipulowania ludźmi. Ale po co? W przypadku członków drużyny futbolowej, mogło mu chodzić o baraże, ale Nekoda i inni nie należeli do drużyny…

Coś tu nie grało. Musiał zdobyć więcej informacji.

– Nick, słuchasz mnie?

– Oczywiście. Bardzo uważnie. Mów dalej.

Grim skrzywił się, po czym ciągnął dalej:

– No, dobrze. Możesz…

– Czy można wykorzystać przedmiot, by coś sprawdzić?

– Nie przerywaj mi – warknął Grim. – Albo cię obedrę ze skóry.

– Sorki… Ale można?

Grim westchnął z udręką.

– Właśnie dlatego nie mam dzieci. I dlatego przez całą wieczność unikam ich jak ognia. – Spojrzał Nickowi prosto w oczy. – Tak. Można wykorzystać przedmiot, by dowiedzieć się czegoś o samym właścicielu.

– Na przykład czego?

– Czegokolwiek. Czy potrafią upiec ciasto… Czy są inteligentni… Czy umrą, bo mnie wkurzają… I tak dalej.

– No tak, ten ostatni punkt niespecjalnie mi się podoba.

– Mam to w nosie.

Grim wziął do ręki Nintendo.

W tym momencie zadzwonił telefon Nicka.

Grim zaklął i wbił w niego ciężkie spojrzenie.

– Przepraszam. Zapomniałem przełączyć na wibracje. – Nick zerknął na wyświetlacz, żeby sprawdzić, kto dzwoni. To był Mark. – Hm… Muszę odebrać. Mogę?

– Och, ależ oczywiście. Proszę bardzo, odbieraj i każ Śmierci czekać. Bardzo rozważne posunięcie, nie ma co.

Jego sarkazm można by kroić nożem.

Nick dobrze wiedział, że nie powinien nadużywać cierpliwości tej istoty, ale…

Odebrał.

– Gdzie jesteś? – zapytał Mark.

– W najstarszej części cmentarza St. Louis. Bo?

– Właśnie sobie przypomniałem, gdzie widziałem twojego trenera. Rany, stary, nie uwierzysz!

*Rany, stary, jak nie odłożysz telefonu, to zaraz pożegnasz się z życiem…*

# ROZDZIAŁ 16

Zdarzyło wam się kiedyś zirytować Śmierć? Nie jest to zalecane, należałoby raczej odradzać każdemu tego typu działania.

Wystarczy powiedzieć, że Grim Reaper nie grzeszy cierpliwością i jeśli już rzeczywiście musicie jej nadużyć, lepiej, abyście należeli do zrodzonych z największego zła. Wtedy Śmierć będzie się bała, że uwolnicie swoje moce w niepożądany sposób. I nawet wy sami nie będziecie się tego bali bardziej.

Tylko to może wam uratować życie.

Nick ze wszystkich sił starał się skupić, ale zżerała go ciekawość, co odkrył Mark. Bardzo chciał się wszystkiego dowiedzieć, lecz jednocześnie nie kwapił się do umierania. Wiedział, że jeśli nie będzie uważał i nie przestanie się wiercić, może po nim za chwilę zostać mokra plama na żwirowej ścieżce...

To była najdłuższa lekcja pod słońcem. Niech się schowają zajęcia z panią Richardson! Kołysanie się wahadełka wywoływało taką nudę, że aż mu łzy napływały.

Gdy wreszcie skończyli, czuł się jak po sesji tortur. A najbardziej wkurzało go, że Grim nie chciał mu pokazać tego, czego naprawdę pragnął się dowiedzieć.

– Pracujemy według mojego grafika, młody, a nie twojego. Ja tu jestem szefem. A ja nie tańczę, jak mi inni zagrają.

Taak. Z Grima byłby wybitnie irytujący rodzic.

Brr, co za myśl.

Teraz, gdy już się pożegnali, Nick biegł, ile sił w nogach do „Trzech B", żeby spotkać się z Markiem i Madaugiem.

Dotarł do sklepu bez tchu, kompletnie wycieńczony. Plecak wydawał się o piętnaście czy dwadzieścia kilogramów cięższy niż wcześniej. *Dobrze przynajmniej, że lato się skończyło.* W upale ten bieg byłby nie do zniesienia.

Otworzył naprawione drzwi do sklepu i podszedł do lady.

Z pokoju na zapleczu wychynął Bubba.

– A, to ty, Nick. Już myślałem, że może zawitał jakiś klient, który chce coś kupić. Ale ze mnie idiota.

– Dzięki, Bubba. Ja też cię kocham.

Nick przewrócił oczami, po czym ruszył w stronę kurtyny, za którą znajdowało się zaplecze.

– Mark jest w biurze z Madaugiem. Masz do nich przyjść, jak tylko się zjawisz.

Nick zatrzymał się i zerknął na Bubbę, który właśnie zamykał obudowę komputera, a następnie postawił go na półce z naprawionym sprzętem, gotowym do odbioru.

Nick musiał przyznać, że Mark z Bubbą nieźle się spisali, z powrotem doprowadzili sklep do normalnego stanu. Prawie nie było widać śladów zniszczeń. Któż by wpadł na to, że niedawno szalał tu pożar, rozlegały się strzały i ktoś biegał z siekierą.

Choć o tym lepiej Bubbie nie przypominać, zwłaszcza że to Nick nią wymachiwał.

– Wiesz, po co mnie wezwali?

Bubba ustawił przed sobą kolejny komputer wymagający naprawy, podłączył go, po czym odpalił, by sprawdzić, co szwankuje.

– Nie. Nie obchodzi mnie to. Tak długo jak nie zamierzacie spalić mi sklepu, dziewczynki, wolę nic nie wiedzieć.

Nick uznał, że lepiej tego nie kwestionować, zwłaszcza biorąc pod uwagę zniszczenia, jakich tu już dokonali. Podszedł do drzwi prowadzących do biura i wtedy przypomniało mu się, czego dowiedział się od Nekody o przeszłości przyjaciela. Czy jest w tym choć szczypta prawdy?

*Nie pytaj o to, Nick. Nie pytaj!*

Nie byłby jednak sobą, gdyby nie odezwał się szybciej, niż zadziałały zdrowy rozsądek lub logika.

– Bubba? Mogę cię o coś zapytać?

– Pewnie.

– Byłeś kiedyś żonaty?

Wydawać by się mogło, że to najzwyklejsze pod słońcem pytanie, ale smutek, który ogarnął twarz Bubby, był porażający. Śmiertelny ból. Odraza do samego siebie. Jakie to okropne, że jedno niegroźne pytanie, trzy proste słowa, mogło wywołać w kimś tyle bólu.

Bubba odchrząknął, po czym odpowiedział:

– Tak, byłem. Dawno temu.

Nick zdał sobie sprawę, że niechcący go zranił. Chciał mu poprawić samopoczucie, ale nie wiedział jak. Nie powinien był o to pytać. Nie powinien był. Reakcja Bubby pokazała mu, że Kody mówiła prawdę. Tego faceta zżerało poczucie winy.

– Przepraszam, Bubba.

– Za co?

– Wyprowadziłem cię z równowagi. Nie chciałem przywoływać złych wspomnień. Przepraszam.

Bubba przełknął ślinę, po czym powoli odwrócił się do Nicka.

– Nick... Mam nadzieję, że kiedyś znajdziesz kobietę, która pokocha się tak, jak kochała mnie moja Melissa. Chłopie, cokolwiek w życiu zrobisz, nigdy jej nie ignoruj. Jak ci powie, że jesteś jej do czegoś potrzebny, rzuć wszystko i leć do niej. Nawet jeśli ci się wydaje, że to głupie albo że masz coś pilnego do załatwienia. Do diabła z pracą i całą resztą. I tak w życiu liczą się tylko ludzie. Ci, dzięki którym warto żyć, których uśmiechy rozjaśniają ci świat. Nie marnuj czasu na niepewne przyjaźnie, skup się na ukochanych osobach. Wszystko inne to tylko tania dekoracja, którą łatwo zastąpić czymś nowym. Gdy zabraknie ci tych ludzi... – Wzdrygnął się. – Czasu nie da się cofnąć, Nick. Nigdy. To jedyna rzecz w życiu, której nie możesz dostać więcej, która będzie cię nękać bez litości, gdy upłynie. Nie lituje się nad żadną duszą czy sercem. A wszyscy ci głupcy, którzy ci powtarzają, że czas leczy rany, kłamią. Utrata kogoś, kogo się naprawdę kochało, nigdy nie przestaje boleć. Jedyne, co możesz zrobić, to koncentrować się na tym, żeby się nie rozsypać przez najbliższe parę godzin. Nic więcej... Nic więcej.

Nickowi stanęły w oczach łzy, gdy usłyszał cierpienie brzmiące tak wyraźnie w głosie Bubby. Bombowy Bubba Burdette rzadko okazywał emocje. Był jak ryczący niedźwiedź. Wielki. Twardy jak skała. Niczym się nie przejmował.

I lojalny do końca.

Każdy zasługiwał na takiego przyjaciela.

Kto by pomyślał, że taką groźną, niezwykłą bestię nękało coś tak ludzkiego, jak utrata żony i dziecka?

Niewiele myśląc, Nick podszedł do niego i mocno go uściskał.

Bubba się zjeżył.

– Chłopie, co ty wyprawiasz? Zupełnie zwariowałeś?

Nick pokręcił głową.

– Pomyślałem sobie, że dobrze ci zrobi, jak cię ktoś przytuli.

– To zadzwoń do Tyry Banks i ją tutaj przyślij. Jej nigdy bym nie odmówił. Co innego, jak ociera się o mnie jakiś chudy nastolatek. Raaany!

– No dobra, dobra. Już cię puszczam, ty marudo.

– Nie taki znowu stary – odciął się Bubba. – I niezbyt mądry. Ale nadal dość jadowity, żeby dziabnąć cię w tyłek, jeśli mnie nie zostawisz w spokoju i nie dasz pracować. Zjeżdżaj stąd i nie wkurzaj mnie!

Nick ruszył w stronę biura, ale zanim otworzył drzwi, Bubba go zatrzymał.

– Ej, Nick? Dobry dzieciak z ciebie. Nie daj sobie wmówić nic innego. Widzę, jak tu czasem przychodzisz po szkole przygnieciony ciężarem całego świata i jego nieszczęść. Nie marnuj czasu, chłopie, na martwienie się tym, co myślą inni. Wiem o twoim tacie. Wiem, że wiecznie prześladuje cię jego duch. Ale to jego grzechy, jego zbrodnie, nie twoje. – Bubba stuknął go dwukrotnie w pierś. – Ty masz to, co się liczy. Więcej, niż potrzeba. Masz większe serce i więcej dobroci niż ktokolwiek, kogo kiedykolwiek poznałem. Nie daj sobie tego odebrać. Słyszysz, co mówię?

– Tak, Bubba. Dzięki.

Kiwnął głową i wrócił do pracy.

Ta rozmowa sprawiła, że samopoczucie Nicka znacząco się poprawiło. Otworzył drzwi i zobaczył Madauga z Markiem przy zarzuconym setkami wydruków biurku Bubby. Byli tak pochłonięci, tym, co robili, że nie usłyszeli nawet, jak wszedł do środka.

– Hej, chłopaki! Co się dzieje?

Mark podniósł na niego oczy wielkie jak spodki.

– Jak ci powiemy, czego się dowiedzieliśmy, to padniesz.

– Czyli macie coś ciekawego?

– Ciekawego to mało powiedziane – rzucił Madaug. Jego jasne, kręcone włosy sterczały na wszystkie strony, jakby je wciąż targał. Robił tak odruchowo, gdy się na czymś mocno skupiał. – To niesamowite!

Trudno było traktować go poważnie, gdy siedział tam w przekrzywionych okularach ze szkłami pokrytymi odciskami palców. Nick zaczął się nawet zastanawiać, jak to możliwe, że Madaug nie obija się o ściany. W jakiś dziwny sposób skojarzyło mu się to z ulubioną komedią matki *Mój kuzyn Vinny*, gdzie Joe Pesci podczas przesłuchania świadka pyta go, co widział przez brudne okna swojej przyczepy.

Madaug nie zdawał sobie sprawy z tego, co plącze się Nickowi po głowie. Był zajęty grzebaniem w stercie papierów leżącej przed nim. Miał na sobie gigantyczną szarą bluzę, zapewne odziedziczoną po starszym bracie

Eriku z czasów, gdy ten jeszcze nie był gotem. W końcu uśmiechnął się, gdy znalazł kartkę, której szukał. Podsunął ją Nickowi pod nos.

Nick odchylił głowę do tyłu i wziął kartkę od Madauga. Przytrzymał ją dalej od siebie, by coś widzieć. Zmarszczył brwi. To było jakieś stare zdjęcie drużyny futbolowej w zabytkowych ciuchach.

Rany, ale ci gracze byli starzy! Wcale nie wyglądali na studentów. Czyżby ich przodkowie wiedli aż tak ciężkie życie?

– Co widzisz? – zapytał Mark.

– Futbol.

– No tak, i...? – poganiał go.

Zanim Nick zdążył odpowiedzieć, Madaug wskazał mu stojącego z tyłu po lewej mężczyznę.

– Poznaj trenera Waltera Devusa.

Rany, facet wyglądał jak kopia ich trenera. To musi być jego pradziadek czy ktoś taki.

– Byłem pewien, że gdzieś go widziałem. – Mark postukał palcem w wydruk. – Na mojej uczelni była ściana chwały wszystkich drużyn. To zdjęcie wisiało koło... No, w miejscu, gdzie spędziłem sporo czasu z pewną korepetytorką z biologii. Zresztą nieważne. W każdym razie byłem pewien, że gdzieś go widziałem, i miałem rację. Cały czas tam był i gapił się na mnie tymi swoimi małymi wrednymi oczkami. – Uśmiechnął się do Madauga. – Patrz, co się człowiekowi może zdarzyć, jak się huknie w głowę, wychodząc spod prysznica. Nagle mu się wszystko przypomina.

Nick parsknął śmiechem, po czym zadał pierwsze pytanie, które przyszło mu do głowy:

– A ile ty masz właściwie lat?

Mark zachmurzył się na tę nagłą zmianę tematu.

– Że co?

– Myślałem, że masz ze dwadzieścia jeden lat czy coś jakoś tak. Właśnie do mnie dotarło, że jesteś za młody na to wszystko.

– Co? Czyżby istniał jakiś niepisany zestaw zasad Gautiera, które regulują, co można, a czego nie można robić w życiu? Poważnie? Urodziłem się w listopadzie, więc byłem o rok do przodu w stosunku do kolegów z klasy i skończyłem szkołę w wieku siedemnastu lat. Rozwaliłem sobie kolano, zanim stuknęła mi dziewiętnastka, a studia skończyłem w wieku lat dwudziestu, bo zrobiłem dwa lata w ciągu jednego. Dla porządku dodam, że mam dwadzieścia trzy lata. Wystarczy ci informacji czy też może przedstawić ci swój życiorys?

– Sorki. Nie zaperzaj się. Po prostu byłem ciekawy. Wydawało mi się, że mi kiedyś powiedziałeś, że jesteś młodszy.

– Prawo jazdy ci pokazać?

Nick zrezygnowany podniósł ręce do góry. Mógłby przysiąc, że Mark mu powiedział, że jest młodszy, ale może go tylko nabierał. To było całkiem w jego stylu.

Madaug zagwizdał cicho, by zwrócić na siebie ich uwagę.

– To jest trochę ważniejsze niż historia życia Marka. – Podał Nickowi kolejną kartkę papieru. – Pamiętasz, jak ci mówiłem, że Devus był trenerem drużyny Instytutu Technologii w meczu przeciwko Uniwersytetowi w Georgii?

– No tak, a następnego dnia wszyscy zginęli. – Nick trzymał w ręce artykuł, który to opisywał.

– Właśnie.

Mark podał mu kolejną kartkę z inną drużyną futbolową. Zdjęcie było datowane rok później.

Jasna cholera...

Na zdjęciu znowu był Devus. Tym razem stał przed zawodnikami. Nick osłupiał.

To musi być jakaś pomyłka.

Położył zdjęcia jedno obok drugiego i porównał je. Tymczasem Madaug podsunął mu wydruki z powiększeniami zdjęć, na których wyraźniej widać było twarze.

Tak, nie było wątpliwości. Wszystkie zdjęcia przedstawiały tego samego człowieka.

– Jak to możliwe?

Mark potarł sobie brodę.

– Najwyraźniej taki ma *modus operandi**. Prowadzi

* *modus operandi* (łac.) – sposób działania, zwłaszcza charakterystyczny sposób zachowania sprawcy czynu zabronionego; wyrażenie wykorzystywane również w biznesie na określenie sposobu działania przedsiębiorstwa oraz współpracy z innymi podmiotami (*przyp. tłum.*)

drużynę do zwycięstwa, a następnego dnia po zdobyciu mistrzostwa wszyscy zawodnicy oraz sam trener giną. – Podał Nickowi kolejne wydruki. – I tak rok w rok.

Nick pokręcił głową.

– Nie, nie i nie. To niemożliwe. Zresztą czemu miałby pozwolić się fotografować? Przecież to dowód! A skoro o tym mowa, dlaczego nie zmienia nazwiska? Czy to nie jest głupota?

– Nie zawsze używał tego samego nazwiska – wyjaśnił Mark. – Jeśli przeczytasz artykuły... A mówię ci, myśmy przeczytali... On ma całą listę nazwisk, których używa na przemian. Myślę, że Walter Devus to jego prawdziwe nazwisko, ale szczerze mówiąc, nie jesteśmy tego pewni. Przez ostatnie sto lat występował pod różnymi nazwiskami.

To przynajmniej miało jakiś sens. Jeśli człowiek chce się ukryć, nie może zawsze być sobą.

– No dobra, a co ze zdjęciami? Dlaczego pozwalał się fotografować?

Zwłaszcza jeśli nie chciał, by ludzie się dowiedzieli, że jest nieśmiertelny.

Kyrian w domu nie ma nigdzie ani jednego przedstawiającego go zdjęcia. Ani nawet obrazu czy rzeźby. To Nick zdołał zauważyć.

– Moim zdaniem to po prostu pycha i arogancja. – Madaug wyciągnął kolejną kartkę, na której spisali wszystkie szkoły, w których uczył Devus, jeśli tak się w istocie nazywał. – Sam pomyśl. Do niedawna zdjęcia nie były zbyt ostre, a poza tym łatwo się niszczyły. Gdy znikasz z jednego małego miasteczka, szanse na to, że ktoś zobaczy twoje zdjęcie w kolejnym, są niewielkie. Dopiero teraz, gdy mamy Photoshop i komputery, możemy wyczyścić zdjęcia i zestawić je ze sobą. A na tym nie koniec, mamy internetowe biblioteki i archiwa, w których można znaleźć nawet najdrobniejsze informacje. Dziś nie można się ukryć. A jak coś trafia do Internetu, zostaje tam na zawsze i tylko czeka, aż ktoś się na to natknie. Lepiej o tym pamiętaj, gdyby przyszło ci do głowy pstryknąć sobie znowu zdjęcie, jak pokazujesz komuś tyłek, i wrzucić je do netu.

Dlaczego wszyscy wiecznie do tego wracają?

Jedno drobne potknięcie... A poniżeniom nie było końca.

Mark zmusił go do skupienia się poważnie na temacie ich rozmowy.

– Jak już rozgryźliśmy jego *modus operandi*, zaczęliśmy szukać drużyn futbolowych, które wygrały mistrzostwa, a których członkowie następnego dnia zginęli. Łatwizna. Co roku, jak w zegarku, jest zawsze jedna taka drużyna. Zdarza się to w różnych miejscach, na uczelniach, w szkołach średnich, a nawet w Małej Lidze, ale zawsze wygląda to dokładnie tak samo.

Zrobiło mu się niedobrze na tę myśl. W Małej Lidze?

– Zabija dzieci? – Gdy tylko to powiedział, dotarło do niego, jaką głupotę palnął. Oczywiście, że Devus zabija dzieci. Dave leży właśnie w kostnicy, a znalazł się tam przez niego. – Musimy go powstrzymać.

– Wiadomo – odpowiedzieli zgodnym chórem.

Nick wskazał na rozłożone papiery.

– Zaniesiemy to na policję i...

– Nie możemy.

Spojrzał z osłupieniem na Marka.

– Jak to nie możemy? Mamy dowód...

– Żaden dowód. – Madaug podał mu inne artykuły. – W erze gangsterów, gdy media ruszyły pełną parą, również na skalę krajową, wraz z kronikami filmowymi pokazywanymi w kinach, Devus się wycwanił i nie pozwalał już sobie robić zdjęć. Zaczął też zabijać dotychczasowych trenerów, których następnie zastępował w samą porę, by wygrać mistrzostwa i rzekomo ponieść śmierć wraz z całą drużyną. Na pewno chciał w ten sposób uniknąć dłuższych znajomości i zbędnych pytań.

– Lub zainteresowania prasy – dodał Mark.

Być może, ale Nick wciąż myślał o jednym.

– No to skąd wiecie, że to on?

Madaug spojrzał na niego jak na głupka.

– Naprawę mnie o to zapytałeś? Jakie są szanse na to, że co roku jedna i tylko jedna drużyna traci trenera w dziwacznych okolicznościach na moment przed barażami? I w efekcie szkoła lub ośrodek sportowy desperacko potrzebują doświadczonego zastępcy. I wtedy jak spod ziemi zjawia się pewien pan, który zawsze pasuje do niemal tego samego rysopisu. Pracuje przez cztery tygodnie... Wystarczająco długo, by doprowadzić swoją drużynę do zwycięstwa w mistrzostwach. No i gdy świętują to zwycięstwo, nagle bum! – Madaug klasnął w dłonie. – Wszyscy giną. Naprawdę myślisz, że to tylko zbieg okoliczności?

No... nie.

– No, jak tak to przedstawisz... Ale policja nigdy w to nie uwierzy.

– Co ty powiesz – westchnął Mark. – Nikt by nam nie uwierzył. Pomyśleliby tylko, że się czegoś naćpaliśmy. Pytanie więc, co zrobimy, żeby go powstrzymać przed kolejnym zabójstwem?

– Naślemy na niego moje zombie?

Mark posłał Madaugowi zabójcze spojrzenie.

– W głowie mi się nie mieści, że to powiedziałeś, zwłaszcza biorąc pod uwagę to, co się przydarzyło twoim krewnym.

– Żartowałem, Mark. Mówię ci, już mi przeszła ochota na manipulowanie falami mózgowymi.

Nick nie zwracał na nich uwagi. Miał gonitwę myśli. Wszystko z wolna układało się w spójną całość.

*Osobiste przedmioty można wykorzystać do rzucenia zaklęcia. To jak pocisk naprowadzający na źródło ciepła. Jeśli chcesz, by komuś konkretnemu coś się przy-*

*darzyło, zdobywasz jakiś należący do niego przedmiot i używasz go do naprowadzania. Tak samo działa wahadełko.*

Słowa Grima nadal dźwięczały mu w głowie. W końcu zrozumiał, o co chodzi z tą listą trenera. Devusowi potrzebne były przedmioty należące do konkretnych członków drużyny futbolowej.

Co robił z nimi później, po meczu, gdy właściciele tych przedmiotów już nie żyli? Jego dom i biuro były ogołocone z wszystkiego, w dodatku wiecznie przenosił się z miejsca na miejsce, więc nie mógł tych przedmiotów trzymać przy sobie. Może po prostu się ich pozbywał?

Zresztą nieważne.

Najważniejszą rzeczą było przerwanie tego łańcucha, zwłaszcza że Nick był członkiem drużyny i sam też nie chciał umrzeć.

*Myślałem, że nie chcesz żyć.*

No, prawda, ale to nie znaczy, że chciał umrzeć. Chciał tylko, żeby jego życie stało się trochę spokojniejsze, żeby zapanowała w nim normalność, żeby już nie pędziło w zawrotnym tempie ku kompletnemu szaleństwu.

Zadzwonił telefon Madauga. Nerad wyciągnął go i aż się wzdrygnął.

– A niech to. Dzwoni mój młodszy brat.

– To aż takie straszne? – zdziwił się Mark.

– No tak. Ian ma przez telefon upiornie wysoki głos. Gdybym mógł ten jego głosik zabutelkować i robić z niego granaty, zbiłbym fortunę na handlu bronią. Oczyściłby więcej pomieszczeń i wywołał więcej bólu niż ładunek termojądrowy. Już się nie mogę doczekać dnia, gdy ten dzieciak wejdzie w okres dojrzewania i głos mu się obniży do ludzkiego poziomu.

Nick miał mu powiedzieć, że przesadza, ale gdy kolega odebrał telefon, przekonał się, że Madaug ma rację.

Rzeczywiście. Od tego mogło pękać szkło. Głos tego małego brzmiał gorzej niż pisk demona. A przecież Nick nie trzymał nawet słuchawki przy uchu, bo stał kilka metrów od Madauga.

Nawet Mark się skrzywił.

– No dobra, dobra – powiedział Madaug do brata. – Przestań marudzić, bąku. Przyjdę do domu, to ci to naprawię. Obiecuję, ale jak nie przestaniesz mi truć, to wymażę twardy dysk Erika i powiem tacie, że to twoja sprawka. – Madaug rozłączył się w chwili, gdy Ian zaczął znowu głośno biadolić po drugiej stronie słuchawki. Madaug spojrzał ponuro na Nicka. – Masz szczęście, że jesteś jedynakiem.

– Eee tam. Jeśli powiem komuś, żeby trzymał ode mnie łapy z daleka albo spróbuję zwalić winę na rodzeństwo, mogę tylko zostać uznany za czubka.

– A mówiłem ci, że mój świrnięty brat Eric jest właścicielem kaftana bezpieczeństwa? Pomalował go na czarno i powiesił sobie na ścianie. Powtórzę to, co powiedziałem: masz szczęście, że jesteś jedynakiem. Och, błogosławiona cisza i spokój, gdy nie musisz słuchać łomotu Bauhausu* dochodzącego z ciemnej nory Erika ani *Baby Rock* śpiewanego przez Iana Pirata, który kręci się po domu z papugą na ramieniu. Codziennie z nią do mnie przyłazi i każe ją głaskać, bo jak nie, to napuści ptaszysko, żeby mi wydłubało oczy podczas snu.

Nick wcale nie chciał się roześmiać, ale nie był w stanie się powstrzymać. I pomyśleć, że jego największą bolączką był fakt, że matka suszy swoje staniki nad wanną. Był przekonany, że przez to czeka go wieloletnia terapia.

Mark klasnął w dłonie, żeby przywołać ich do porządku.

– No dobra, chłopaki. Skupcie się. Musimy wymyślić, jak powstrzymać Devusa na dobre. Ruszmy mózgownicami i pokrzyżujmy plany tego psychola.

Walter Devus stał przed lustrem i wpatrywał się w twarz, która nie zmieniła się w ciągu tak wielu dziesięcioleci, że nie był w stanie ich policzyć.

Jak to się stało?

---

* Bauhaus – brytyjski zespół grający postpunk i rocka gotyckiego, działający w latach 1978-83, 1998, 2005-2008; najważniejsze płyty: „Mask", „Burning from the Inside"; najsłynniejszy przebój „Bela Lugosi's Dead" (*przyp. red.*)

I wtedy sobie przypomniał. Chciwość. Próżność. Duma. Do wyboru, do koloru. Razem tworzyły toksyczną mieszankę, która doprowadziła go do popełnienia największej pomyłki w życiu.

I po co?

Dla piętnastu minut sławy, jak u Andy'ego Warhola*?

Tylko że to miało trwać dłużej. Całe życie.

*Uważaj, o co prosisz. Twoje życzenie może się spełnić.*

Zwłaszcza gdy szło o sprawy, które lepiej zostawić w spokoju. Gdyby tylko mógł cofnąć się w czasie, nie pozwoliłby sobie tego zrobić.

Na to jednak było już za późno. Kości zostały rzucone, machina puszczona w ruch. Spędzi wieczność w niewoli, polując na dusze dla swojego pana. Anonimowy. Pozbawiony sławy. Zapomniany. A przecież tego właśnie tak desperacko próbował uniknąć.

Śmieszne, że twoje obawy zawsze wychodzą na pierwszy plan i przejmują kontrolę nad całym życiem.

Nawet nie liczył na to, że kiedykolwiek uda mu się wyrwać z tej niewoli.

W końcu dotarł tutaj. Nowy Orlean. Ojczyzna ciemnej magii i miejsce narodzin istot nadprzyrodzonych. Wyczuwał to. Przypominało prąd, który przebiegał przez miasto, jakby było żywą, oddychającą istotą.

* 15 minut sławy – termin określający krótkotrwałą, ulotną uwagę szeroko pojętych mediów. Wyrażenie zostało sformułowane przez amerykańskiego artystę Andy'ego Warhola, który w 1968 powiedział: „W przyszłości każdy będzie sławny przez 15 minut" (*przyp. red.*)

A tu, w samym jego sercu, było najmroczniej.

Malachai. Jeśli uda mu się znaleźć młodego na czas, jego pan go wyzwoli.

I będzie wolny.

Walter rozkoszował się brzmieniem tego słowa. Ach, stać się znowu człowiekiem! Móc zostać w jednym miejscu, zapuścić korzenie... Marzył o czymś, co kiedyś, gdy był młodym człowiekiem, wydawało mu się przekleństwem.

Teraz myślał o tym jak o zbawieniu.

Trzymając się tej nadziei, eksperymentował dalej na przedmiotach zebranych przez jego „chłopców". Gdy Pograniczny Strażnik rozglądał się za zbiegłym demonem, podczas gdy Devus szukał członka rodu Malachai, o którego istnieniu Strażnik nawet nie wiedział.

Był pewien, że Malachai jest w jego szkole i udaje ucznia. Czuł to od chwili, gdy stanął w progu swego nowego miejsca pracy.

Ale kto to może być?

Dokładnie przejrzał szkolną kartotekę i wytypował kilku podejrzanych. Jak dotąd wszystkie tropy okazały się błędne, mylił się co do każdego z nich.

Minutnik zadzwonił i dał mu znać, że już pora.

Serce biło mu jak młot, gdy zabrał się za sprawdzanie kolejnej partii przedmiotów. Pełen niepokoju zagryzł wargę i wyciągnął z misy pierścień Stone'a.

Nienaruszony, nadal idealny.

Stone to nie jest Malachai. A taki był tego pewny. To okrucieństwo, ta arogancja. A jednak i tym razem się pomylił.

Podekscytowany podszedł do kolejnej misy. Na nic nie liczył. Pociągnął za sznurek i zamarł.

Nie od razu podjechał do góry.

Czy to możliwe?

Nadzieja powróciła ze wzmożoną siłą. Pociągnął mocniej. Do misy włożył wcześniej kawałek ręcznika, w miejscu którego leżał teraz…

Kawałek siarki.

– Znalazłem cię. Jesteś mój!

Napuści na tego chłopaka legiony zagłady.

*Powinienem był rozpoznać to imię. Powinienem był się domyślić.* Co z niego za głupiec, że się nie zorientował? Choć z drugiej strony, żył wystarczająco długo, by wiedzieć, jak łatwo można dać się oszukać.

Malachai żył sobie na oczach wszystkich. Obnosił się ze swoją obecnością, z beztroską arogancją.

Ale już niedługo.

Wreszcie Walter Devus stanie się znów człowiekiem.

A Malachai obróci się w nicość.

# ROZDZIAŁ 17

Że co mam niby zrobić? Chyba ci kompletnie odbiło!

Rozzłoszczony i urażony Nick skrzyżował ręce na piersi i odwrócił się do Caleba. Byli u niego w domu, sami. Miał już powyżej dziurek w nosie zachowania demona.

Co z nim jest nie tak? Odkąd Nick został zaatakowany w szkole, Caleb inaczej go traktował. Nick miał poczucie, że demon nienawidzi nawet powietrza, które on wypuszcza z płuc.

Tyle że to nie Nick miał problem, tylko Caleb.

– Caleb, musimy się dowiedzieć, z czym mamy do czynienia. Gdyby tak nie było, to nie prosiłbym cię o to.

Caleb warknął.

– Masz do czynienia z nieźle wkurzonym demonem, który się nie przestaje zastanawiać nad tym, dlaczego naraża się dla takiego idioty jak ty. Mam dość, Nick. Nie dotarło to do ciebie po naszej wcześniejszej rozmowie?

– Myślałem, że to była kłótnia.

– Ja naprawdę trafiłem do piekła – odparł drwiąco. – I nie mogę się z niego wyrwać. Mam cię dość, słyszysz? Sam tocz swoje wojny. Jeśli potrzebne ci informacje, weź się do roboty i zdobądź je.

Nickowi się zamarzyło, by móc mu porządnie przyłożyć i nie zostać za to wypatroszonym. Wbił wzrok w swojego tak zwanego opiekuna, który uległ nagłej przemianie w skrzyżowanie awanturnika i napastliwego rodzica.

– I ty mówisz, że to mnie odbiło...

– Odsuń się od niego, Nick.

Oczy Nicka zrobiły się okrągłe jak spodki na widok Caleba, który pojawił się obok...

Caleba.

Stali jeden obok drugiego w jego zaimprowizowanym pokoju. Ten sam wzrost. Ta sama fryzura. Te same oczy. Te same czarne ciuchy i skrzywione wargi. Jedyna różnica polegała na tym, że nowo przybyły zdawał się cierpieć.

I krwawił z kącika ust.

Tak, to była sytuacja rodem z *Terminatora 2*, gdy niegodziwy, chromowany cyborg zawładnął ciałem sympatycznego ochroniarza.

Różnica polegała na tym, że prawdziwy Caleb wcale nie był taki milutki.

– Który z was jest prawdziwy? – zapytał Nick.

– Ten, który kuleje, głuptaku. – Koło Nicka pojawiła się Simi i wtuliła się w jego ramię. – Nie widzisz różnicy między ślicznym Malphasem a tą obrzydliwą podróbą?

Właściwie nie. Gdyby Caleb nie kulał i nie krwawił, Nick nie miałby pojęcia który jest który.

Chłopak spojrzał na Simi z zafrasowaną miną.

– Co się dzieje?

Simi, ze swoimi jaskrawofioletowymi kucykami dopasowanymi do koloru szminki, wydała z siebie uroczy dźwięk, którego nie dało się opisać.

– Te wstrętne demony cię wytropiły. No, tak jakby. Widzisz, za twoją głowę wyznaczono nagrodę... – Dla podkreślenia swoich słów pogłaskała go po głowie. – Jeśli któryś wstręciuch znajdzie cię i doprowadzi do swojego pana, żeby ten wyżarł ci mózg, zostanie uwolniony. Czyli wszyscy wygrywają. No, może ty nie, bo to pewnie boli, jak człowiekowi wyżerają mózg. Chociaż Simi jest prawie pewna, że najpierw by cię zabili. – Przerwała, by się nad tym zastanowić. Miała przy tym dziwnie uroczą minę. – Z drugiej strony niektórzy tak nie robią, bo połykając mózg, lubią słuchać krzyków. Ciekawe, czy mózgi krzyczą same z siebie... Hm... Simi już widzi, że trzeba będzie przeprowadzić eksmisję. A, nie, to nie to, eks...

– ...peryment?

– Tak, o to chodzi. – Uśmiechnęła się i dotknęła koniuszka jego nosa. – Eksperyment. Dziękuję, akri-Nicky. Dobrze, że używasz mózgu, póki go masz. Simi jest z ciebie bardzo dumna.

– Simi, przez ciebie zbzikuję ze strachu.

– Och. – Uśmiechnęła się do niego promiennie. – Przepraszam. Simi już będzie cicho. Aż nadejdzie pora, by nie być cicho. Cicho. Lubię to słowo. Zwróciłeś kiedyś uwagę na to, że niektóre słowa są po prostu ładne? – Rozpromieniła się niczym piękna lalka. – Cicha Simi. – Nagle posmutniała, położyła sobie palec wskazujący na ustach i wydęła wargi. – Zaraz, zaraz, Simi wcale się nie podoba, jak to brzmi. Błe! Cicha Simi to nic dobrego.

– Simi? – jęknął Caleb. – Pomożesz?

Głowa dobrego Caleba tkwiła w ciasnym uścisku tego drugiego Caleba.

Nick zrobił krok w ich stronę.

Dobry Caleb powstrzymał go gestem dłoni.

– Nie chcę, by coś ci się stało.

– Czuję się jak jo-jo.

– Lepsze to, niż gdybyś miał się czuć jak ja, stary. Uwierz mi.

Gdy tylko do akcji wkroczyła Simi, zły Caleb odsunął się od dobrego. Ruszył w stronę drzwi, ale Simi wyrzuciła rękę przed siebie i zarzuciła na niego coś, co wyglądało jak lepka lina. Przyciągnęła go do siebie niczym rybak gotowy do uczty ze steku z miecznika.

– Nie ma mowy – powiedziała Simi. – To niedopuszczalne. Gdzie się pan wybiera, panie Wstręciuchu? Ładnie to tak, bić ludzi, a potem uciekać. To po prostu niegrzeczne. – Obejrzała się na Caleba. – Czy Simi może go zgrillować? A może on jest na liście istot niedostępnych dla Simi?

Caleb spojrzał chłodno na demona.

– Bon apétit*, skarbie.

Gdy tym razem Simi się uśmiechnęła, Nick zauważył jej ostre zęby. Pisnęła z zachwytu, po czym zniknęła wraz ze złapanym demonem.

Nick zamrugał parę razy, próbując przyswoić sobie to, co właśnie się wydarzyło.

– Simi jest demonem.

– Owszem.

Simi to demon. Powtarzał to siebie w myślach.

Cóż, to przynajmniej wyjaśniało jej dziwactwa. Ale mimo to…

Osłupiał.

– Tak dla porządku, czy znam kogoś, kto nie jest demonem albo świrem?

– Oczywiście, że tak. Choć nie mam pewności, czy do tej ostatniej kategorii nie zaliczają się przypadkiem Bubba z Markiem. Nie umiem ich mentalnie sklasyfi-

* bon apétit (franc.) – smacznego (*przyp. red.*)

kować, to zbyt męczące. Sam postanów, a ja przyjmę twoją decyzję. – Caleb opadł na kanapę z głośnym jękiem. – Nic ci się nie stało?

– Nie, ale moja mama cię zabije, jak zobaczy krew na kanapie.

Caleb spojrzał w dół, na sporą plamę, powiększającą się coraz bardziej na poduszce, na której się opierał.

– Wyczyszczę to, zanim sobie pójdę. Muszę tylko chwilkę poleżeć. Nie masz pojęcia, jak mnie boli. No i... – Przyjrzał się Nickowi uważnie. – Kto ci powiedział?

Ejże, to była dość przypadkowa uwaga.

– Powiedział mi co?

– O twoim przeznaczeniu.

Mówi poważnie?

– Stary, ty mi powiedziałeś.

Caleb zaklął, po czym aż się skrzywił.

– To nie byłem ja, Nick. Ten głupi Pogranicznik złapał mnie i posłał do Latai.

Nick nie miał pojęcia, o czym Caleb mówi.

– Do kogo?

– To nie osoba, to miejsce. Coś w rodzaju więzienia dla demonów, gdzie pozbawiają cię mocy.

Nicka przeszył dreszcz, gdy dotarło do niego, że rozmawiał z wrogiem i nawet o tym nie wiedział.

Tak, to było przerażające. Od razu otrzeźwiał.

– No, to kiedy ostatni raz rozmawiałem z tobą?

Caleb zlizał sobie krew z warg.

– Gdy cię wyciągnąłem z szafki.

– Powiem ci przy okazji, że to był koszmar. To ty zasłużyłeś na to, żeby cię do niej wrzucić... – Ton głosu Nicka złagodniał, gdy chłopak spojrzał na głębokie rany pokrywające ciało Caleba. Przecież te obrażenia demon odniósł za niego. Co zupełnie zmieniało perspektywę. Nick czuł się jak ostatnia świnia, a jednocześnie ogarnęła go wdzięczność... – Tak czy inaczej, nie lubię siedzieć w szafkach. Zapamiętaj to sobie na przyszłość, dobra?

– Będę pamiętał.

Zdenerwowany wszystkim tym, co się właśnie wydarzyło, Nick zaczął krążyć wokół kanapy.

– No, to co się dzieje?

– Właśnie to ci usiłuję wytłumaczyć, młody. Pograniczni Łowcy potrafią przyjmować taką formę, jaką tylko chcą. To dlatego są tacy groźni. Zresztą żadnemu z nich nie powinno nawet udać się dostać do twojego mieszkania. Ono ma cię chronić przed istotami takimi, jak one, a jednak... – W jego oczach zamigotały te straszliwe oczy węża. – Zaprosiłeś go?

– Myślałem, że wezwałem ciebie.

Opadł z jękiem do tyłu.

– Nick... Musimy popracować nad twoimi umiejętnościami. Twoja zdolność widzenia nakierowana jest nie na to, co trzeba. Przysięgam, że przywiążę do ciebie Simi, aż zaczniesz dostrzegać innych. Ona jest najlepsza. Nikt się koło niej nie prześliźnie.

Nick pomyślał, że Simi, podobnie jak Rémi oraz reszta niedźwiedzi, wcale nie próbowała się ukryć.

– Skąd ona pochodzi?

– Istoty takie jak ona nazywają się *charonte*. Są to demony pochodzące z Lemurii, skąd potem przeniosły się w inne miejsca, o których nie wolno mi z tobą rozmawiać.

– Czemu?

– Po prostu nie mogę, Nick, dobrze? A teraz, błagam, daj mi sekundę, żebym sobie tu poleżał w ciszy i upuścił trochę krwi.

Tyle przynajmniej mógł zrobić, zwłaszcza że to przez niego Caleb tak oberwał.

– Chcesz coś do picia?

– Trochę ludzkiej krwi by się przydało. Wątpię jednak, byś chciał zostać dawcą, więc pozwól, że sobie chwilkę pocierpię.

Nick krążył po pokoju. Jego myśli galopowały. Świat stał się nagle bardzo przerażający.

– Nie, Nick – wyszeptał za jego plecami Caleb. – Świat zawsze był przerażający. Po prostu miałeś szczęście, że cię przed nim chroniono. To najsmutniejszy moment dzieciństwa, gdy połyskliwa zasłona się rozdziera, a za nią widać coś koszmarnego. I trzeba zmierzyć się z surową prawdą. Świat już nie jest bezpieczny, widzi się jego brzydką stronę. Ty, podobnie jak większość ludzi, boisz się nas, demonów, ale my wcale nie jesteśmy najgroźniejszymi drapieżnikami, które na was czyhają. Są nimi istoty, które potrafią zwieść cię swoją pozorną dobrocią, by potem zaatakować cię od tyłu. Te potwory są dużo gorsze od nas. Do tej pory wydawało ci się, że wszystko wiesz. Każdy z nas tak myśli. A teraz przejrzałeś na oczy.

– I już nie można tego cofnąć.

Caleb pokręcił głową.

Nick przerwał i popatrzył na niego.

– Czy ty kiedykolwiek byłeś dzieckiem?

– Rzadko które stworzenie ma tyle szczęścia, by urodzić się od razu dorosłe. Wszyscy musimy przecierpieć dzieciństwo i okres dojrzewania.

– Fajne miałeś dzieciństwo? – zapytał z zaciekawieniem Nick.

– Częściowo. Ale dorastałem w zupełnie innych czasach i innym miejscu. Nie masz pojęcia, jak tam było.

Nie, zapewne nie miał.

Oczy Caleba znowu wyglądały jak oczy człowieka.

– Znalazł się ktoś, kto był dla mnie miły. Ktoś, kto nie powinien taki być. Tego, co wiem o dobroci, nauczyłem się właśnie od niego. Ciesz się, że poznałeś mnie dopiero teraz. Zapewniam cię, że ten Cień Mojej Osoby, z którym wcześniej przyszło ci się zmierzyć, był dużo milszy od istoty, jaką byłem na początku.

– Ale przecież wcale nie chcesz być moim obrońcą.

– Nigdy tego nie powiedziałem.

– Twoja mina o tym świadczy.

Caleb parsknął śmiechem.

– Młody, nie odrobiłeś lekcji. Źle interpretujesz niecierpliwość. Nie ty pierwszy zresztą. Owszem, chcę odzyskać wolność. Nie robię z tego żadnej tajemnicy. Tego nauczyłem się przez niezliczone stulecia. Ale moja wolność na nic by się nie zdała, gdybym dopuścił do tego, by pochłonęła cię ciemność.

– Przecież powiedziałeś, że z przepowiednią nie da się walczyć.

Caleb dźwignął się z kanapy i ruchem ręki oczyścił ją z krwi.

– A od kiedy ty zwracasz uwagę na to, co do ciebie mówię, co? A już zwłaszcza w kontekście *Moby Dicka*?

Nick wzruszył ramionami.

– Najwyraźniej zwracam, kto by pomyślał, co? – I zaraz się uspokoił na widok złowrogiego spojrzenia, jakie rzucił mu Caleb. Straszliwa prawda o jego przyszłości dotarła do niego z całą mocą. – Myślisz, że można mnie uratować?

– Nie byłoby mnie tutaj, gdybym tak nie myślał. Byłbym gdzie indziej, zajęty budowaniem naprawdę głębokiego bunkra.

– A jeśli masz rację? Jeśli nie jestem w stanie się temu przeciwstawić?

– Źle postawione pytanie, Nick. Co, jeśli jesteś w stanie?

# ROZDZIAŁ 18

Tylko nielicznym ludziom zdarza się wysłuchiwać przemówień motywacyjnych wygłaszanych przez demony. Nick był w wąskim gronie szczęśliwców.

Lub przeklętych.

– No, dalej, Nick – powiedział do siebie. – Skup się.

Rzekomo miał te wszystkie ukryte moce, które tylko czekały, by je uwolnić. Najwyższa pora nauczyć się ich używać.

Niecałą godzinę temu znaleziono ciało kolejnego zamordowanego czternastolatka ledwie trzy przecznice na północ od Sanctuary. Miejsce zbrodni wyglądało podobnie, zwłoki otaczał znów dziwaczny emblemat.

Trener Nicka planował dostarczyć dusze całej drużyny swojemu szefowi jak wisienki na torcie własnego wyrobu. Wszystko po to, by Devus mógł przenieść się do kolejnej szkoły i od nowa dopuszczać się zbrodni.

No cóż, Nick Gautier nie był żadną wisienką. I nie był idiotą.

Szczerze mówiąc, Nick sam już nie wiedział, czym jest, ale nie mógł stać z boku i przyglądać się, jak kolejna osoba umiera lub staje się ofiarą. Zwłaszcza jeśli był w stanie jakoś temu zaradzić. Nadeszła pora, by włączyć się do walki. Walka była jedyną rzeczą, której reguły dobrze rozumiał.

– Dasz radę.

Zacisnął pięść na łańcuszku i skupił myśli.

Nadaremnie. Lekcje z Grimem tylko go rozdrażniały, ale w niczym mu nie pomagały. Sfrustrowany, już miał opuścić rękę niżej, gdy nagle poczuł czyjąś ciepłą obecność koło siebie. Pokój był skąpany w miękkim jasnym świetle, które zdawało się promieniować matczyną miłością i aprobatą. Niosło to takie pokrzepienie, że miał ochotę się w tym zatracić.

U jego boku pojawiła się Kody. Siedziała z nogami podkurczonymi pod siebie.

– Naprawdę dasz radę, Nick.

Uśmiechnęła się do niego, a on poczuł przemożną radość.

Rany, to najpiękniejsza dziewczyna pod słońcem! Zawsze wyglądała tak słodko i atrakcyjnie.

– Cześć – wyszeptał, trochę bojąc się, że to tylko jego sen i że ona zaraz zniknie.

Uśmiechnęła się jeszcze szerzej.

– Cześć.

Kody wiedziała, na czym polega jej zadanie: utrzymać Nicka na właściwej ścieżce i dostarczyć jego głowę na tacy siłom, którym podlegała. Za każdym jednak razem, gdy spojrzała w te ciemnoniebieskie oczy, jakaś jej część się w nich zatracała.

Część jej zatracała się w nim.

Trudno było go nie kochać. Cała ta moc ukryta w ciele kogoś, kto był jeszcze wciąż taki niepewny siebie i tak wrażliwy. Kogoś, kto zawsze przedkładał potrzeby innych ponad swoje. To właśnie pragnienie chronienia innych wpędziło go teraz w taką frustrację.

Ujęła jego dłonie w swoje.

– Robisz to na siłę.

– Musi zadziałać. Nie mam czasu na bzdury.

Posłała mu karcące spojrzenie. Jej bracia też zawsze tacy byli – na ślepo parli w jakimś kierunku, aż natknęli się na przeszkody.

*No i popatrz, gdzie ich to zaprowadziło.*

Siłą woli odsunęła od siebie ból. Nie o nich tu chodzi, nie o głupotę, która obu zrujnowała życie i doprowadziła do upadku. Głupotę, która omal nie doprowadziła do końca świata.

Tu chodziło o Nicka i jego kretyńskie nastawienie.

– A jak budujesz półkę na książki i złamiesz gwóźdź na pół, bo nie chce cię słuchać, to co będziesz z tego miał?

– Drzazgi.

Uśmiechnęła się.

– No właśnie.

Nick aż zadygotał, gdy się w niego wtuliła i uścisnęła mocniej jego dłoń. W życiu nie dotykał tak delikatnej skóry. Była niczym ciepły aksamit.

– Zamknij oczy.

Posłuchał. Jej oddech łaskotał go w skórę.

– A teraz wyobraź sobie to, czego chcesz się dowiedzieć, a potem wsłuchaj się we wszechświat, który do ciebie przemawia.

Spróbował, ale w tym momencie był w stanie skupić się jedynie na tym, jak wspaniale było czuć ją przy sobie. *Ależ ja jestem pokręcony.*

– No i? Coś się dzieje?

Hm, no owszem, ale o tym nie miał zamiaru wspominać.

– Nigdy mi się nie uda.

Opuściła ich splecione dłonie w dół, po czym położyła sobie hematyt na dłoni, jakby chciała go zważyć.

– Być może wahadełko nie jest dla ciebie.

– Znaczy?

– Ludzie są różni. To, co działa na jednego, niekoniecznie działa na kogoś innego.

Wyciągnęła dłonie przed siebie i złożyła je razem, tworząc sobie na kolanach kulę. Wyszeptała coś w pięknym języku, którego nie rozumiał, ale którego mógłby słuchać od rana do nocy. Zwłaszcza, gdy był wypowiadany uroczym, melodyjnym głosem, takim jak jej głos.

Na jego oczach z jej dłoni zaczęło promieniować dziwne niebieskie światło. Najpierw pulsowało jak elektryczność, potem zawirowało, wreszcie zaczęło się układać w jakiś kształt. Jakąś minutę później mgiełka przemieniła się w ciemnoszare, niemal czarne zwierciadło. Nie było jednak wykonane ze szkła, lecz z czegoś opalizującego i płynnego.

Podała mu je.

– To magiczne lustro. Spróbuj.

Nadal miał wątpliwości, ale wziął je od niej.

– Co mam z nim zrobić?

– To okno do wszechświata. Opróżnij swój umysł i zajrzyj w zwierciadło. Pokaże ci wszystko, co musisz wiedzieć i wszystko, czego szukasz.

Przy jego szczęściu zobaczy w tym lustrze tylko to, co mu utknęło między zębami.

Albo jeszcze gorzej – coś, co ma przyklejone do nosa.

Aż się wzdrygnął na myśl o takiej zgrozie, ale spełnił polecenie Kody. Gdy tylko to zrobił, natychmiast zobaczył, że lustro zaczyna dymić. Już chciał je puścić, ale Kody mu na to nie pozwoliła.

– Wszystko w porządku, Nick. Patrz.

Jego sceptycyzm przygasł, gdy w zwierciadle zaczęły się pojawiać i poruszać jakieś kształty. Na początku nie potrafił ich rozpoznać, ale jeden po drugim robiły się coraz wyraźniejsze. W głowie słyszał głosy. Rany, to było jak oglądanie telewizora albo nagrań telewizji przemysłowej. Widział ludzi, których znał i takich, których nie znał. Jedna scena szybko przechodziła w kolejną, zmiany następowały w takim tempie, że zakręciło mu się do tego w głowie.

– Co to jest?

– To twoje narzędzie. – Zasłoniła obrazy dłońmi. – To nim będziesz najlepiej władać. Przemówiło do ciebie, gdy tylko go dotknąłeś. Twój dar wieszczenia związany jest z lustrem, a nie z wahadełkiem.

W końcu miał coś, czym potrafił się posługiwać. Lekcje z Grimem sprawiały, że czuł się ułomny i nieudolny. Za to lustro...

Potrafił to zrozumieć. To było jak wtedy, gdy oglądał obrazy w szybie auta Kyriana.

W pokoju zrobiło się jaśniej.

Spojrzał Kody w oczy z zafrasowaną miną.

– Co się dzieje?

– To jest moja tarcza, która ma nas chronić. Ty nie umiesz jeszcze używać swoich mocy, a za każdym razem, gdy się do nich podłączasz i pozwalasz im przez siebie przepływać, wysyłasz sygnał stworzeniu, takiemu jak my. To dlatego Caleb wrzucił cię do szafki. Jesteś potężny, więc nadprzyrodzone istoty do ciebie lgną. Ale nie umiesz się jeszcze przed nimi obronić, walczyć z nimi. A to znaczy, że na razie jesteś dla nich smakowitą przekąską. Jeśli cię zabiją, dopóki jesteś słaby, wchłoną twoje moce i wykorzystają je po swojemu.

Po prostu super.

– Byłoby kiepsko.

– Bardzo kiepsko, w zależności od tego, kto konkretnie by cię zabił.

Te słowa mocno go ugodziły, budząc znów jego poczucie zagubienia. *Nie jestem na to gotowy...* Spojrzał na nią i przyznał się do jednej rzeczy, której nie zdradził nikomu innemu:

– Boję się, Kody.

– I powinieneś. Ale z drugiej strony masz mnie, Caleba i Simi. Zrobilibyśmy dla ciebie wszystko. Nie pozwolimy, by stała ci się krzywda.

Gdyby tylko on podzielał ich wiarę w niego. Co więcej, nie wiedział, komu tak naprawdę może ufać. Każdy mówił mu na ten temat co innego. A jego instynkt podpowiadał mu jeszcze inaczej.

Był kompletnie zdezorientowany.

– Jak ty sobie z tym wszystkim dajesz radę? – zapytał Nekodę. Chciał się dowiedzieć, kiedy znowu poczuje się normalnie.

– Ja się urodziłam, wiedząc, kim i czym jestem. Ty jesteś jak niemowlę, które nagle zdobywa samoświadomość. Umiesz już mówić i chodzić, ale nadal nie wiesz, że gorąca kuchenka cię oparzy, a noże skaleczą. Musisz poznać niebezpieczeństwa naszego świata, dowiedzieć się o drapieżnikach i gadzinach, które się zaczaiły i tylko czekają na okazję, by zatopić w tobie swoje kły. – Położyła obie jego dłonie na lustrze. – Nick, jesteś silniejszy niż jakakolwiek znana mi osoba. Wierzę w ciebie.

Gdy tak mówiła, niewiele brakowało, by on też w siebie uwierzył.

Uścisnął jej dłoń, wziął od niej lustro i jeszcze raz mu się przyjrzał. Najpierw zobaczył swoje własne odbicie, a potem powróciły inne obrazy. Wydawały się zamazane i niejednoznaczne. A potem nabrały ostrości, zrobiły się wyraźniejsze.

Dopiero po minucie wyraźnie dotarło do niego, że patrzy na przeszłość. Jak powiedziała Kody, to było tak, jakby wyglądał przez okno lub był przysłowiową muchą na ścianie.

Zobaczył Devusa w wiktoriańskim garniturze, siedzącego przy dużym stole w jakimś gabinecie z paroma innymi mężczyznami, którzy się z niego śmieją.

– Nigdy nie uda ci się zdobyć niczego więcej niż drugie miejsce, Walterze. Zaakceptuj to.

Devus uśmiechnął się drwiąco.

– Zapewniam się, Theodore, że wygramy ten mecz. Możesz postawić na to miliony.

Theodore strzepnął popiół z cygara w stronę Devusa i jednocześnie zerknął kpiąco ku pozostałym.

– Zawsze byłeś marzycielem, mój drogi. Niepoprawnym marzycielem.

Starszy mężczyzna wstał i gestem kazał pozostałym pójść za sobą. Posłusznie to zrobili. Ich zachowanie skojarzyło się Nickowi z grupką szczeniaków, które lezą za przywódcą stada.

Devus był bardzo rozstrojony, bliski łez. Nagle zaczął ciskać czym popadnie i przewracać meble do góry nogami. Wyjął oprawione w skórę książki z półek i szarpał się za włosy.

– Wygram – wydyszał przez zaciśnięte zęby. – Nawet jeśli będę musiał w tym celu zabić wszystkich zawodników w drużynie. Wygram.

Już miał roztrzaskać lustro wiszące na ścianie, gdy nagle zamarł. Patrzyło zeń jego odbicie, ale z miną pełną spokoju, a nie pełną szaleństwa jak własna twarz.

– Mówiłeś poważnie? – zapytało odbicie.

Devus odłożył marmurowy przycisk do papieru, którym zamierzał roztrzaskać szkło.

– O czym?

– Że zabiłbyś wszystkich zawodników, żeby tylko wygrać?

Zatkało go na kilka sekund. W jego oczach malowała się panika.

– Kim jesteś?

– Kimś, kto może sprawić, że tak się stanie. Ale muszę mieć pewność, że mówiłeś poważnie. W przeciwnym razie marnuję czas, a na to sobie nigdy nie pozwalam.

Wizerunek w lustrze zaczął blednąć.

– Nie! Poczekaj!

Gdy odbicie powróciło i spojrzało na niego spod uniesionej brwi, Devus oblizał sobie wargi.

– M-m-mówiłem poważnie.

– Udowodnij.

– Jak?

– Jeśli mówisz poważnie, to przynieś mi serce. Świeżo wycięte z ciała czternastoletniego dziecka.

Devus aż się zachłysnął z przerażenia.

– Nie. Nie mogę.

– Cóż, szkoda. Satysfakcja z wygranej będzie w takim razie dana komuś innemu.

Odbicie zniknęło.

– Wracaj!

Nie wróciło.

Devus siedział, kręcąc głową i stukając w lustro, aby sprawdzić, czy to wszystko może mu się tylko zwidziało.

– Zwariowałem, to pewne. A jednak...

Nick patrzył na twarz Devusa, na której odbijały się wszystkie myśli krążące po jego głowie. Trener zastanawiał się, co zrobić. Nickowi w głowie się nie chciało pomieścić, że w ogóle brał poważnie taką możliwość. Zupełnie zwariował?

Najwyraźniej.

Dym z jego magicznego lustra zawirował znowu i odsłonił kolejne obrazy. Przerażające obrazy.

Zbulwersowanego Nicka aż zemdliło. Odwrócił głowę, gdy trener podkradł się do niewinnej dziewczynki, wracającej do domu z pracy w fabryce. Brutalnie udusił ją w ciemnej alejce w centrum Atlanty, po czym wyciął jej serce.

W którymś momencie Nick myślał, że zaraz zwymiotuje. Jak można być tak zimnym? Tak brutalnym? Jeśli wcześniej miał odrobinę współczucia dla Devusa, teraz i ona zniknęła, a zastąpiła ją surowa, chłodna pewność: Devus już nikogo więcej nie zabije. To szaleństwo skończy się tu i teraz.

Kody przyglądała się Nickowi, jak powstrzymuje wymioty. Jak odwraca głowę od widoku makabrycznego czynu trenera. To dało jej nadzieję. Nie interesowała go brutalność. Budziła w nim wstręt – jak w każdym normalnym człowieku.

Ponownie zaczął oglądać rozwój wypadków dopiero wtedy, gdy trener powrócił przed lustro z sercem dziewczynki w drewnianym pudełku. A i wtedy Nick aż się wzdrygnął.

*Proszę cię, Nick, pozwól mi cię ocalić. Proszę. Zostań taki, jak jesteś. Wtedy nie będę cię musiała zabić.* Ręce miała zbrukane wystarczającą ilością krwi. Nie chciała jej więcej.

Kody skupiła uwagę z powrotem na trenerze, który właśnie zawarł umowę, do której nigdy nie powinno było dojść.

Devus podniósł wieko pudełka, by pokazać zaczarowanemu zwierciadłu, co zrobił. Nie dało się nie zauważyć dumnego błysku w jego oczach, nadziei i buńczuczności człowieka gotowego osiągnąć swoje cele za wszelką cenę.

– Wystarczy?

Odbicie w lustrze się uśmiechnęło.

– Wspaniale. Lepiej, niż się spodziewałem.

– To mi powiedz, co mam zrobić, żeby wygrać.

– Będziesz musiał zgromadzić po jednym osobistym przedmiocie należącym do każdego zawodnika. – Odbicie w lustrze wyciągnęło rękę i podało Devusowi czerwoną, aksamitną torebkę. – Włóż te przedmioty tutaj.

Devus wziął torebkę i kiwnął głową. Ręka cofnęła się do lustra.

– A potem co?

– Spal piołun i arszenik wymieszany z bazylią i cedrem. Włóż popiół do torby z osobistymi przedmiotami graczy, a potem, o trzeciej nad ranem w dniu meczu, włóż te przedmioty do pudełka z sercem ze złożonej przez siebie ofiary. Trzymaj pudełko przy sobie przez cały dzień, a będziesz niezwyciężony. Nic złego nie będzie ci się mogło przydarzyć, opuści cię pech. Twoja drużyna zagra, jak nie grała nigdy wcześniej. Wygracie.

– Przysięgasz?

– Przysięgam. Ale nie ciesz się tak, trenerze. Będziesz musiał słono za to zapłacić.

Zdezorientowany Devus zmarszczył brwi.

– Przecież już zabiłem tę dziewczynę. Co jeszcze?

Odbicie w lustrze cmoknęło z dezaprobatą.

– Jej serce to katalizator, dzięki któremu zawodnicy spiszą się najlepiej, jak potrafią. Nie ma nic wspólnego z zapłatą, którą mi jesteś winien.

Trener przełknął z niepokojem ślinę.

– A ta zapłata to?

– Twoje życie.

Zrobił się biały jak ściana.

– Co?!

– Będziesz sławny, trenerze. Tak jak chciałeś. Odniesiesz wspaniałe zwycięstwo nad swoimi przeciwnikami. Wykażę się nawet wspaniałomyślnością i pozwolę ci nacieszyć się zwycięstwem przez jeden wieczór. Ale w południe następnego dnia ty i twoi gracze musicie razem umrzeć. Tylko sobie wyobraź nagłówki gazet! Tragiczna śmierć mistrzów tuż po ich wielkim sukcesie. Staniesz się legendą. Wieczną legendą.

Devus przełknął głośno ślinę.

– Nie tego chcę. Nie na to się zgodziłem.

W oczach odbicia w lustrze nie było litości.

– Owszem, na to. Trzeba było zapytać o warunki, zanim zawarłeś umowę. Nikt ci nigdy nie powiedział, żeby czytać to, co jest napisane drobnym drukiem?

Devus nie mógł opanować trzęsących się rąk.

– To niesprawiedliwe.

– Życie nie jest sprawiedliwe. Ale nie rozpaczaj. W odróżnieniu od twoich zawodników, ty nie pozostaniesz martwy.

– To znaczy?

– Na tym polega nasz układ, Walterze. Tak długo jak będziesz zbierał dla mnie dusze, nie zabiorę twojej. Jednak jeśli zawiedziesz mnie i nie dostarczysz mi zwycięskiej drużyny do południa dnia następnego, będziesz przez całą wieczności cierpiał niewyobrażalne katusze. Rozumiesz?

Kiwnął głową.

– Świetnie. A teraz bądź grzecznym chłopcem i dobrze pilnuj tego serca.

Nick oderwał się od tej sceny pełen furii. Jak trener śmiał zawrzeć taki pakt? I po co?

Dla próżności?

To było coś, czego nigdy nie potrafiłby zrozumieć.

Kody westchnęła, zwracając na siebie jego uwagę.

– No cóż, wiemy przynajmniej, jak się to wszystko zaczęło.

Nick otworzył usta, by coś odpowiedzieć na to, ale zanim zdążył otworzyć usta, przez głowę zaczęły mu przelatywać różne obrazy. Migały szybko, jak wcześniej w lustrze. I, tak samo jak nad obrazami w lustrze, nad tymi również nie miał kontroli. Zakręciło mu się od tego w głowie i doprowadzało go do mdłości.

Co za ból...

Krzyknął. Leżał na podłodze, zasłaniając oczy ręką, by sobie w ten sposób trochę ulżyć w cierpieniu. Czuł się tak, jakby mózg mu właśnie eksplodował. Dosłownie.

– Nick?

Kody wciągnęła powietrze do płuc z głośnym świstem, przyglądając mu się, gdy konwulsje targały nim po podłodze.

Co się dzieje? Co zrobić?

Nie miała poczucia, że coś go zaatakowało, a jednak zachowywał się, jakby właśnie tak było. Czyżby przez przypadek napuściła coś na niego? Ta myśl ją przeraziła.

– Nick? – zapytała jeszcze raz.

I znowu nie otrzymała odpowiedzi.

Wzmocniła ochronę dookoła pokoju. Była ona teraz tak gęsta, że nic nie mogłoby się przez nią przebić. Kody położyła sobie głowę Nicka na kolanach i objęła go. Miała nadzieję, że atak mu zaraz przejdzie.

Nick usłyszał w głowie głos dziewczyny. Julianne... Mówiła do niego głosikiem, który wyraźnie skojarzył mu się z młodszym bratem Madauga. Był to głos wysoki i pełen bólu.

*Uwolnij mnie*, błagała. *Proszę cię. Nie chcę już nikogo więcej krzywdzić. Chcę odpocząć. Chcę zaznać spokoju. Czemu on nie zostawi mnie w spokoju? To trwa już tak długo. Jestem bardzo zmęczona.*

To była dziewczyna, którą zamordował Devus. Ona...

W żyłach Nicka popłynęło coś gęstego i ciepłego. Czuł coś innego niż wtedy, gdy jego moce wzięły górę nad jego wolą. Tym razem miał poczucie, że ma nad tym kontrolę, że może tym sterować.

Zamknął oczy i próbował się skupić.

Kody aż się żachnęła. Odsunęła się od niego, zobaczywszy, że całe ciało Nicka otoczyła pomarańczowa aura – esencja demona. Aż jej włosy stanęły dęba na karku.

Gdy otworzył oczy i spojrzał na nią, nie były już niebieskie, lecz miały głęboki odcień lawendy. Nie przypominały oczu człowieka.

– Musisz mnie nauczyć wskrzesania zmarłych. – Jego głos był niski i głęboki, zupełnie niepodobny do głosu Nicka, który tak dobrze znała.

Zamrugała dwa razy. Myślała nad jego życzeniem.

– Nie wolno.

Jego głos powrócił do swojego normalnego tonu. Nick uniósł się z podłogi i odwrócił ku niej.

– Nie, wcale nie. To nierozważne. Rzecz w tym, że aby to zakończyć, trzeba pozwolić zamordowanej dziewczynie zmierzyć się ze swoim mordercą. Ona chce się uwolnić. Myślę, że powinienem jej w tym pomóc.

Kody pokręciła głową.

– Nie możemy tego zrobić, Nick. Jesteś za słaby. Nie masz pojęcia, jakie przejście się wtedy otworzy. Drzwi, które niełatwo będzie potem zamknąć.

*To kłamstwo.*

Nick jęknął, gdy usłyszał obcy głos w głowie.

– Kim jesteś?

Cisza.

Szczerze mówiąc miał już dość tego, że jego głowa przypominała zatłoczoną stację kolejową. *Ludzie, rzeczy, zwierzęta. Wynoście się!* Stacja nieczynna! *Idźcie straszyć gdzie indziej.*

Kody położyła mu dłoń na czole, żeby sprawdzić, czy nie ma gorączki.

– To ja, Kody. Dobrze się czujesz?

Zerknął na nią z irytacją.

– Nie do ciebie mówiłem. Słyszę głosy w głowie.

– Jakie głosy? Jak one brzmią?

Klepnął się w ucho, żeby się ich pozbyć.

– Nie umiem tego wytłumaczyć. To... Moce mi się wymykają. Czuję je. One...

Jęknął głośno i zastygł, bo poczuł taki ból, że aż stracił oddech.

Nekoda wpadła w panikę, widząc, że jego oczy znowu się zmieniają. Na jego skórze z kolei pojawiły się wirujące cętki. Musiała coś zrobić, i to szybko, bo inaczej go straci.

– Spójrz na mnie, Nick!

Zignorował ją.

Trzeba go jakoś uspokoić i zmusić te potężne moce do wycofania się. Musiał odzyskać jasność myślenia i skupić się na czymś innym niż ból. Ponieważ nic lepszego nie przyszło jej do głowy, pocałowała go.

Nick aż zadygotał, gdy poczuł usta Kody na swoich. Posmakował tych pełnych, delikatnych warg i ogarnęło go poczucie niewiarygodnego spokoju. Poczuł się tak, jakby unosił się w powietrzu. Ujął jej twarz w dłonie i pozwolił, by ciepło jej warg go ukoiło. Po chwili odzyskał jasność myślenia.

Tak łatwo wyleczyła go z bólu głowy i sprowadziła z powrotem na ziemię!

Odsunął się od niej i spojrzał na nią uważnie.

– Dziękuję.

– Nie ma sprawy. Możesz mi wytłumaczyć, co usłyszałeś?

– Nie bardzo. Najpierw to była ta zamordowana dziewczyna, Julianne.

Kody miała wątpliwości.

– Jesteś pewien, że to ona?

– Znaczy?

– Dla demona to nic trudnego przybrać postać zmarłej osoby. Nie trzeba do tego dużo energii, a w ten sposób można bez trudu zmusić ludzi do zrobienia tego, czego się do nich chce. Ukazujesz się komuś pod postacią ich ukochanego albo zmarłego dziecka, a zrobią wszystko, co im każesz. To oszustwo.

Nick nie wierzył w to ale przynajmniej rozumiał, co Kody próbuje mu powiedzieć.

– Masz rację. Mogła kłamać. Ale jakoś mi się nie wydaje. Jednego się w życiu nauczyłem: nic nie jest łatwe. Odbicie Devusa w lustrze ostrzegło go, żeby pilnował serca dziewczyny jak oka w głowie. Mówię ci, Kody. Kluczem do tego wszystkiego jest ta dziewczyna, od której śmierci się zaczęło.

Dostrzegł w jej oczach opór, ale szybko go w sobie stłumiła.

– Masz rację. Żeby coś odkręcić, trzeba zwykle wrócić tam, gdzie wszystko się rozpoczęło, ale...

– Ale co?

– Nick, mówimy o nekromancji. Z czymś takim nie można igrać. I nie można się tego nauczyć w kilka godzin czy dni. Nekromanci to oddzielna rasa.

– Dlaczego?

– Gdy robią to, co robią, za każdym razem tracą część swoich dusz. Mówimy o najmroczniejszych odmianach zła. Nie chodzi przecież tylko o ożywienie naczynia: o to, by ciało znowu się zaczęło ruszać. Trzeba połączyć je z duszą, a to oznacza, że trzeba tę duszę wyrwać stamtąd, gdzie się wcześniej udała. A jeśli narodziła się na nowo... Moim zdaniem jest to coś, od czego trzeba się trzymać z daleka. Choć z drugiej strony nie wiem tego na pewno, bo się w to nie mieszam. I mam swoje powody.

Patrzył na nią błagalnie.

– Ale znasz kogoś, kto to robi...

Wciąż próbowała uniknąć katastrofy.

– Nie, nie znam.

– Ale znasz kogoś, kto zna kogoś...

Jego upór był irytujący, a jednocześnie zabawny i uroczy. Za chwilę nie będzie już odwrotu, ona zupełnie nie umiała temu zaradzić.

Jedno wiedziała o Nicku: był uparty jak osioł. Nie uda jej się go przekonać, by porzucił ten pomysł.

– Oboje znamy tego kogoś. No, dalej, weź kurtkę i chodźmy poszukać Caleba.

Krążąc po ogromnym, wyłożonym marmurem holu w swojej rezydencji, przy której dom Kyriana wyglądał jak nora, Caleb wbił ciężkie spojrzenie w Nicka, a potem w Nekodę.

– Kompletnie powariowaliście? Słowo daję, nie można was dwojga zostawić samych na trzy sekundy, żebyście nie wpakowali się w jakieś kłopoty. – Spojrzał uważnie na Nicka. – Po tobie zawsze spodziewam się głupot, ale ty... – Zwrócił się do Kody. – Przecież wiesz.

Wzruszyła bezradnie ramionami.

– Próbowałam mu to wytłumaczyć, ale nie chce mnie słuchać. Berek. Twoja kolej.

Caleb odwrócił się do Nicka i wskazał na Nekodę.

– Lepiej posłuchaj jej, Nick.

Nick wcale nie zamierzał utrudniać im życia. Naprawdę. Rozumiał ich panikę i obawy. I był im za to wdzięczny. Zobaczył jednak to co zobaczył i usłyszał, co usłyszał.

– Chociaż raz mnie posłuchajcie. Może nie jestem taki dobry w te klocki jak wy, ale wiem, co zobaczyłem. Wy, i wszyscy inni, w kółko mi powtarzacie, że muszę się nauczyć swoich mocy. Arr, nauczyć się sswoich mmocy – udał, że jest piracką papugą, po czym ciągnął dalej normalnym tonem. – A gdy to robię, to mi mówicie, że nie wiem, o czym gadam. – Podniósł ręce do góry w geście kapitulacji. – Jak sobie chcecie. Wygraliście. Ja się wycofuję. Sami sobie z tym wszystkim radźcie. Ja idę do domu się spakować. Tylko do mnie nie dzwoń, Caleb, jak skończysz w kostnicy, bo trener ma twoje suspensorium czy coś innego, czego ja ci nie ukradłem, a co gwizdnął ktoś inny. Ja się już w to nie mieszam. Zaszyję się w jakimś bunkrze do czasu, aż to wszystko się skończy.

Ruszył w stronę drzwi, lecz gdy do nich dotarł, zamknęły mu się przed nosem.

– Nienawidzę cię, Nick – oświadczył Caleb, przeciągając zgłoski.

– Z wzajemnością, demonie.

Caleb westchnął z irytacją i gwałtownie odwrócił się do Nekody.

– Naprawdę myślisz, że to rozsądne?

– Wcale tak nie myślę. Ale nic lepszego nie przychodzi mi do głowy. A tobie?

– Czuję się, jakbym wkraczał na plan skeczu Monty Pythona* – mruknął Caleb, po czym wyciągnął z kieszeni telefon i wybierał numer. Czekając na rozmowę, wbił w nich ciężkie spojrzenie.

Nick skrzywił się, że łączenie tak długo trwa i zerknął na Nekodę.

– Nekromanci nie mają poczty głosowej?

Wzruszyła ramionami.

– Hej – odezwał się w końcu Caleb. – Mówi Malphas... No tak, dawno nie gadaliśmy. Mam sprawę. Jak daleko od Nowego Orleanu jesteś?

Nick słyszał głęboki głos po drugiej stronie słuchawki, ale nie potrafił rozróżnić poszczególnych słów.

– Dobra. To do zobaczenia. – Caleb przerwał połączenie i dalej gapił się ponuro na Nicka i Kody. – Będzie tu za parę godzin.

– Skąd jedzie? – zapytał Nick.

– Nie chciał powiedzieć, a ja nie dopytywałem. – Potarł sobie brew. – Mam nadzieję, że wiecie, co robicie.

Kody odwróciła się do Nicka.

– Tak dla wyjaśnienia, Nick. Używanie lustra nie powinno cię przerażać. To, co teraz robimy, powinno.

– Przestań marudzić – powiedział Nick. – Przecież wiem, nie? Są dwie możliwości: albo popełniłem ogrom-

---

* Monty Python – zespół twórców i gwiazd telewizyjnego serialu komediowego *Latający cyrk Monty Pythona*, założony pod koniec lat 60. XX wieku w Anglii (*przyp. tłum.*)

ny błąd, albo uda mi się to wszystko zakończyć. Zamiast tak się koncentrować na negatywach, może zrobimy coś pozytywnego?

– Jak na przykład? Będziemy wyrywać Nickowi ramiona ze stawów i patrzeć, jak płacze jak baba?

Kody się roześmiała.

Nicka oczywiście sarkazm Caleba nie rozbawił.

– Dzięki za to, że mnie sprzedałaś – powiedział do Nekody.

Natychmiast się opanowała.

– Na razie tego nie zrobiłam, ale noc jest jeszcze młoda.

A następnego dnia czekała ich szkoła. Nick zerknął na zegarek.

– Cholera. Muszę lecieć do domu.

Caleb zaoponował.

– To kiepski pomysł. Może mama pozwoliłaby ci tu zostać na noc?

– Jeśli jej powiem, że się razem uczymy, to jest szansa, że się zgodzi.

Caleb uśmiechnął się drwiąco.

– Ależ my się uczymy. Metod przetrwania najbliższych kilku godzin. To bardzo ważny przedmiot.

Nick nie mógł się nie zgodzić. Wyjął komórkę i zadzwonił do matki, która nadal była w pracy, w Sanctuary.

– Cześć, skarbie, co tam?

– Mogę zostać u Caleba na noc? Pracujemy razem nad jednym projektem i jeszcze trochę zostało do zrobienia.

– Nick. – W jej głosie zabrzmiała podejrzliwość i irytacja. – Dobrze wiesz, że nie lubię, gdy zostajesz u kogoś na noc, jeśli następnego dnia masz szkołę.

– Wiem, mamo. Nie prosiłbym, gdyby to nie było naprawdę bardzo, ale to bardzo ważne. Proszę?

Prychnęła przez słuchawkę.

– Niech ci będzie. Tylko nie zapomnij umyć zębów.

– Nie zapomnę.

– I dzwoń, jakbym ci była potrzebna.

– Jasne.

– No dobrze. Powiedz mi, że mnie kochasz, to się zgodzę.

Zrobił się czerwony jak burak i odwrócił tyłem do Caleba i Kody.

– Kocham cię – powiedział szeptem.

Cmoknęła do słuchawki, po czym się rozłączyła.

Nick spojrzał posępnie na Caleba.

– Ani słowa!

– Nie odważyłbym się. Zresztą muszę dodać, że jestem pod wrażeniem.

– Czego?

– Tym razem mama cię tak nie przepytywała.

Nick prychnął.

– To dlatego, że już to zrobiła i zdałeś egzamin. Ciesz się.

Nekoda wymachiwała rękami w tył i w przód, klaszcząc co chwilę w dłonie.

– No to co, panowie? Co będziemy robić przez następne parę godzin?

Nick uśmiechnął się, bo właśnie wpadł na doskonały pomysł.

– Hej, Caleb, trzymasz gdzieś w tej swojej wielkiej posiadłości konsolę i jakieś gry?

– Przecież wiesz. Powiedz tylko, na co masz ochotę.

Nick właśnie ogrywał Caleba po raz tysięczny, gdy nagle rozległ się dzwonek do drzwi.

Wszyscy troje aż podskoczyli.

Kody złapała się za serce.

– To pewnie twój znajomy.

Caleb przeniósł się na dół za pomocą swoich mocy.

Nick postanowił zrobić to w bardziej ludzki sposób i zszedł na dół schodami. Przystanął na podeście, skąd widział hol przy drzwiach wejściowych. Na podstawie reakcji Caleba i Nekoda spodziewał się zobaczyć jakiegoś wielkiego jak góra, niezdarnego brutala w płaszczu do ziemi.

Lecz facet, który wszedł do środka, stanowił przeciwieństwo jego wyobrażeń

Ubrany był w luźne bojówki koloru oliwkowego i czarny T-shirt. Wyglądał całkiem normalnie. Miał trochę potargane, przydługawe włosy. W ciemnych lokach połyskiwały jednak modne, jasne pasemka. Ręce trzymał w kieszeniach, a torbę z ciemnobrązowego płótna przewiesił sobie na ukos przez ramię.

Schodząc na dół, Nick zauważył też, że przybysz ma na nogach znoszone sandały, a jego kostkę zdobiła bransoletka upleciona z zielonego i czarnego sznurka.

Był umięśniony, ale szczupły. W lustrzanych okularach słonecznych i ze swym bezpretensjonalnym zachowaniem wyglądał jak przeciętny trzydziestolatek.

Tak się przynajmniej Nickowi zdawało, dopóki nie podszedł bliżej, bo wtedy wszystko się zmieniło. Dało się wyczuć moc emanującą z przybysza niczym z naładowanej baterii. Chłopak mógł nawet przysiąc, że słyszy jej szum. Dostrzegł też inne szczegóły, na widok których nawet odważny człowiek rzuciłby się do ucieczki. Facet był cały w bliznach, śladach po oparzeniach i tatuażach. Wyglądał niczym weteran wojenny, którego torturowali wrogowie.

Nick się zawahał.

Caleb odchrząknął, po czym przedstawił ich sobie:

– Xenon, poznaj Nicka Gautiera.

Nick się skrzywił.

– Xenon? Co to za imię?

– Jedyne, na jakie reaguję. – Jego głos był niski i chropawy, jakby rzadko się odzywał. Gdy Nick podszedł bliżej, Xenon odwrócił się ku niemu i nasrożył się. Zlustrował go od stóp do głów, bardzo dokładnie, choć nie sprośnie. – Jesteś zagadką, którą spowija wiele sprzeczności.

Caleb parsknął śmiechem.

– Nie zżeraj pomocników, X. On jest nam potrzebny.

– Szkoda.

Xenon zdjął swoje okulary przeciwsłoneczne, po czym schował je do futerału wyjętego z torby. Gdy to robił, Nick zobaczył tatuaże na jego rękach. Na kostkach lewej dłoni miał wytatuowane słowo EASY, a na prawej HARD*.

Nick się zaśmiał.

– Fajny tatuaż. Znaczy coś szczególnego?

– Módl się, byś się tego nigdy nie dowiedział – odparł Xenon, po czym ignorując Nicka, odwrócił się do Caleba. – Co się dzieje?

Nick cofnął się do schodów, gdzie stała Nekoda ze skrzyżowanymi ramionami. Było jasne, że czuje się niezręcznie w tym towarzystwie. Nie powiedziała tego wprost, ale mowa jej ciała wyraźnie o tym świadczyła.

*Mam przez niego gęsią skórkę.*

– Ile to potrwa? – zapytał Caleb.

– Dwa dni.

– Masz jeden.

– Malphas, mnie nie można poganiać. To sztuka, a nie nauka. A jeśli coś pokręcę...? Sam wiesz, co się może zdarzyć.

– Wiem, nadal męczą mnie wspomnienia.

---

* Easy – łatwo. Hard – trudno, ciężko.

– Wspomnienia? A ja nadal nie skończyłem jeszcze chodzić na terapię. – Ton Xenona był beznamiętny i oschły. – Gdzie mam się rozłożyć?

Caleb zaprowadził go do gabinetu znajdującego się na prawo od wejścia do domu.

Gdy tam zniknęli, Nick zerknął na Nekodę.

– Czy my... Kim dokładnie jesteśmy?

Uniosła brew pytająco.

– My to znaczy kto?

– No, ty i ja. Co jest między nami?

Przez kilka minut milczała, zastanawiając się nad jego pytaniem.

– Szczerze mówiąc, nie wiem. Lubię cię. Bardzo.

Dobrze wiedzieć.

– Ale?

Bał się jej odpowiedzi, ale musiał ją poznać.

– Ta zażyłość nie jest wskazana.

– To ty w kółko mnie całujesz.

Zrobiła się czerwona jak burak.

– Wiem. Muszę przestać się potykać i wpadać na twoje usta.

– Aha... Dobrze wiedzieć, co to było...

Zmarszczyła nos.

– No tak.

Ugiął się pod ciężarem jej słów.

– Cieszę się, że mi powiedziałaś. Teraz przynajmniej wiem.

Odsunął się od niej, ale zatrzymała go.

– Nie wybiegajmy za bardzo w przód, co? Zobaczmy, dokąd nas to zaprowadzi.

– Jestem młody, mogę poczekać. – Opadł na kolana i udał, że łka z bólu. – Zestarzeję się i umrę sam jak palec. Każdy frajer w szkole ma dziewczynę, tylko nie ja. Czemu, ach, czemu?

– A ty co? Odstawiłeś leki?

Nick puścił do niej oko i wstał z podłogi.

– Chyba tak, bo od rana mam halucynacje.

Pokręciła głową i zrobiła krok w jego kierunku, jednak nagle przy drzwiach wejściowych rozległ się jakiś łomot.

Wymienili rozbawione spojrzenia. Caleb wyszedł z gabinetu, żeby sprawdzić, kto to.

Gdy tylko otworzył drzwi, do środka wtargnął rój demonów i zaatakował ich.

# ROZDZIAŁ 19

Demony wdarły się do domu Caleba niczym szarańcza. Otoczyły ich i rzuciły na podłogę. Nick był nimi cały oblepiony i nie mógł się ruszyć, podobnie jak Kody i Caleb.

– Co to za wieczór kawalerski tu sobie urządziłeś, Malphas? – zapytał Xenon, wychodząc z gabinetu.

– Może do nas dołączysz?

Caleb walczył, żeby się uwolnić. Nick i Kody również.

Bezskutecznie.

Xenon wycofał się do gabinetu, lecz demony zaraz i tam go dopadły.

– Już po nas. – Nick zerknął na Nekodę. Chciał zapamiętać jej piękną twarz na wypadek, gdyby nie ujrzał tak ślicznych kobiet tam, gdzie miał się udać.

Żadne z nich nie próbowało nawet zaprzeczać, bo nie miało to sensu. Demony siedziały Nickowi na piersiach i tłukły jego głową o podłogę tak mocno, że aż się dziwił, iż ma jeszcze całą czaszkę. W podobnej sytuacji byli Nekoda i Caleb. Walczyli ze wszystkich sił, ale nie byli w stanie uporać się z napastnikami.

Demony zbiły się w ciaśniejszą chmarę i uniosły ich w powietrze, jakby chciały ich gdzieś zabrać.

Nick był już przekonany, że nie przeżyją tego ataku, gdy nagle z gabinetu wypadł niczym jakiś Terminator Xenon. Prysnął czymś w powietrze. Zadziałało to jak kwas, zwłaszcza gdy wystrzelił z dłoni kulami ognia, od których zapalił się rozpylony płyn. Gdy tylko opadał na napastników, demony odskakiwały z wrzaskiem, a ich skóra się topiła.

Xenon przegnał je z domu i podjazdu. Mówił do nich przy tym spokojnym, kojącym głosem. Naprawdę robiło to wrażenie. Nick chętnie nauczyłby się takiej sztuczki. W jego stylu było raczej wywrzaskiwanie przekleństw i sarkastyczne uwagi.

Gdy już wszystkie demony zniknęły, Xenon wrócił i zamknął drzwi wejściowe na klucz. Spojrzał krzywo na Caleba.

– Wydawało mi się, że mówiłeś, że tu jest bezpiecznie.

– Najwyraźniej się pomyliłem.

– Dobra robota, Malphas.

W odpowiedzi na tę sarkastyczną uwagę Caleb pokazał mu środkowy palec, po czym spojrzał w stronę Nicka.

– To była brygada zabójców. Jakoś dowiedzieli się, że tu jesteś.

Na tę wieść zrobiło mu się słabo.

– Musimy zapewnić ochronę mojej mamie?

Xenon zaprzeczył ruchem głowy.

– Oni nie tropią tak jak ludzie, bardziej jak psy gończe. Zaatakowano nas, bo zwęszyli tutaj krew swojego obiektu zainteresowania. Czyli twoją.

Cholera jasna!

– A jeśli mój zapach doprowadzi ich do mnie do domu i moja mama będzie tam sama?

– Uspokój się. Powtarzam, to nie działa w ten sposób. Oni podążają tylko za świeżym tropem, nie za starym zapachem. Jeśli się nie wykąpałeś w perfumach tak mocnych, że zostaje po nich ciężki, trwały smród, nic ci nie grozi.

Xenon zerknął na Nekodę.

– Nienawidzę cię za to spojrzenie. I nie używam perfum.

– Tak tylko chciałem się upewnić.

Caleb dokuśtykał do Xenona.

– Teraz już wiesz, dlaczego musisz się pośpieszyć. Dasz radę coś zdziałać do jutra?

– Będę nad tym pracował przez całą noc. Na sen i tak nie mam co liczyć. Nie z tym całym mętlikiem we łbie.

– Dzięki.

Xenon skinął do niego, po czym wrócił do gabinetu.

Caleb westchnął udręczony.

– Idę spać. Jeśli ktoś jeszcze nas dzisiaj zaatakuje, rzuć im Nicka na pożarcie i każ spadać.

– Ejże!

Caleb go jednak zignorował i zostawił ich samych.

– Ja też już się chyba położę. – Kody cmoknęła Nicka w policzek. – Nie siedź za długo. W przeciwnym razie będę się o ciebie martwić.

– Niedługo pójdę w twoje ślady.

– Dobrze.

Ruszyła po schodach do skrzydła dla gości. Już sam fakt, że dom Caleba miał skrzydła, doskonale świadczył o tym, że była to prawdziwa rezydencja.

Nick odczekał, aż wszyscy znikną, po czym podszedł do drzwi gabinetu, żeby zerknąć, co robi przybysz.

– Już lepiej wejdź do środka, Nick. Nie znoszę, jak ktoś sterczy mi za plecami.

Otworzył drzwi szerzej i wszedł do gabinetu wyłożonego od podłogi do sufitu drewnianą boazerią. Stało tam biurko i krzesło, ale poza tym było mebli niewiele, za to mnóstwo wolnej przestrzeni.

Xenon rozłożył swoje rzeczy i mieszał je w niewielkim, czarnym kociołku z żelaza, który stał przed nim.

W jakiś dziwaczny sposób skojarzył się Nickowi z kucharzem. Pracował z wdziękiem i pewnością siebie, jakby przepis miał wyryty na zawsze w pamięci.

– Co robisz? – zapytał Nick.

– Przygotowuję eliksir, który mnie ochroni, gdy wezwę z zaświatów tę twoją dziewczynę.

– Myślisz, że mój plan się powiedzie?

Xenon wzruszył ramionami.

– Nie jestem ekspertem w takich sprawach. Albo ci się powiedzie, albo poniesiesz porażkę. Jedno z dwojga.

Hmm…

Nick podszedł bliżej.

– Jak to się stało, że zacząłeś się zajmować takimi sprawami?

Xenon spojrzał na niego spode łba i dodał jakieś zielone liście do kociołka.

– Odpowiedziałem na ogłoszenie w gazecie.

– Poważnie?

Xenon zignorował pytanie.

– Wiesz co, młody, przydasz mi się.

Nicka przeniknął dreszcz.

– Do czego?

– Masz składnik, który jest mi potrzebny.

Nickowi wcale się to nie podobało.

– Słucham?

– Chodź tutaj.

Nie do końca pewny tego, co powinien zrobić, wykonał polecenie Xenona, choć czuł, że lepiej byłoby uciekać gdzie pieprz rośnie. Gdy tylko znalazł się w pobliżu, Xenon niczym G.I. Joe złapał go zabójczym chwytem kung fu i naciął mu dłoń nożem, którego Nick nawet nie zauważył, dopóki nie zaczął krwawić.

– Nie wyrywaj się.

Przytrzymał chłopaka i upuścił kilka kropel jego krwi do kociołka.

– To niehigieniczne. Fuu!

– Fuu, zgadza się, ale, uwierz mi, jeszcze mi za to podziękujesz.

W tym momencie nie czuł specjalnej wdzięczności. Gdy tylko się wyrwał Xenonowi, wybiegł z gabinetu i schował się w pokoju gościnnym, który Caleb dla niego przygotował. Wskoczył do łoża z kolumienkami stojącego na postumencie. Wpełzł pod kołdrę i skupił się na swojej pulsującej ręce.

Podmuchał na otwartą dłoń, żeby powstrzymać pieczenie.

I nagle rana zamknęła się na jego oczach.

Gapił się z opadniętą szczęką na bliznę, która pojawiła się w miejscu skaleczenia. A to dopiero.

*Idź spać. Nie myśl o tym.*

Nie było to łatwe.

*No, dalej, ciało, współpracuj ze mną.* Miał przed sobą ważny dzień, musiał być zrelaksowany i przytomny. Zwłaszcza że zamierzał uporać się z trenerem…

Nick wszedł do szkoły razem z Nekodą, która podążała z jego prawej strony, oraz Calebem kroczącym po lewej. Zwracali na siebie uwagę, idąc ramię w ramię w stronę szkolnych szafek. Nick rzucił swój plecak na podłogę i otworzył zamek.

– No dobra. Trudność polega na znalezieniu pudełka z sercem.

– Będziemy szukać. – Kody ruszyła w stronę swojej klasy.

Caleb klepnął go w plecy, po czym też zniknął.

Gdy Nick wyjmował książki z szafki, poczuł, jak ktoś szturcha go ramieniem. Stone.

– Co to? Nowa koszula, Gautier? Chyba mi nie powiesz, że w sklepie dla biedoty zabrakło tandety.

Nick miał na sobie pożyczoną czarną koszulę Caleba; bo nie zabrał wcześniej ubrania na zmianę.

– Dorośnij, Stone.

Stone się zamachnął, by go znowu szturchnąć.

Nick uchylił się tak umiejętnie, jak mu się nigdy wcześniej nie udało. Potrafił teraz przewidzieć każdy cios Stone'a, jeszcze zanim on sam wykonał jakikolwiek ruch.

Z trudem powstrzymywał się przed zdzieleniem tego typka, wiedział jednak, że gdyby to zrobił, zostałby zawieszony w prawach ucznia.

– Nie jesteś tego wart, Stone.

Podniósł plecak z podłogi i zostawił bełkoczącego coś kolegę na korytarzu.

To poprawiło mu samopoczucie.

I to znacznie. Chętnie porozkoszowałby się tym dłużej, ale miał zadanie do wykonania. Postanowił uciec ze świetlicy, by przeszukać gabinet Devusa, gdy ten będzie prowadził lekcję historii.

Tym razem zachował przy włamaniu dużo większą ostrożność. Wśliznął się do środka, po czym wyciągnął wahadełko.

– No, chodź, kochanie. Tylko proszę cię, współpracuj z tatusiem. – Narysował plan pomieszczenia na kartce w swojej książce. – Gdzie jest pudełko z sercem?

Początkowo nic się nie wydarzyło. Nick zacisnął mocniej pięść. Chciało mu się krzyczeć. A potem wahadełko nagle zaczęło się kołysać.

*Dzięki, skarbie!*

Patrzył, jak wahadełko zatacza okrąg ponad szkicem pokoju. Po kilku sekundach skupiło się nad biurkiem.

– Po prawej? – zapytał.

Zakołysało na „tak".

Zachwycony, pocałował wahadełko i schował je do kieszeni. Zaczął otwierać szufladę po szufladzie i...

I niczego nie znalazł.

To draństwo go oszukało. Rozjuszony, miał ochotę cisnąć wahadełko w wody jeziora Pontchartrain. Jednak nie tego zrobił.

*Zaufaj mu.* Głos Ambrose'a nigdy nie brzmiał tak głośno. Nick wziął głęboki wdech i jeszcze raz przeszukał szuflady.

I znowu nic nie znalazł. Wreszcie dotarło do niego, że z zewnątrz szuflady robią wrażenie dużo głębszych niż od wewnątrz.

Musiały mieć podwójne dno.

Serce biło mu jak młotem. Szybko znalazł ruchomą część i otworzył skrytkę. I rzeczywiście, w środku było to samo pudełko, które widział wcześniej w lustrze.

Podekscytowany i przerażony, szybko odłożył pozostałe rzeczy na miejsce, a pudełko schował głęboko do plecaka. Wyszedł z pokoju, skradając się niczym ninja. Udało mu się niezauważenie oddalić od gabinetu Devusa. Następnie zadzwonił do Caleba i Nekody, żeby zdać im relację z postępów Operacji Rewanż.

Gdy tylko dotarł do klasy, usłyszał swoje nazwisko przez interkom.

– Pani Turtledove? Proszę przysłać Nicka Gautiera do trenera Devusa, który chce się z nim zobaczyć w pilnej sprawie.

Chłopak wpadł w panikę. Czyżby trener już wiedział? Czy Nick zostawił coś nie na swoim miejscu?

*Co za idiota ze mnie*. W dodatku już niedługo będzie martwym idiotą.

Jego czoło zrosił pot, gdy wrócił do gabinetu trenera. Otworzył drzwi i zobaczył Devusa siedzącego za biurkiem, z ręką w szufladzie, w której najwyraźniej czegoś szukał.

– Masz to, Gautier?

– Co?

Jęknął.

– Nie próbuj się migać, gnojku. Dobrze wiesz, o czym mówię. Oddawaj. Natychmiast.

Nie! Nie miał zamiaru oddać mu pudełka. Rozejrzał się z przerażeniem dookoła. Próbował przypomnieć sobie wszystko, czego nauczył go Xenon.

– Gdzie następny zestaw przedmiotów?

Aha, to o to chodzi. Nick odetchnął z ulgą, a jego strach zelżał.

– Jeszcze ich nie mam.

– Co?

Nick wzruszył ramionami.

– Przepraszam. Między lekcjami, zadaniami domowymi, treningiem futbolu a pracą nie miałem nawet chwili.

Devus zerwał się na równe nogi.

– Jak śmiesz! Zapłacisz mi za to. Do końca dzisiejszego dnia...

– No tak... Nie wydaje mi się. – W myślach wezwał Nekodę i Caleba. – Co więcej, chciałbym dostać z powrotem przedmioty, które już ukradłem. Zamierzam je zwrócić ich właścicielom.

– Nie dostaniesz ich z powrotem.

Starając się zrobić to ukradkiem, Nick narysował na podłodze okrąg miksturą, którą dostał od Xenona.

Trener złapał go i mocno szarpnął.

– Co ty wyprawiasz?

– To ADHD. Nie mogę usiedzieć spokojnie. Po prostu nie mogę się opanować.

– Może więzienie temu zaradzi.

– Myśli pan? – zapytał Nick z sarkazmem. – Mam inny pomysł. Co pan powie na to, żebym wysłał pana tam, gdzie pana miejsce? Umrze pan po cichutku i zostawi nas w spokoju.

Trener złapał go za gardło.

– Z przyjemnością cię zniszczę, ty śmieciu!

– A ja z przyjemnością wyślę pana w zaświaty! – Nick wbił mu kolano w lędźwia.

Trener puścił go, zgiął się w pół i złapał za obolałe miejsce.

W pomieszczeniu pojawiła się Nekoda, a po chwili dołączył do nich Caleb. Na widok Caleba trener zaklął.

– Ty? Miałeś już nie żyć.

Caleb robił wrażenie równie zbitego z tropu, co Nick.

– Że co?

Trener klasnął w dłonie i wezwał znowu swoje demony.

Kody zniknęła.

– Ejże – warknął Caleb. – To nie najlepszy moment na tremę.

On i Nick połączyli siły, by walczyć ze szpetnymi, skrzydlatymi stworami. Nick zerknął w stronę kamer.

– Jak szybko sekretariat przyśle tu ochroniarzy?

– Minie cała wieczność – odparł Devus. – Zadbałem o to, by nie mogli zobaczyć tego, co się tutaj dzieje. A teraz złożę was w ofierze mojemu panu.

Caleb czarami przywołał swój miecz. Nick wyciągnął z kieszeni ten, który dostał od Ambrose'a. Był nie większy niż scyzoryk, wyglądał zupełnie niegroźnie. Do chwili, gdy Nick zamknął oczy i wyobraził sobie, że nożyk jest większy. Natychmiast urósł do pełnych rozmiarów. Gdy to się stało, Devus aż krzyknął.

– To ty jesteś Malachai, a nie Caleb. – Machnął ręką na swój oddział demonów. – Bierzcie ich obu! I przynieście mi miecz Malachai!

Demony rzuciły się na nich z zaciekłością.

Pierwszego, który się do niego zbliżył, Nick przeciął na pół. Przed drugim zrobił unik. Rzucił się na ziemię, następnie zerwał się na równe nogi i dźgnął kolejnego, który na niego szarżował. Wywijał mieczem, a ten podpowiadał mu, co ma robić. Dzięki temu walczył, jakby urodził się z bronią w ręku.

Było ich jednak tylko dwóch wobec dużo liczniejszej armii napastników. Nick powoli opadał z sił, podobnie zresztą jak Caleb.

W pewnej chwili chłopak pośliznął się na plamie krwi i osunął na jedno kolano.

*Umrę.*

Miecz robił się coraz cięższy. Nick czuł, że już długo nie wytrzyma.

W chwili, gdy poczuł, że jego ramię słabnie, pojawiła się Kody w towarzystwie Xenona. Rzuciła nekromancie plecak z pudełkiem zawierającym serce, po czym dołączyła do nich.

– Miło, że zostawiłaś nas samych – warknął Caleb.

– Poszłam po odsiecz.

Caleb zerknął na Xenona.

– Jak szybko nam pomoże?

Xenon wyjął pudełko z plecaka.

– Natychmiast.

I zaczął recytować zaklęcia.

Nick walczył dalej. Jeden z demonów kopnął go prosto w splot słoneczny. Co za ból. Czuł się tak, jakby żebra wyszły mu plecami.

Demonów wciąż przybywało.

– Coś jest nie tak.

Nick spojrzał na Xenona wilkiem.

– Stary, nie to chcę teraz słyszeć. Poważnie.

– Chcesz czy nie – mruknął Xenon ze spokojem, który kontrastował z paniką Nicka – to nie działa.

– Co niby nie działa? – zapytał Caleb.

Xenon odciągnął Nicka na bok, zostawiając kolejną falę napastników Nekodzie i Calebowi.

– Jesteś pewien, że dałeś jakiś osobisty przedmiot należący do trenera?

– Tak. Zdjęcie, które go przedstawia, kiedy był człowiekiem.

– Potrzebne mi coś bardziej osobistego. Coś ważnego, co związane jest tylko z nim.

Trener się roześmiał.

– Nie ma niczego takiego, bo dla mnie nic się nie liczy. Nic a nic. Wszyscy umrzecie.

Kody krzyknęła, padła na kolana i została otoczona przez demony. Caleb wrzasnął, gdy napastnik zatopił mu zęby w barku.

Devus miał rację. Zaraz przegrają.

Ale Nick nie chciał się z tym pogodzić. Rozejrzał się po gabinecie, szukając czegoś, czegokolwiek, co miało osobistą wartość dla tego potwora. Każdy ma przecież coś, co się dla niego liczy.

Niech licho porwie tego głupiego trenera. Nie mógł zrobić choćby listy zakupów?

Czemu nie...?

I nagle Nick przypomniał sobie coś ważnego. Uśmiechnął się, sięgnął do tylnej kieszeni i wyciągnął z niej napisaną ręcznie przez trenera listę rzeczy, które miał dla niego ukraść. Odręczne pismo to było coś wyjątkowo osobistego. *Grim, dziękuję ci za tę lekcję*. Podał kartkę Xenonowi.

– Wracamy do akcji.

Xenon szybko podarł listę i wrzucił strzępki do pudełka. Znowu zaczął recytować zaklęcia.

Devus w końcu odwrócił uwagę od walki, żeby sprawdzić, co robi Xenon. Na widok pudełka zbladł jak ściana.

– Nick?! – zawołał Xenon. – Twoja kolej.

Nick dźgnął demona, którego miał przed sobą, po czym podszedł szybko do okręgu, który wcześniej stworzył. Przywołał swoje moce i wyobraził sobie dziewczynę, by Xenon mógł ją odszukać.

Razem opuścili ziemską rzeczywistość i zeszli w ciemną do bólu przepaść.

Xenon położył mu rękę na ramieniu w pokrzepiającym geście.

– Jak ona miała na imię?

– Julianne.

– Julianne?! – zawołał Xenon. – Słyszysz nas?

Nick wyczuł jej obecność. Przede wszystkim czuł jej strach.

– To ja, Julianne. Przyszedłem ci pomóc.

Pojawiła się przed Nickiem.

– Uratujesz mnie?

Wyciągnął do niej rękę.

– Chodź ze mną. Zabierzemy twoje serce i uwolnimy cię. Raz na zawsze.

Wsunęła lodowatą rękę w jego dłoń. Gdy tylko zetknęły się ze sobą, zarówno Nicka, jak i dziewczynkę wessał wir i znaleźli się znów w gabinecie trenera. Nick przytrzymał Julianne, by się nie przewróciła.

Ledwie się tam pojawiła, demony wrzasnęły z bólu i rozpadły się w proch.

Devus aż się skulił na jej widok.

– Nie! To niemożliwe!

Julianne, której skóra była opalizująco szara, wyciągnęła ku niemu oskarżycielsko palec.

– Jak śmiesz więzić mnie przez tyle lat?! Nie miałeś prawa zrobić tego, co zrobiłeś. Nie miałeś prawa.

Słysząc jej głos, Nick poczuł przypływ mocy. Dostrzegał fakturę wszechświata dookoła siebie i czuł jego słodki zapach. Już wiedział, jaka kara będzie najwłaściwsza, jak to wszystko odmienić i jak wyrównać rachunek. Zmienił słowa zaklęcia i wcale nie przepędził Devusa, tak jak planowali. Nic podobnego.

Zamiast tego przekształcił siłę życiową trenera w siłę życiową Julianne.

Devus krzyczał, gdy wsysał go wir. Pochłonął on i trenera, i jego wrzaski. Tymczasem sylwetkę Julianne skąpało jasne, żółte światło. Wystrzeliło z jej koniuszków palców i przeniosło się na pudełko, w którym spoczywało jej serce. Serce natychmiast rozjarzyło się, po czym zniknęło.

Julianne odrzuciła głowę do tyłu i aż krzyknęła, gdy w magiczny sposób serce powróciło do jej piersi. Z oczu dziewczyny popłynęły łzy. Poszarzały duch zamienił się w istotę ludzką. Julianne, bez tchu, wypatrywała się z zachwytem w Nicka.

– Jak to zrobiłeś?

Spojrzał na Nekodę, Caleba i Xenona.

– Nie mam zielonego pojęcia.

Roześmiała się, rzuciła mu się na szyję i mocno go uściskała.

– Jesteś moim bohaterem. Dziękuję ci. Dziękuję ci po tysiąckroć.

Pomyślał, że do tego mógłby się przyzwyczaić. No, może nie do krwawiącego nosa i siniaków, które sprawiały, że z trudem oddychał teraz w jej objęciach. Nie wspominając o tym, że Kody rzuciła mu mordercze spojrzenie, z którego bez trudu wywnioskował, że nie podobało jej się to, co zrobiła Julianne.

– Julianne? Nie mogę oddychać. Puścisz mnie?

Natychmiast wypuściła go z objęć i otarła łzy.

Jednak gdy tylko to zrobiła, okno gabinetu zadygotało od grzmotu, który towarzyszył jasnej błyskawicy. Była tak potężna, że aż się wszyscy zatoczyli.

Ni stąd, ni zowąd pojawił się ogromny...

No cóż, ciało miał końskie, pysk groźnego lwa, a ogon kozy. Ależ zmieszane DNA!

Stwór wyszczerzył na nich zęby.

– Jak śmiałeś zniszczyć mojego...

Przerwał, gdy zobaczył Nicka. Ruszył w jego stronę.

Xenon zagrodził mu drogę i odciął dostęp do Nicka.

– Cofnij się, Trys. Ten do ciebie nie należy.

Trys splunął na ziemię pod nogami Xenona.

– Myśmy jeszcze ze sobą nie skończyli, ty i ja. Wrócę.

– Wiem. Już czuję twój smród.

Trys zniknął.

Nick wskazał na pozostałą po nim mgiełkę.

– Co to było?

Xenon wzruszył ramionami.

– Nie jestem tylko nekromantą. Innymi rzeczami też się zajmuję.

Caleb wyciągnął rękę niczym rycerz Jedi czyszczący komuś pamięć.

– Lepiej nie pytaj, Nick. On ci nic nie powie.

Nick podniósł rękę do góry w geście kapitulacji i ustąpił przed Calebem.

– Hej, nikt nie jest głodny ani martwy. Całkiem udany dzień, jeśli o mnie chodzi.

Xenon pokręcił głową, po czym spojrzał na Caleba ponad ramieniem Nicka.

– Mam nadzieję, że nie zapomnisz o honorarium.

– Będzie na ciebie czekała. Kogo jak kogo, ale ciebie nie śmiałbym oszukać.

– Do następnego razu.

Xenon dosłownie wyparował z pokoju.

Nick aż się zachłysnął.

– Gdzie on poszedł?

– To nie tylko nekromanta – oznajmili Kody i Caleb unisono.

– Cóż to za niesamowity świat – westchnęła Julianne, która właśnie odkryła włącznik światła. Włączała je i wyłączała w kółko. Potem znowu rzuciła się uściskać Nicka.

Kody wzięła się pod boki i zrobiła groźną minę.

Caleb parsknął śmiechem.

– Schowaj pazury, kociaku. No, idę dostarczyć naszą dziewczynę do domu. – Westchnął ciężko. – Tylko żebym nie musiał przez to zostać w szkole po lekcjach. Jeśli tak się stanie, to ty za to zapłacisz, Gautier.

– A co to za nowość?

Caleb z Julianne zniknęli.

– Gdzie on ją zabrał? – Nick zapytał Kody.

– Z powrotem do miejsca i czasów, gdzie żyła, zanim Devus ją zabił.

Oczy Nicka zrobiły się wielkie jak spodki z niedowierzania.

– On to potrafi?

– Owszem, potrafi.

Jeszcze jedna nadzwyczajna moc Caleba. Kto by pomyślał?

Nick był wyczerpany, ale czuł ogromną ulgę. Oparł się o biurko. Kody podeszła do niego i stanęła obok.

– Tak to będzie wyglądało?

Bał się odpowiedzi na to pytanie.

Roześmiała się.

– Wiesz, jest takie chińskie przysłowie.

– Tak? Jakie?

– Obyś żył w ciekawych czasach.

Nick roześmiałby się, gdyby nie był tak zmartwiony tym, jak bardzo interesująco rozwijały się sprawy. Kiedyś nie mógł się doczekać przyszłości, a teraz nie był nawet pewien, czy ma jakąkolwiek przed sobą.

– Nie smęć.

Kody cmoknęła go w koniuszek nosa. Następnie wyjęła małą, skórzaną opaskę z kieszeni i założyła mu ją na nadgarstek.

Nick zmarszczył brwi.

– Co to?

Okręcił bransoletkę i zobaczył, że jest na niej jej imię.

– Nie jesteś już tym jedynym uczniem, który nie ma dziewczyny.

Po czym zniknęła z gabinetu.

Serce Nicka biło jak oszalałe na myśl o tym, co się właśnie wydarzyło. Jasna cholera...!

No cóż, dla takiej nagrody był gotowy dać się pobić demonom.

*Ja mam zdecydowanie nie po kolei w głowie.*

No i? Jakieś wieści?

– Nasz człowiek jest już na miejscu. Młody Malachai mu ufa.

– Na pewno?

– Absolutnie. Gautier się zmieni. Niedługo odzyskamy wolność.

Wolność...

Najwspanialsze ze wszystkich słów. Gdy będą wolni, rzeka ludzkiej krwi spłynie brukiem ulic.

# EPILOG

*Półtora miesiąca później*

Nick siedział na szczycie schodów ich nowego domu przy Bourbon Street. Chciał chwilę odsapnąć. Właśnie skończył rozpakowywać z mamą ich mizerny dobytek. Z restauracji dochodził zapach *gumbo* i langust oraz przytłumione dźwięki jazzu i zydeco, a także okrzyki i śmiech turystów.

Choć ich nowe mieszkanie można było uznać za wielkie tylko w porównaniu z poprzednim, teraz przynajmniej miał swój własny pokój... Taki normalny, ze ścianami i łóżkiem, które dostał od Kyriana na urodziny. Nowy dom był czysty, wyposażony w bieżącą ciepłą wodę, wszystko tam działało.

A co najważniejsze, z oczu jego matki zniknął smutek. Promieniowała z niej teraz duma, której nigdy wcześniej u niej nie dostrzegł. Żeby móc to widzieć, zniósłby wszystko.

Zresztą na tym jego ambicje się nie kończyły.

Spojrzał na ogromny szary budynek po drugiej stronie ulicy. Miał ciągnącą się przez całą długość werandę z ozdobnymi barierkami z kutego żelaza. To tam chciał kiedyś zamieszkać.

– O nic się nie martw, młody. Tak się stanie.

Zerknął w prawo i zobaczył, że zmierza do niego Ambrose. Spojrzał na wujka z gniewem. Nadal był na niego zły za to, że zostawił ich samych, gdy potrzebowali pomocy.

– Skąd wiesz? – zapytał zadziornie.

Ambrose zignorował jego złośliwość i posłał mu uśmiech.

– Po prostu wiem, i już. Nie minie wiele czasu i będziecie z mamą wieszać twoje zdjęcia z dzieciństwa na schodach w tym domu.

Co zabawne, widział to bardzo wyraźnie oczami wyobraźni. Odkąd Kody dała mu magiczne lustro, jego wewnętrzny wzrok z każdym dniem się wyostrzał.

W tym momencie było to jednak bez znaczenia.

– Nadal jestem na ciebie zły za to, że nie pomogłeś nam w walce z trenerem. Jak mogłeś?!

– Przecież przeżyłeś. Nick, to doświadczenie było ci potrzebne. Dało ci pewność siebie, której ci wcześniej brakowało.

Akurat. Co za bzdury! To jak powiedzieć komuś coś w rodzaju „mnie zabolałoby to bardziej niż ciebie".

– Nie wciskaj mi tego psycho-bełkotu, jak to dzięki temu rozwinąłem się jako jednostka i że „co cię nie zabije, to cię wzmocni". Nie mam ochoty tego wysłuchiwać. Mówisz mi, że mogę ci ufać, a potem dajesz nogę równie szybko jak mój ojciec. To jakiś dziedziczny defekt genetyczny, o którym powinienem wiedzieć? Czy ja też opuszczę swoje dziecko?

Jego twarz pociemniała, przybrała śmiertelnie groźny wyraz.

– Nie. Tego nigdy nie zrobisz.

Nick przewrócił oczami, gdy Ambrose odgarnął mu lewą dłonią włosy z twarzy. Serce stanęło mu w piersiach, gdy coś zauważył.

Nie. Za nic.

To niemożliwe.

Nick wstrzymał oddech i ujął dłoń Ambrose'a w swoją. *O, Boże.*

Ambrose miał bliznę, która wyglądała dokładnie tak samo jak ta, która została na dłoni Nicka po nacięciu zrobionym przez Xenona.

Tej blizny Ambrose nie miał ostatnim razem, gdy się widzieli…